Донцова

Дарья Донцова
ВОЛШЕБНЫЙ
ЭЛИКСИР

Сказки Прекрасной Долины

**Читайте романы примадонны иронического детектива
Дарьи Донцовой**

Сериал «Виола Тараканова. В мире преступных страстей»:

Черт из табакерки
Три мешка хитростей
Чудовище без красавицы
Урожай ядовитых ягодок
Чудеса в кастрюльке
Скелет из пробирки
Микстура от косоглазия
Филе из Золотого Петушка
Главбух и полцарства в придачу
Концерт для Колобка
с оркестром
Фокус-покус от Василисы
Ужасной
Любимые забавы папы Карло
Муха в самолете
Кекс в большом городе
Билет на ковер-вертолет
Монстры из хорошей семьи
Каникулы в Простофилино
Зимнее лето весны
Хеппи-энд для Дездемоны

Стриптиз Жар-птицы
Муму с аквалангом
Горячая любовь снеговика
Человек-невидимка в стразах
Летучий самозванец
Фея с золотыми зубами
Приданое лохматой обезьяны
Страстная ночь в зоопарке
Замок храпящей красавицы
Дьявол носит лапти
Путеводитель по Лукоморью
Фанатка голого короля
Ночной кошмар Железного
Любовника
Кнопка управления мужем
Завещание рождественской утки
Ужас на крыльях ночи
Магия госпожи Метелицы
Три желания женщины-мечты
Вставная челюсть Щелкунчика
В когтях у сказки
Инкогнито с Бродвея

Сериал «Джентльмен сыска Иван Подушкин»:

Букет прекрасных дам
Бриллиант мутной воды
Инстинкт Бабы-Яги
13 несчастий Геракла
Али-Баба и сорок разбойниц
Надувная женщина для
Казановы
Тушканчик в бигудях
Рыбка по имени Зайка
Две невесты на одно место
Сафари на черепашку
Яблоко Монте-Кристо

Пикник на острове сокровищ
Мачо чужой мечты
Верхом на «Титанике»
Ангел на метле
Продюсер козьей морды
Смех и грех Ивана-царевича
Тайная связь его величества
Судьба найдет на сеновале
Авоська с Алмазным фондом
Коронный номер мистера Х
Астральное тело холостяка

Сериал «Татьяна Сергеева. Детектив на диете»:

Старуха Кристи – отдыхает!
Диета для трех поросят
Инь, янь и всякая дрянь
Микроб без комплексов
Идеальное тело Пятачка
Дед Снегур и Морозочка
Золотое правило Трехпудовик
Агент 013
Рваные валенки мадам Помпадур
Дедушка на выданье
Шекспир курит в сторонке

Версаль под хохлому
Всем сестрам по мозгам
Фуа-гра из топора
Толстушка под прикрытием
Сбылась мечта бегемота
Бабки царя Соломона
Любовное зелье колдуна-болтуна
Бермудский треугольник черной
вдовы
Вулкан страстей наивной незабудки
Страсти-мордасти рогоносца

Сериал «Любимица фортуны Степанида Козлова»:

Развесистая клюква Голливуда
Живая вода мертвой царевны
Женихи воскресают по пятницам
Клеопатра с парашютом
Дворец со съехавшей крышей
Княжна с тараканами

Укротитель Медузы горгоны
Хищный аленький цветочек
Лунатик исчезает в полночь
Мачеха в хрустальных галошах
Бизнес-план трех богатырей

Дарья Донцова

Львиная доля серой **мышки**

роман

Москва

2017

УДК 821.161.1-312.4
ББК 84(2Рос=Рус)6-44
Д67

Оформление серии *В. Щербакова*

Под редакцией *О. Рубис*

Донцова, Дарья Аркадьевна.

Д67   **Львиная доля серой мышки** / Дарья Донцова. — Москва : Издательство «Э», 2017. — 320 с. — (Иронический детектив).

ISBN 978-5-699-96381-2

Вопрос на засыпку — как выглядит домовой? Вы спросите, да кто ж его видел? А вот Татьяна Сергеева видела существо, кое иначе, чем домовым, не назовешь — это похожее на гигантскую мышь лохматое создание с торчащими квадратными ушами! Но выяснять, откуда и зачем появилось в ее доме сие чудо чудное, Тане некогда — ее спецбригада проводит новое расследование. Платон Персакис и его матушка, сделав открытие, что жена Платона родила детей вовсе не от него, пожелали узнать, чьи же они. Однако не ставя в известность об этом их мать. Что ж желание клиента — закон! И тут... выяснилось такое! Как говорится, многие знания — многие печали...

УДК 821.161.1-312.4
ББК 84(2Рос=Рус)6-44

ISBN 978-5-699-96381-2

Глава 1

Очень тяжело быть одинокой матерью сына, которого родила для тебя свекровь...

— Вы поняли? — спросила дама, увешанная бижутерией от известных фирм.

На шее у нее висели две нитки, одна от «Шанель», вторая от «Диор», запястья украшали браслеты: на правой руке от «Луи Виттон» и «Прада», на левой — от «Эрмес» и «Миу-миу», а на пальцах сверкали кольца фирмы «Сен-Лоран». Что интересно: у этих производителей можно найти вещи без бьющих в глаза логотипов, но наша посетительница выбрала противоположный вариант. Похоже, моей собеседнице хотелось, чтобы окружающие видели: она может себе позволить все самое дорогое. Кстати, и сумка дамы сразу сообщала, что ее произвели Дольче с Габбаной, и на летнем платье повсюду было вышито слово «Гуччи». На ногах госпожи Персакис красовались розовые туфельки «Феррагамо». Очень удобная обувь, ее носит английская королева, вот только венценосная особа не щеголяет в лодочках, которые снабжены здоровенной пряжкой в виде торгового знака фирмы всемирно известного итальянского сапожника.

— Сейчас в подробностях объясню, что произошло, — вещала тем временем обратившаяся к нам за помощью дама, являвшая собой этакую рекламную витрину брендов. — Год тому назад...

— Маргарита Потаповна, — спокойно прервал ее Иван, — может, ваш сын сам сообщит нам о происшествии?

— Мой мальчик очень стеснительный, — отрезала потенциальная клиентка, — не привык языком молоть. Я лучше, чем он, информацию о всех событиях до вас донесу. Правда, котик?

Сидевший рядом с ней молодой мужчина кивнул.

Я стала рассматривать «мальчика». На вид ему лет тридцать пять, может, сорок, сейчас «стеснительный ребенок» смотрит в пол, головы не поднимает, сгорбился. То ли Потап полон раскаяния, то ли просто боится авторитарной мамаши. А может, он болен? На лице у мужчины видны шрамы, переносицу украшают очки с затемненными стеклами. И он как-то чересчур молчалив, за время пребывания в нашем кабинете произнес лишь два слова: «Добрый день».

Маргарита Потаповна начала подробно объяснять, что ее сподвигло обратиться в особую бригаду, начальницей которой я, Татьяна Сергеева, являюсь.

Сначала собеседница объявила: она принадлежит к древнему греческому роду Персакис. Ее предка привез в Россию Петр Первый. Потап Персакис служил при царе советником и имел хобби: делал разные соусы, выращивал на своем огороде растения для специй. У нашей посетительницы в паспорте написано — Маргаритес, что в переводе с греческого означает «жемчуг». Но сколько она ни объясняла окружающим, что ее имя надо произносить с окончанием «ес», все называют ее Маргаритой, и в конце концов обладательница редкого греческого имени смирилась, откликается уже на Риту, Марго и другие производные. Имя Потап, которое носит ее сын, тоже греческое, переводится как «широкий», и именно так с незапамятных времен звали всех старших сыновей этой семьи.

Госпожа Персакис гордится своей принадлежностью к древнему роду, и ее долгое время очень огорчало, что она у своих маменьки с папенькой оказалась единственным ребенком, да еще девочкой. Получалось, что на ней род Персакисов оборвется, когда Маргарита выйдет замуж и станет какой-нибудь Кузнецовой. А ей совершенно не хотелось менять фамилию. И тут добрый боженька сжалился над ней. Однажды Рита была приглашена на свадьбу едва знакомой ей пары, зачем-то решившей собрать всю свою родню, включая «седьмую воду на киселе». Маргарита оказалась за одним столом с приятным мужчиной, который представился как... Александр Персакис. Удивленные молодые люди стали выяснять, кем же они друг другу приходятся, в разговор включилась вся свадьба, и в конце концов гости выстроили линию генеалогического древа: троюродная прапрапрабабушка Маргариты вышла замуж за внучатого племянника второго мужа третьей жены тети прапрапрадедушки Александра. Одним словом, родства у них оказалось как действующего вещества в гомеопатических каплях, то есть совсем чуть-чуть. Ничто не мешало Маргарите с Александром пожениться, что они и сделали. Фамилия Персакис была спасена. К сожалению, Александр погиб, попав под машину за месяц до рождения Потапа. Мальчик появился на свет сиротой. Госпожа Персакис более замуж не выходила.

В лихие девяностые годы Маргарита потеряла работу и, чтобы не умереть с голоду, стала варить дома греческий соус, который всегда готовили к мясу ее бабушка и мама, а затем его продавать. Темно-красную острую массу она наливала в бидон, шла в какой-нибудь офис и предлагала его сотрудникам купить необычную для России приправу. Довольно быстро у нее сложился круг постоянных клиентов, который стал расти и расширяться. Вскоре для производства соуса размеров маленькой кухни стало не хватать, Маргарита арендовала пустующую столовую, наняла пару женщин... Сейчас дама владеет заводом, на котором производятся «Приправы Персакис», а также аграрным комплексом, где выращивают помидоры, лук, морковь, чеснок, зелень. Семейный соус до сих пор продается на ура, но ассортимент продукции фирмы стал разнообразным...

Посетительница на секунду замолчала, и я воспользовалась паузой, чтобы прояснить ситуацию:

— Что привело вас к нам?

Госпожа Персакис показала рукой на сына и вновь затараторила:

— Потап богат, красив, умен. Он моя правая рука, занимается всеми финансами фирмы, и негоже ему было долго вести холостяцкую жизнь. Не стану скрывать, мне хотелось, чтобы невестка была этнической гречанкой. И, на мое счастье, мальчик женился на Беатрисе Георгиус. У них родились двое сыновей, погодки.

Маргарита Потаповна сдвинула брови.

— Беатриса мне понравилась — тихая, мягкая, интеллигентная, не способная скандалить. Вот только она рано потеряла родителей, и это меня настораживало. О, только не надо сейчас упреков в плохом отношении к сиротам. Просто я знаю несколько не очень приятных примеров — сын начальника отдела персонала в моей фирме и дочь старшего инженера выбрали себе в спутники жизни бывших подкидышей, так вот, и невестка, и зять оказались людьми скандальными, отстаивали свои интересы криком, не умели распоряжаться деньгами, не могли найти достойную работу, так как в отрочестве плохо учились. Но Беатриса другая — она получила по окончании школы медаль, свободно владеет двумя иностранными языками. И на свет появилась не от непонятно кого, родители ее, вполне приличные люди, утонули во время летнего отдыха, когда паром, на который они сели, пошел ко дну. Малышке тогда едва три года исполнилось, Би оставалась с няней в Москве. Я отношусь к невестке как к родной дочери.

Мадам Персакис резко выпрямилась.

— Шесть лет назад, когда Потап еще не думал о женитьбе, был незнаком с Беатрисой, он организовывал презентацию нашего нового продукта. Мальчик является вице-президентом фирмы, ведает, как я уже говорила, всеми финансами, всегда сам курирует значимые проекты и прекрасно справляется со своими обязанностями.

Все члены бригады и наш главный босс (а заодно и мой муж) Иван Никифорович терпеливо ждали, когда мамаша перестанет петь осанну «ребеночку» и наконец-то доберется до сути дела. Но Маргарита вещала со всеми утомительными подробностями.

...Во время того мероприятия Потап пару раз общался с симпатичной Мартой, распорядительницей, отвечавшей за фуршет. Разговоры их были исключительно деловыми. Персакис не из тех представителей мужского пола, что бегают за юбками. Около часа ночи, когда праздник закончился, Потап вышел на улицу, где стеной лил дождь, поспешил к своему автомобилю и увидел промокшую насквозь Марту, бегавшую по парковке.

Многие начальники просто уехали бы домой, не поинтересовавшись, что случилось у подчиненной, но сын Маргариты Потаповны воспитан иначе.

— Вам помочь? — крикнул он Марте.

— Кажется, мой автомобиль эвакуировали, — в растерянности ответила девушка. — Оказывается, зона парковки оканчивается у фонарного столба, а я поставила свой джип чуть дальше.

— Садитесь в мою машину, — приказал Потап, — простудитесь...

На этом месте сын прервал рассказ матери:

— Я только ее отвез. Я очень брезгливый человек, мне и в голову не придет заниматься сексом с незнакомкой на заднем сиденье. Марту после той поездки я никогда более не видел, ее судьбой не интересовался, навсегда о ней забыл. У нас никакого близкого общения не было, виделись только в тот день, когда я ее довез до дома. Разговор вертелся вокруг музыкальных пристрастий. Я включил какую-то радиостанцию, там пели «Битлз», ну мы и начали обсуждать их произведения. Это все.

— И тем не менее недавно сия красавица, Марта Столова, прислала ко мне адвоката! — взвилась Маргарита Потаповна. — Тот заявил, что его доверительница родила от Потапа девочку, ей сейчас пять лет. Более того, адвокат утверждал, что мой мальчик и эта особа любовники по сегодняшний день.

— Это невозможно, — отрезал сын. — Своим здоровьем клянусь, у нас с ней ничего не было! Никогда! Ни в тот вечер, ни позднее. И я люблю свою жену.

— Любовь и секс не всегда ходят парой, — заметил Александр Викторович Ватагин, наш психолог, — иногда они мирно существуют порознь.

— Это не про меня, — резко заявил Потап. — Марта решила повесить на нашу семью своего ребенка в надежде на солидные алименты.

— Проблема решается просто, — улыбнулся Иван Никифорович. — Для этого есть анализ ДНК.

— Вот в исследовании-то собака и зарыта, — подскочила Маргарита Потаповна. — Когда вся эта каша заварилась, я задалась вопросом: что делать? Беатриса очень импульсивная, она сначала вспыхивает спичкой, а потом только думает, стоило ли нервничать. Еще нюанс. Когда Потапчик преподнес ей кольцо с предложением выйти за него замуж, она ему сказала: «Я согласна. Но сразу хочу предупредить: если изменишь мне, я непременно узнаю и в тот же день покончу с собой».

— Причем Би не шутила, — мрачно дополнил сын. — Я маме об этих словах жены сообщил, когда услышал от нее о визите адвоката Марты.

— Я приняла решение ничего Беатрисе о происходящем не говорить, — повысила голос госпожа Персакис, — а сама наняла адвоката. Тот потребовал первым делом сделать анализы ДНК Потапа и девчонки. Я думала, что Марта откажется, поэтому стала искать подходы к воспитательнице детсада, куда ходил ребенок, чтобы та собрала материал для ДНК-теста. Понимаете, мне хотелось точно знать, течет в девочке кровь Персакисов или нет.

— Не очень приятно, что мама сомневалась в моих словах, но я ее понимаю, — тихо проговорил Потап.

— Девочка не имеет к моему сыну ни малейшего отношения! — ликующе возвестила Маргарита Потаповна. — Вот так!

— Рада за вас, — улыбнулась я. — Но раз недоразумение выяснилось и все благополучно завершилось, зачем вам понадобилась помощь нашей бригады?

Владелица фирмы «Приправы Персакис» резко встала.

Потап потянул ее за руку.

— Сядь, пожалуйста.

— Не могу, — отмахнулась Маргарита и начала мерить шагами переговорную. — Адвокат нашел лучшего ученого по ДНК. Тот выяснил, что в данном случае правда на стороне Потапушки, девочка не является его дочерью. Но еще он заявил, что у моего сына вообще детей не может быть, потому что он... бесплоден.

— Очень интересно... — пробормотала эксперт Люба Буль.

— Да уж, — согласилась Маргарита Потаповна. — Я тоже удивилась, решила, что в лаборатории напутали, сказала врачу: «С девочкой все ясно. А с Потапом вы пальцем в небо угодили, у него двое сыновей». Доктор не смутился: «Значит, они не от него». Но я безоговорочно доверяла Беатрисе, поэтому подумала: случилась ошибка. Выходит, есть вероятность, что и ДНК-анализ неверно проведен. И что делать? Сейчас я алчную аферистку отправлю лесом, а она тоже затеет исследование, и обнаружится, что девочка все-таки от Потапа...

Буль подняла руку.

— Обычно для такого исследования берут образцы слюны или крови. Но по ним нельзя не выявить бесплодие.

Маргарита Потаповна остановилась посреди переговорной.

— Я никогда не затеваю ничего с бухты-барахты, всегда предварительно собираю необходимую информацию. Я вычитала, что слюна или кровь могут в некоторых случаях дать неверный результат. Химеры.

Эксперт усмехнулась.

— Вы, однако, глубоко копнули. Да, встречаются люди с двумя ДНК. Мне вспоминается Наталья К., по результатам генетического исследования оказавшаяся... неродной матерью своих дочерей, которым ее муж, присутствуя на родах, лично перерезал пуповину. В результате муторного разбирательства выяснилось, что у Натальи с ее собственным рождением очень интересная история. Она должна была стать одной из близнецов, но две яйцеклетки на стадии эмбрионального развития слились, и на свет появились не близнецы, а одна девочка, но с разным набором генов. Это называется генетический химеризм, явление очень редкое.

— Но возможное! — топнула ногой Маргарита Потаповна. — У меня есть маленькая шкатулочка из оникса, в ней хранятся молочные зубки Потапа. Их собрал мой отец, который внука, наследника фамилии Персакис, просто обожал. Папа всегда говорил: хорошая кровь, отличные зубы. И уж поверьте, резцы мальчика образцовые. И у детей Беатрисы они как ядра миндаля, крепкие, никакого кариеса. Я не настолько глупа, чтобы считать зубы признаком родства, они были просто приятным знаком: дети из нашей породы. У всех Персакисов отличные зубы. Я не сомневалась ни на секунду в отцовстве сына, потому что Би порядочная женщина. Но раз так вышло, то ради верности исследования Потап сдал не только кровь, но еще и сперму. Мы сделали два анализа. Понимаете?

Люба кивнула.

— Конечно.

Персакис наконец села к столу.

— Повторяю: я заподозрила, что в лаборатории накосячили. Да, ученый вроде лучший, но ассистент у него, возможно, дурак, не ту пробирку взял. Поэтому мы повторили исследование еще в трех местах. И везде получили одинаковый результат: у моего мальчика обнаружилось полное бесплодие. Сексуальной жизни данная проблема никак не мешает, но его жена может забеременеть лишь с помощью ЭКО и только с материалом донора. А у Потапа два сына!

— Мда, — крякнул наш опер Валерий, — не очень красиво получается.

— Первый ребенок у них родился через десять месяцев после свадьбы, — пояснила Маргарита Потаповна. — Кстати, Беатрису мой мальчик не на улице нашел, я сама ему невесту привела.

— Я не мог сразу после знакомства вести девушку в загс. Мы до свадьбы больше года с Беатрисой состояли в дружбе, — вступил в разговор сын. — Сначала просто встречались, ходили в театр, в консерваторию, на концерты. Потом сошлись ближе. Когда я понял, что полюбил Беатрису, тогда и преподнес ей кольцо. Да, невесту нашла мама, но она бы не стала настаивать на бракосочетании, скажи я, что Би мне не подходит.

— И чего вы хотите от нас? — резко спросил Иван Никифорович.

— Найдите отца детей, — потребовала мадам Персакис.

— А смысл? — не понял Валерий.

— При разводе вам нужен аргумент для отказа от алиментов? — предположила еще одна моя сотрудница, Аня Попова, до сих пор не принимавшая участия в разговоре. — Прежде посоветуйтесь с адвокатом. Ведь если в документах детей отцом назван Потап, то он будет вынужден платить деньги до тех пор, пока не докажет на суде, что является обманутым мужем.

— Все не так! — воскликнула Маргарита Потаповна. Заметила недоумение на наших лицах и пояснила: — Мой мальчик не собирается разрушать свой счастливый брак.

Глава 2

— Счастливый брак? — задумчиво повторил профайлер бригады Ватагин. — Интересно...

— Мы выяснили, что у Потапушки не может быть детей, — продолжала госпожа Персакис. — А кому передать бизнес? Мы давно вышли на международный уровень, наша продукция продается во многих странах. Нужны продолжатели дела. И где их взять? Новые внуки у меня могут появиться лишь в двух случаях: если жена Потапа сделает ЭКО от донора или сын свяжет свою судьбу с женщиной, у которой есть дети от первого брака. Но и в первом, и во втором случаях ребятишки не станут кровной родней Персакисов. К тому же неизвестно, как сложатся отношения с ними. Ну и зачем нам затевать сыр-бор, если в семье уже есть два мальчика?

— Действительно, — хмыкнул Валерий, — только нервы мотать.

— Вот-вот, — согласилась Маргарита Потаповна, которая явно не поняла, что Валерий съехидничал. — Мальчики растут в нашей семье, я их люблю, Потап тоже, дети правильно воспитываются с пеленок. Нет-нет, развод нам не нужен.

— Цепь ваших рассуждений ясна, — кивнул Валерий. — Но непонятно, зачем тогда вам понадобился любовник невестки?

Мадам Персакис закатила глаза.

— Экие вы, однако, недогадливые... Мы хотим выяснить, от кого дети появились на свет. Знает ли тот мужчина, что он биологический отец малышей? Если этот человек богат, успешен, женат и у них с Беатрисой просто секс, то мы с Потапушкой спокойно выдохнем.

— Конечно, — подтвердил сын. — Еще лучше будет, если у него от законной супруги есть пара наследников. Тогда на наших он претендовать не станет, отношения с Би огласке не предаст. Ему шум тоже совсем не нужен.

— Проблема возникнет, если выяснится, что человек, с которым связалась невестка, одинок, беден, не способен обеспечить семью, — тяжело вздохнула Маргарита Потаповна. — В этом случае он может рассчитывать получить от нас деньги, начнет шантажировать Би. Мы должны быть в курсе, чтобы знать, как себя вести в случае форс-мажора. Озвучьте нам имя отца детей.

— М-м-м... — протянула я.

— Нам сказали, что вы настоящие маги, — прибегла к грубой лести госпожа Персакис.

— К сожалению, мы не обладаем волшебной палочкой, — возразила Буля.

— Мы заплатим любую сумму, — заверила Персакис, — не сомневайтесь в нашей платежеспособности. Готовы внести аванс прямо сейчас. В любом виде: банковский перевод, наличка, чек. Как пожелаете.

— Думаю, проще просто спросить у Беатрисы, — посоветовала я.

— Нет, — возразила владелица фирмы.

— Би трепетная, нервная, — сказал Потап. — Если поймет, что мы с мамой знаем ее маленький секрет...

— Маленький секрет, — эхом повторила Аня.

— Беатриса может отреагировать неправильно, — продолжила за сына Маргарита Потаповна. — Она импульсивна. Чего доброго, заявит: «Нет мне прощения, я не имею права называться супругой Персакиса!», схватит мальчиков и бросит нас. Или, не дай бог, отравится. Беатриса невероятно щепетильна.

Анна закашлялась.

— Ну да, ну да, — закивала Любочка.

Я посмотрела на Ивана и прочитала в его взгляде то, о чем думала сама: нервная и очень щепетильная жена спокойно спит в одной постели с Потапом и рожает детей от другого мужика. У нее в душе ничего не трепыхается, пока законный супруг и свекровь не знают об измене, но едва сия психологически тонко организованная особа услышит, что члены семьи в курсе ее прелюбодейства, она мигом удерет, прихватив бастардов. Однако занятное понимание честности в браке у Беатрисы Персакис.

— Ох! Совсем забыла сказать, — всплеснула руками Маргарита Потаповна. — Отец дочки Марты и мужчина, от которого появились на свет сыночки Потапа, — один и тот же человек. Понимаете, да? Ребенок Марты и мои внуки имеют общего папу. Так как, вы беретесь?

— Попробуем, — спустя мгновение согласилась я. — А сейчас нам необходимо побеседовать с господином Персакисом.

— Пожалуйста, — милостиво разрешила мамаша, — вот он, Потапчик, прямо перед вами.

— Наедине, — уточнила я.

— Без меня? — встревожилась мадам Персакис.

— Да, — ответила я.

— Глупости! — вспыхнула клиентка. — Мать всегда присутствует при допросах, которые полиция устраивает ребенку. Это закон.

— Только, если ребенок несовершеннолетний, — уточнил Ватагин, — а вашему, похоже, тридцать пять стукнуло.

— Потапчик семьдесят второго года рождения, — уточнила Маргарита Потаповна.

— Да? Прекрасно выглядите, — восхитилась Аня, — смотритесь лет на десять моложе.

— Спасибо маме, — прокурлыкало великовозрастное дитятко, — она тщательно следит за моим питанием и заставляет регулярно заниматься спортом. Признаюсь, я ленив, для меня выбраться в фитнес-зал настоящая проблема.

— Ясно, — пробормотала Люба. — Уважаемая Маргарита Потаповна...

— Давайте обойдемся без отчества, — отмахнулась Персакис.

— Дорогая Маргарита, — снова заговорила я, — у нас есть вопросы к Потапу, которые он, очевидно, постесняется обсуждать при матери. Только поэтому мы хотим пошептаться с ним с глазу на глаз. А с вами пока побеседует Анна. Заранее прошу извинения, если наша сотрудница поинтересуется у вас чем-то очень личным.

— У нас с Потапом нет тайн друг от друга, — отрезала Маргарита. — Мать и сын единое целое, они связаны пуповиной до смерти.

— Естественно, — кивнул Потап, — спрашивайте обо всем при маме.

— Даже о ваших интимных отношениях с женщинами? И с супругой? — уточнила я.

— Что здесь тайного? — удивился Потап. — Мама и так все знает. Я советуюсь с ней, если у нас с Би возникают разногласия.

— Дети живут дружно, — поспешила объяснить мамаша, — но порой появляется недопонимание. Например, с частотой секса! У моего мальчика спокойный темперамент, а Беатриса прямо фейерверк.

— На медовый месяц мы уехали на Мальдивы, — начал объяснять «мальчик». — Там моя жена хотела близости по несколько раз на дню. И ночью мне спать не давала. Я подчинялся ее желаниям, понимал: у нас первые моменты законного брака.

— Погодите-ка! — остановила его Люба. — Вы ведь уже целый год были вместе. Такую пару нельзя считать молодоженами в классическом понимании этого слова.

— Видимо, я плохо объяснил ситуацию, — огорчился Потап. — Беатриса не имела собственной квартиры.

— До знакомства с нами она снимала однушку, — перебила Маргарита. — В опасном районе, где селятся гастарбайтеры. Грязный подъезд, обшарпанные стены и так далее. Естественно, такой пейзаж оскорблял взгляд моего мальчика. К тому же полное отсутствие комфорта. Поэтому мы подыскали девочке милую трешку в центре города, и Беатриса туда переехала. Конечно же, квартиру оплачивал Потап.

— Встречались мы два раза в неделю, — уточнил маменькин сынок, — в среду и пятницу. После работы. Шли в театр, на концерт, ужинали в ресторане, гуляли, поднимались в квартиру. Но я никогда не оставался на ночь.

— Почему? — не сдержала любопытства Аня.

— У нас в семье есть давняя традиция, ее корни уходят в мое детство: каждый вечер в половине двенадцатого я приношу маме в спальню чашку какао с бисквитами, — объяснил Потап. — Она его пьет, лакомится любимым печеньем, и мы обсуждаем, как прошел день.

Валерий почесал переносицу.

— Театральные постановки завершаются примерно в полдесятого вечера. Предположим, в полодиннадцатого вы оказывались в квартире Беатрисы. А через час уже надо было разводить матери какао?

— Варить, — поправил Потап. — Надеюсь, вы не думаете, что я угощаю маму быстрорастворимой гадостью? Делаю напиток исключительно из качественных какао-бобов, без всяких улучшителей вкуса, эмульгаторов и прочих «изысков».

— И когда же вы успевали любить друг друга? — изумилась Аня. — Как долго вы добирались от квартиры Беатрисы до дома?

— Я подумал: маме бы не хотелось, чтобы я мотался по городу, — прощебетал сынок, — поэтому апартаменты для любимой подыскал в доме, где жили мы сами. Нужно было просто перейти из подъезда в подъезд. Сексом мы занимались раз в месяц, и я всегда маму предупреждал.

— А я говорила: «Забудь про мой какао», — нежно проворковала Маргарита.

— На Мальдивах мы с женой поселились в одном номере, — вздохнул справивший сорокалетие «малыш». — Все было прекрасно, кроме желания Беатрисы постоянно предаваться постельным утехам.

— Потапчик такой бледный вернулся! — всплеснула руками госпожа Персакис. — Прямо в тень бедный мальчик превратился. Пришлось мне поговорить с Би.

— Вы беседовали с невесткой об ее интимных отношениях с мужем? — не удержалась от вопроса Аня.

— Естественно, — пожала плечами Маргарита Потаповна. — Я объяснила ей, что у каждого человека свой темперамент, в браке нужно уступать друг другу, искать компромиссы. В семье нельзя проявлять эгоизм. Неразумные дети, недавно вступившие в брак, могут наделать ошибок, которые разрушат их союз. Беатриса умная девочка, она все поняла.

В моем кармане завибрировал телефон, я вытащила его и прочитала сообщение от Эдиты, нашей компьютерщицы, сидевшей напротив меня: «Очень тяжело быть одинокой матерью сына, которого для тебя родила свекровь». Мне хотелось рассмеяться над забавной фразой, присланной Булочкиной, но пришлось сдержаться. Все-таки негоже потешаться над будущими клиентами.

Глава 3

— Я бы тоже рванула налево, если бы мой супруг походил на милейшего Потапа! — в сердцах воскликнула Буля, когда сладкая парочка Персакисов, наших новых клиентов, покинула офис.

— Зачем ему жена? — удивилась Аня. — Мать покупает шмотки, следит за питанием, в фитнес-зал выталкивает, по вечерам она и сынуля вдвоем обсуждают, как день прошел, а работает Потап в фирме, которую создала мамочка. Беатриса на этом празднике жизни явно лишняя.

— Чтобы по проституткам не бегать, лучше супругу завести, — поморщился Ватагин. — Слышала? Потапчик же ясно сказал: «Я брезгливый».

— Если вспомнить его рассказ, то ему секс раз в месяц нужен, — хихикнул Валерий. — Заводить семью ради столь редкого удовольствия? Можно найти постоянную ночную фею и ходить только к ней. Дешевле во всех смыслах обойдется.

— Мать ему детей родить не может, — высказалась Буля.

— Странная семейка, — продолжала Аня. — У Персакисов-младших близости почти нет, отпрыски у них от любовника жены, но муж и его мамочка их воспитывать собираются, наследниками сделать. Беатриса живет с Потапом и занимается сексом с другим мужчиной. И еще. Можно понять рождение одного ребенка от любовника. Но двоих?! По-моему, они все с левой резьбой.

— Под каждой крышей свои мыши, — остановил дискуссию Иван Никифорович. — Таня, как действовать собралась?

— Маргарита сообщила данные Марты... — начала я.

— Марты Столовой в Москве нет, — быстро сказала Эдита, глядя на экран компьютера, — есть Мартина Столова, восемьдесят шестого года рождения. Проживает по адресу: Глухов проезд, дом два, квартира девять. Работает в НИИ лаборанткой.

— Это не она, — возразил Валерий, — Марта и Мартина разные имена.

— Фамилия совпадает, — заспорила Булочкина. — И у нее есть пятилетняя дочь Анфиса, отец которой неизвестен.

— Глухов проезд почти в центре, я знаю его, — сказал Валерий. — Шесть лет назад нужная нам девушка работала в «Приправах Персакис», организовывала фуршеты, после одного из них Потап ее до дома подвез.

— Уно моменто, — пропела Эдита, — сейчас пороюсь в отделе персонала фирмы...

У меня зазвонил телефон, я посмотрела на дисплей, вышла в коридор и спросила:

— Рина, что-то случилось?

Моя свекровь прекрасно знает, где работают сын и невестка, поэтому ей никогда не придет в голову беспокоить нас по какому-то пустяку. Обычно в течение дня я звоню Ирине Леонидовне, интересуюсь, как у нее дела. В последний раз Рина сама отыскала меня на службе, когда сломала обе ноги.

— Все супер, — поспешила заверить свекровь, — уж извини, что отвлекаю. Противный ремонт!

— Да уж, — пробормотала я, — на редкость мерзкое занятие.

Не так давно Иван купил квартиру, которая расположена под родительскими апартаментами. В ней никто не жил, прежний владелец давно переселился в Лондон. Просторное жилье было когда-то оформлено дизайнером по вкусу первого хозяина, банкира, который ни разу не заглянул в свою обитель. Квадратные метры он приобрел как вложение капитала. Зачем тогда сделал дорогую отделку? А спросите у него, у меня ответа на этот вопрос нет. Нам с Иваном хотелось жить рядом с Риной, но все-таки в отдельной норке, поэтому квартира банкира стала прекрасным решением проблемы.

Поскольку апартаменты никогда никем не использовались, я, еще не побывав внутри, очень обрадовалась и сказала мужу:

— Отлично. Можно не делать ремонт.

— Сначала посмотри на интерьер, — попросил Иван. — Вдруг не понравится?

— Тебе хочется, чтобы в доме появились мастера, сбивающие кафель, маляры, сантехники и прочие умельцы? — прищурилась я.

Супруг передернулся.

— Никогда!

— В новой квартире чисто? — не успокаивалась я.

— Пыльно, — уточнил Иван. — Если мы решим жить без каких-либо изменений в интерьере, нужно сделать генеральную уборку, сдать в химчистку занавески, пледы.

— О! Там есть портьеры и одеяла? — восхитилась я.

— Угу, — кивнул Иван. — В наличии все: постельное белье, посуда, кухонная утварь, ковры...

— Вот уж чего не люблю, так это ковры, — заметила я.

— На мой взгляд, это — пылесборники, — согласился муж.

Я начала размышлять вслух.

— Ковры не составит труда скатать и убрать, можно вообще их продать. Найти уборщицу легко. Прямо завтра начну искать хороший клининг. Лапуля с Димоном недавно купили дом, у них работала замечательная бригада. Стоили услуги недорого, а качество уборки оказалось выше всяких похвал.

— Давай все же сначала сходим в квартиру, — попросил Иван. — Вдруг нам что-то не понравится? Тогда надо будет кое-что переделать.

На следующий день мы втроем — пригласили и Рину, которая тоже ни разу не спускалась в апартаменты банкира, — вошли в холл нашей будущей квартиры. Иван щелкнул выключателем, и мне на секунду показалось, что вокруг вспыхнул огонь. Я зажмурилась, потом осторожно приоткрыла один глаз и ахнула. Вокруг сверкало золото: шкафы, обои, вешалка, стены — все покрывала роспись, сделанная золотистой краской. Пол оказался паркетный, но и в него были вделаны желтые кусочки металла. От фрески на потолке захватывало дух: три толстые обнаженные тетушки и с ними не менее тучный юноша тоже без признаков одежды. Парень держал в руках фрукт (угадайте, какого цвета), отдаленно напоминающий яблоко. Похоже, художник пытался изобразить иллюстрацию к древнегреческому мифу про Париса. А под этой красотой висела люстра — скопище хрусталя, позолоченных трубок и керамических медальонов, на каждом из которых виднелись буквы.

— Что там написано? — прошептала я, почти лишившись голоса при виде такого умопомрачительного великолепия.

— «А» и «В», — тоже тихо ответила Ирина Леонидовна. — Наверное, инициалы хозяина, они тут повсюду, посмотри на коврик у двери.

Я перевела взгляд на коврик и нервно захихикала. На половике, сотканном из парчовых нитей, была такая же монограмма, что и на светильнике.

Мы с Ириной Леонидовной схватились за руки и вошли в санузел при большой спальне. Интерьер его заставил нас со свекровью содрогнуться. Краны в ванной комнате были выполнены в виде золотых русалок. При повороте ручки хвост полудевушки-полурыбы слегка задирался, и из-под него начинала бить струя воды.

— Ну как? — бодро осведомился Иван. — Если ноги от восторга не держат, на пол не падайте, лучше на пуфик обе опуститесь.

Я посмотрела на круглую тумбу, обитую чем-то смахивающим на золотую фольгу, и увидела в центре большой медальон с буквами «А» и «В».

— Ну как? — повторил муж.

— Ужас, — придушенным хором ответили мы с Риной.

Потом свекровь обрела дар речи:

— Надо делать ремонт.

— Да! — воскликнула я. — Иначе я с ума сойду в этом золотом кошмаре. Хотя... Ваня, ты же купил апартаменты со всем содержимым?

— Только не подумай, что я пришел в восторг от владений царя Мидаса[1], — сказал муж. — Хотел приобрести голые стены, но риелтор объяснил: «Хозяин отдает квартиру с обстановкой. Иначе не соглашается ее на торги выставлять».

— Получается, что нас вынудили взять золотую пещеру, — расстроилась я.

— Мой агент прилично сбил цену, — похвастался супруг, — но, конечно, пустое жилье могло обойтись дешевле. Не переживай, Танюша, мы все выломаем, сделаем как нам нравится.

— Жаль потраченных денег, — расстроилась я. — А может, привыкнем к этому убранству? Ну, знаешь, как бывает: сначала кажется ужасным, а потом даже нравится.

— К сожалению, эта квартира наиболее удобный вариант, — вздохнула Рина. — А все из-за меня, потому что я не хочу уезжать из дома, в котором живу много лет.

— Нет, из-за того, что у тебя невестка ленивая, — возразила я. — Нам предлагали отличные квартиры

---

[1] М и д а с — царь Фригии. Он пожелал, чтобы любой предмет, которого касается его рука, становился золотым. *(Здесь и далее прим. авт.)*

на соседней улице, но мне подумалось: ведь каждый раз, когда я захочу с тобой чайку попить, придется одеваться. Поэтому я попросила Ивана поговорить с соседями. И вот что вышло. Куча денег на ветер улетела.

Муж обнял меня.

— Не переживай. Еще заработаем. Найдем бригаду ремонтников, выломаем всю блестящую жуть...

— Погоди! — остановила сына Рина. — Ведь можно попробовать эту красоту продать. Я имею в виду мебель, светильники, сантехнику.

— Ну кому такое понадобится... — пригорюнилась я. — Неужели может найтись человек, которому придется по вкусу белый стол, на котором выложен ярко-желтыми пластинами вензель: «АВ»?

— Одного я уже знаю, — хихикнула Ирина Леонидовна.

— Правда? — воспряла я духом. — И кто он?

— Бывший хозяин квартиры, в которой мы сейчас находимся, — расхохоталась свекровь, — а по моему опыту, дураки роятся стаями. Где один появился, там второй и третий отыщутся.

— Хорошо бы, — вздохнула я, весь мой оптимизм иссяк.

Рина подбоченилась.

— Вот увидишь, непременно найдется человек, который заберет все: люстры, занавески, позолоченные дрова, потолок...

Мне стало смешно.

— Роспись не отковыряешь, ее придется просто замазать.

— Только в спальне, — уточнил муж. — В остальных помещениях потолок натяжной, его можно срезать.

— Из всего кошмара останется наверняка только это, — усмехнулась Ирина Леонидовна и показала пальцем за мою спину. — Сей красавец точно не имеет шансов найти нового хозяина.

Я обернулась и ойкнула. Между двумя креслами, обитыми розовым атласом с узором из геральдических лилий королевского рода Бурбонов, стояла на задних лапах фигура странного зверя. Морда у него смахивала на тигриную, но имела оранжевый окрас без полосок, туловище было темно-коричневое, в животе оказалось окно, сквозь которое виднелись разноцветные шарики размером с картофелину, задранные передние лапы явно принадлежали белому медведю, а макушку нелепого создания, ростом примерно метр семьдесят, украшала огромная треуголка, наподобие той, что носил Наполеон.

— Это торшер, — объяснил мой муж.

— Почему ты так решил? — удивилась я.

— Мама, будь добра, подойди к монстру и дерни его за любую лапу, — попросил Иван.

Рина быстро выполнила его просьбу, и сооружение на голове невиданного зверя вспыхнуло зеленым светом.

— Ух ты! — восхитилась свекровь.

— Постучи ему по носу, — приказал сын.

После этого действия цвет треуголки стал красным. А при поглаживании правого уха зверюги загорелся белый свет.

— Откуда ты знаешь, как управлять этим монстром? — пришла в недоумение Ирина Леонидовна.

— Ты ничего не помнишь? — усмехнулся Иван. — А ведь ранее ты видела сей забавный торшерчик.

— Где? — изумилась его мать. — Когда?

— Мы с тобой поехали отдыхать на море в дом отдыха, мне тогда исполнилось десять лет, — пояснил Иван. — Нас поселили в номере люкс с громадными шкафами, которые по ночам сами по себе с отвратительным скрипом открывались. Но главной фенькой был этот монстр. Когда я его увидел, меня парализовало от восторга. Не хотелось ничего — ходить на море, обедать, пить чай, посещать достопримечательности. Какие там экскурсии, на фиг все музеи — в гостинице есть Федя!

— Ты ему имя дал? — рассмеялась я.

— Ничего не помню, — развела руками Рина.

— Я умолял маму увезти Федю в Москву, — продолжал мой Иван, — и очень расстроился, когда она сказала доверчивому и простодушному сыну, что на Феде держится потолок, его нельзя уносить.

— Интересно, это тот самый Федя? Или у него родились братья? — веселилась я.

— Не знаю, — хмыкнула Рина. — Зато понятно, что красавчика никто не заберет...

— Таня! — крикнул мне прямо в ухо голос свекрови. — Таня! Поторопись!

— Что-то случилось? — повторила я вопрос, выныривая из воспоминаний.

— Да! — объявила свекровь. — Можете прямо сейчас приехать? Дело невероятной важности. Скорей! Времени всего двадцать минут. Через полчаса будет поздно. Смерть летит! На всех крыльях! Уже совсем рядом! Смерть невероятно торопится...

— Мчимся! — крикнула я и ринулась назад в переговорную.

Глава 4

Обычно я хорошо владею своим лицом, но сегодня утратила эту способность. Увидев меня на пороге, Иван живо встал и, бросив присутствующим: «Скоро вернусь», вышел в коридор.

Я выскочила за ним.

— Что? — коротко спросил муж.

— Звонила Рина, — отрапортовала я, — попросила срочно приехать домой. Сказала, через полчаса уже будет поздно. К ней летит смерть. На всех крыльях. И уже совсем рядом.

Иван быстро направился к лифту, я поспешила за ним, слушая, как он говорит в телефон:

— Коля, у нас код один. Обеспечь дорогу.

Коля — это Николай Николаевич Охлопков, правая рука Ивана, человек, который может все. Слова «код один» я никогда из уст Ивана не слышала, понятия не имею, что они означают. Вот «код два» означает угрозу жизни сотрудника. У нас на все случаи жизни есть классификация. Если ты вошел в квартиру и обнаружил несколько трупов, нельзя звонить в офис и в деталях описывать ситуацию. Разговор всегда может подслушать тот, для кого он не предназначен, поэтому просто скажи «два-двенадцать». Я отлично помню все пароли, большинство из них произносила сама, но про «код один» не в курсе. Что это? Эпидемия легочной чумы? В центре Москвы десантировалась Годзилла? Нас атакуют взбесившиеся монстры из компьютерных игр?

Непонятный код оказался сильнодействующим лекарством от пробок. Иван включил сирену и понесся в левом ряду. Каждый светофор, к которому подлетал автомобиль, моментально начинал светить зеленым глазом, мы добрались до дома за десять минут. Вбежали в квартиру, Иван крикнул:

— Мама!

Тишина. У меня екнуло сердце.

— Рина! — завопила я. — Ты где?

— Она съехала в нижние апартаменты, — пояснила домработница Надежда, выглядывая из своей комнаты. — А я кабачкам уши чищу, поэтому шума нет.

Иван выдохнул. В своей новой квартире мы с мужем пока не начали масштабный ремонт — Рина, несмотря на полную безнадежность затеи, все еще рассчитывала сбыть с рук «начинку» жилья. Она развила бурную деятельность, разместила повсюду объявления о продаже мебели, но пока ни один человек не изъявил желания заполучить до ужаса великолепные шкафы, столы и все прочее. В конце концов Рина объявила:

— Если до двадцать первого июня покупатель не появится, запускайте строителей.

— Почему именно этот день? — удивилась я. И услышала в ответ:

— Число понравилось.

Единственное, что мы решили сделать, это лестницу, которая соединит оба жилища, верхнее, Ирины Леонидовны, и нижнее, наше с Иваном. Муж нанял человека, тот пообещал:

— Получите суперсходни, всю жизнь меня не забудете.

И не обманул. Наша семья до сих пор нервно икает, когда кто-то произносит имя Николай. Коля пробил в полу верхней квартиры огромную дыру, установил столб из нержавейки, который спускался из жилья Ирины Леонидовны в наши с мужем будущие пенаты, и... пропал вместе с авансом, который я ему опрометчиво выдала. От чего я расстроилась, а Рина обрадовалась:

— О! Чудесно! Всегда хотела съезжать по столбу, как пожарные в фильмах. А подниматься буду по стремянке.

Далее события развивались стремительно.

В тот день, когда Николай установил металлическую трубу, Ирина Леонидовна сломала обе ноги, а за пару суток до этого у нас появились два французских бульдога, Мози и Роки, на редкость шкодливые щенки. Их Рине подарила ее лучшая подруга, прозвище

Кабачки они получили за свое круглое, ровное от шеи до хвоста тело. Поскольку Ирине Леонидовне с двумя загипсованными ногами пришлось сесть в инвалидное кресло, мы наняли домработницу Надежду Михайловну Бровкину, очень милую женщину, которая переехала к нам со своим котом британской породы по имени Альберт Кузьмич[1]. Сейчас Рина уже резво ходит, но Надежда осталась у нас.

— Мама съехала по столбу? — уточнил Иван.

— Да. А как иначе? — удивилась Надя.

— Я такой трюк выполнить не способна, — вздохнула я. — Значит, Рина не умирает.

— Фу-у... — выдохнул муж.

— С чего бы мне на тот свет собираться? — крикнула снизу Ирина Леонидовна. — Идите сюда. Ваня, Таня, седлайте столб, хоть один раз прокатитесь. Вам понравится.

Но мы с мужем пошли по ступенькам через подъезд. Войдя в наши «золотые» апартаменты, я не выдержала:

— Рина, ты меня так напугала! Мы неслись с Ваней домой как оглашенные, с сиреной.

— Ооо! — захлопала в ладоши свекровь. — Наверное, здорово, когда все дорогу уступают.

— Почему ты сказала, что сюда на всех парах летит смерть? — напала я на Рину.

— Вы действительно подумали, что здоровая тетка ни с того ни с сего может уехать на тот свет? — заморгала Рина. — У меня же лошадевое здоровье.

— Лошадячье, — поправила я.

— Важно не слово, а его смысл, — отмахнулась свекровь.

---

[1] Подробно вся история рассказана в книге Дарьи Донцовой «Страсти-мордасти рогоносца».

— Сомневаюсь, что в русском языке есть прилагательные «лошадевое» и «лошадячье», — заметил мой муж. — Мама, объясни, что происходит.

— Сейчас сюда приедут Смерть и ее парень, — затараторила Ирина Леонидовна. — Они хотят купить мебель, светильники, потолки... Короче, всю начинку.

— Мамочка, — нежно заговорил Иван, — похоже, ты переутомилась, пытаясь избавиться от...

Резкий звонок в дверь заставил меня вздрогнуть.

— Смерть с парнем пришла! — заликовала Рина. И побежала в холл, приговаривая на ходу: — Вы молчите, говорить буду я. Что бы ни соврала, кивайте, поддакивайте, соглашайтесь, кланяйтесь.

— Интересно, какой у смерти кавалер? — растерялась я.

— Черт или дьявол, — хмыкнул Иван. — По-моему, маме нужно посетить невропатолога. У нее явно посттравматический стресс. Это же надо было — сломать обе ноги! Такое не проходит бесследно.

— Рина хорохорилась, смеялась, а мы с тобой решили, что все в порядке, проявили равнодушие, — покаялась я. — А теперь твоя мама с катушек съехала.

— Здравствуйте, — прощебетал из прихожей голос свекрови. — Вы Смерть?

— Да, — ответил звонкий голос. — Знакомьтесь, мой жених. Черт.

— Добрый день, Смерть и Черт, — сказала Рина.

Я, не веря своим ушам, поспешила в холл и увидела у вешалки пару. Мужчина был в бордовой рубашке, такого же цвета брюках, в руках он держал трезубец, на голове у него торчали рожки. Спутницу нечистой силы я рассмотреть не успела, потому что попятилась, налетела на Ивана и сообщила ему:

— У двери реально помощник Сатаны. С рогами.

Глава 5

— Ох, простите, — приятным тенором произнес незнакомец. И принялся объяснять: — Понимаете, волосы такие — вьются, торчат пружинами, а у меня еще дурацкая привычка накручивать их.

— Ну да, Тоша повозится пальцами в шевелюре, и получаются рожки на макушке, — весело добавила блондиночка в розовом платье кукольного покроя.

— Вы люди... — выдохнула я. — Почему представляетесь Смертью и Чертом?

Девушка рассмеялась.

— Прикольно, да? Меня зовут Владлена Тод[1], в переводе на русский фамилия означает смерть, я под этим ником в соцсетях живу. Там же, в Интернете, я познакомилась с Тошей. Он по паспорту Антон Тойфель[2]. А его фамилия знаете как переводится?

— Ммм... — протянула я.

— Черт! — подпрыгнула Рина. — Тойфель это черт!

— Забавно, да? — расхохоталась Владлена. — Поэтому я на него внимание и обратила. Он в Интернете представляется Дьяволом. Мы — Смерть и Дьявол. Нам непременно надо жить вместе. Правда, милый?

Антон обвил рукой неправдоподобно тонкую талию спутницы.

— Конечно. Мы уже подали заявление в загс.

— Свадьба! — захлопала в ладоши Рина. — Поздравляем!

— Поздравляем, — эхом повторили мы с Иваном.

— Я купил дом, — снова пустился в объяснения юноша, — возникла проблема мебели, кухни и всего прочего.

---

[1] Der Tod — смерть *(нем.)*.

[2] Der Teufel — черт *(нем.)*.

— И что оказалось? — пригорюнилась Владлена. — Предложений полно, магазины переполнены, но...

— А зайдешь внутрь, — закатил глаза Антон, — и плакать хочется. Скукота! Унылые деревяшки!

— Кухни или белые, или коричневые, — вздохнула Владлена, — никаких украшений. Мы хотели заказать по своему дизайну из Италии...

— Только любители спагетти конкретно работать не желают, — пожаловался Антон. — Пошли мы в самый крутой салон, объяснили менеджеру, чего хотим, и услышали в ответ: «Заказ получите через год». Жесть! Я спросил: «Почему?»

— Объяснение улетное, — скривилась Владлена. — Мол, сейчас июнь, в июле-августе итальянцы не работают, все мебельщики в отпуске. В сентябре они раскачиваются, в ноябре сделают чертеж, в декабре у них Рождество, макаронники опять гуляют. Начнут что-то делать, глядишь, Пасха на носу, снова петь и веселиться надо.

— Да еще то, что нам надо, изготовляет только одна фирма, а она маленькая, завалена заказами, — подхватил Антон. — Остальные гонят депрессняк — одинаковые шкафы-стулья в десяти базовых расцветках.

— Ну прямо восторг — зайти к соседям и увидеть у них свою консоль, только не коричневую, а черную! — всплеснула руками блондинка.

— И декор у нее окажется тоскливым, — дополнил Антон.

— Помнится, мамочка мне на выпускной вечер приобрела очень красивое платье, — сказала Владлена, — импортное, его то ли в Польше сшили, то ли в ГДР.

Я, глядя на посетительницу, удивилась. Германская Демократическая Республика? Хм, Берлинская стена[1] рухнула вроде в тысяча девятьсот восемьдесят девятом. Ладно, пусть в девяностом. Но если Владлена на выпускной бал, когда ей было семнадцать лет, надела платье, сшитое в ГДР, значит... да, да, получается, что она семьдесят четвертого года рождения, не позже. Ну надо же, а выглядит максимум лет на двадцать пять.

Я вздохнула. Правда, в холле полумрак, лицо потенциальной покупательницы в деталях не рассмотреть. Но фигура-то у нее девичья. Ну почему некоторые тетушки и в сорок с гаком ухитряются иметь те же объемы, какие у них были в школьные годы, а мне приходится носить пятьдесят второй размер?

— И что? — продолжала тем временем Тод. — Почти все наши девчонки оказались в таких же прикидах, правда разных цветов.

Вполуха слушая дамочку, я снова вздохнула и сама себе ответила на собственный вопрос: а потому, Танечка, что надо перестать жрать. Кто вчера в полночь схомячил макароны болоньезе и залил их чаем? Правда, в нем не было сахара. Но почему ты, заинька, не бросила в чай рафинад? А все дело в том, что госпожа Сергеева решила угоститься еще и пирожным. Вот Владлена, похоже, ест один раз в неделю и только акрид, то есть сушеных кузнечиков.

— Зато на свое пятидесятилетие ты щеголяла в роскошном эксклюзивном бюстье, — улыбнулся спутнице Тоша.

Я прищурилась, чтобы получше рассмотреть гостью. И тут Рина воскликнула:

---

[1] ГДР — Германская Демократическая Республика, существовала с 7.10.1949 г. по 3.10.1990 г. Берлинская стена — это на самом деле стена, государственная граница ГДР с Западным Берлином, существовала с 13.06.1961 г. по 9.11.1989 г.

— О, простите меня! Что же мы впотьмах-то стоим!

Свекровь нажала на выключатель, под потолком вспыхнул свет, я на секунду зажмурилась. А когда открыла глаза, то испытала приступ головокружения. Никто из членов семьи не включает в нижней квартире верхний свет, уж очень блестит все вокруг. Но ведь потенциальным покупателям надо показать товар лицом, потому Ирина Леонидовна и вспомнила об освещении. Вот только мне снова захотелось зажмуриться, но на сей раз не от сияния мебели, стен и пола, а от того, как выглядели Владлена и Антон. Платье госпожи Тод было усыпано крупными блестками, в волосах у нее торчали гребни, украшенные искрящимися камнями. Сумочка была вся в стразах, такие же туфельки и покрытые «жемчужной» пылью прозрачные колготки дополняли образ. Антон выглядел ровесником спутницы, хотя явно таковым не являлся. Одет парень был намного скромнее подруги. Правда, рубашка и брюки у него оказались не бордовыми, как мне привиделось в сумраке, а бешено красными, на сорочке были «бриллиантовые» пуговицы, брючный ремень напоминал пояс, который носят исполнительницы танца живота, а носы замшевых ботинок украшал вензель «АВ», вышитый золотыми нитями.

— Тоша, смотри! Наши буквы!!! — закричала Влада и показала на пол пальцем, в ноготь которого был вделан страз.

— Вау! — восхитился жених. — То, что мы и хотели! Понимаете, мы с Владюшей мечтали украсить мебель общими инициалами: АВ, то есть Антон и Влада.

— Думали еще надпись заказать: «Вместе навек», — добавила она.

Я принялась беззастенчиво разглядывать мадам Тод. Неужели Владлене пятьдесят? Ей и тридцати не дать!

— Скажите, а пол можно купить? — засуетилась Влада.

— Понимаете, вензель нам очень дорог... это инициалы сына и невестки... — замямлила Рина, — его продавать бы мы не стали, но дети решили сделать ремонт... хотят поменять золото с белыми камнями на платину с изумрудами...

— Я не стану торговаться, отдам любые деньги, — перебила Владлена. — Плюс двадцать процентов к объявленной вами цене. Пойдет?

— Э... э... — пробормотала Рина.

— Тридцать процентов, — тут же добавила Влада и повернулась ко мне с Иваном: — Согласны?

— У нас все решает мама, — хором заявили мы.

— Сначала посмотрите квартиру целиком, — вкрадчиво предложила Ирина Леонидовна.

Следующий час мы гуляли по апартаментам, слушая восхищенные ахи-охи «сладкой парочки».

— Забираем все! — закричала Владлена, когда экскурсия завершилась. — Пол, потолок, кафель, паркет...

— Мебель, занавески, светильники, — дополнил Антон.

— Федю не отдам, — неожиданно сказал Иван, — хочу его в своем кабинете поставить.

Я едва удержалась от смеха. Кажется, в Иване Никифоровиче ожил маленький мальчик.

— Кто такой Федя? — не поняла Влада.

— Сын шутит, — быстро вставила Рина.

— Нет, — уперся мой муж, — я серьезен как никогда. Торшер мой. Не расстанусь с ним ни за какие деньги.

— Федя — это тот светящийся гибрид из кучи животных в шляпе, — объяснила я.

— Но мы хотим его тоже, — заныла Владлена, — уже полюбили этого зверя.

— С детства обожаю этот светильник, — не сдавался Иван.

— Тоша, — жалобно пропищала Влада, глядя на своего спутника, — он не отдает торшер.

— Берите все, но Федя мой, — уперся Иван Никифорович.

— Антоша, — всхлипнула Влада.

— Если не отдадите светильник, срежем общую сумму на двадцать процентов, — пригрозил жених.

— Эй, эй, мы уже договорились, — занервничала Рина, — первое слово дороже второго.

— Это наше слово, — объявил парень, — хотим даем, хотим назад забираем. Если не все скопом, тогда даем меньше денег.

— Отлично! — кивнул Иван.

Владлена подумала, что глупый Иван Никифорович не разобрался в сути вопроса, и повторила:

— Эй, мы меньше заплатим.

— Прекрасно! — потер руки мой муж.

— Хочу торшер, — топнула ногой Влада.

— А я хочу его себе оставить, — уперся Иван.

— Антоша... — заканючила госпожа Смерть, — а-а-а-а-а... лампа-тигренок — моя...

— Федя — медведь, и он мой, — отрезал Иван.

Я с большим изумлением слушала их диалог. Похоже, они никогда не договорятся.

— Стоп, стоп, стоп! — зачастила Рина. — Предлагаю вам чудесное решение проблемы — надо сделать копию.

— Вау! — завопила Влада и бросилась обнимать мою свекровь. — Иришка, ты гений.

— Супер! — заорал и Антон. — Потрясающе! Все, завтра в семь утра придет мастер. Двадцать процентов возвращаются назад.

— Рано утром человеку, который будет работать над дублем торшера, приезжать не надо, — попросила я, — лучше ему в десять появиться.

— Но сначала проведите оплату, — предусмотрительно потребовала Ирина Леонидовна, — сейчас сброшу вам банковские реквизиты.

Владлена вынула телефон, быстро потыкала в него сверкающим ноготком и велела тому, кто ответил на вызов:

— Сережа, поднимись в квартиру. Но предварительно прочитай эсэмэску. Я тебе там сумму написала.

— Разбирать эту красоту будут наши люди, — начал обсуждать деловые вопросы Антон.

— Может, кофе? Или чай? — вспомнила я о гостеприимстве.

— С удовольствием выпью капучино, — облизнулась Владлена. — И не откажусь от сладенького. Тоше чаю и кусок торта.

— Давайте поднимемся на этаж выше, — предложила Ирина Леонидовна, — в этой квартире сейчас никто не живет.

Глава 6

— Ой, какие собачки! — восхитилась Владлена, когда мы уселись в столовой. — Тоша, хочу таких. Сейчас!

— За сколько отдадите псов? — деловито поинтересовался ее друг.

— Они продаются только вместе со мной, — совершенно серьезно ответила Рина.

Влада приоткрыла рот.

— Вы очень милая, но мне нужны только собачки.

— В зоомагазине легко найдете похожих, — улыбнулась я, — порода называется французский бульдог.

В кармане задрожал мобильный, я вышла в коридор и сказала:

— Да, Эдита, слушаю.

— Я получила информацию на Мартину Столову, — полился мне в ухо голос нашего компьютерного чуда. — Она служила в Институте истории мировых цивилизаций. Вуз коммерческий. Мартина была лаборантом, подавала чай, кофе и отвечала на телефонные звонки. У нее не имелось высшего образования, только школьный аттестат с тройками.

— Почему ты говоришь о Столовой в прошедшем времени? — насторожилась я.

— Потому что на днях она на тот свет отбыла, — ответила Дита.

— Что случилось с молодой женщиной? Несчастный случай?

— Суицид, — уточнила Эдита, — выпила яд.

— У нее же маленькая дочь, — удивилась я.

— Да, Анфиса, — уточнила Булочкина, — пять лет и несколько месяцев.

— Где сейчас ребенок? Почему мать решилась на самоубийство? — принялась я задавать вопросы.

— Про малышку ничего не знаю, — расстроилась Дита. — Мартина оставила записку, зачитываю: «Как прекрасна жизнь среди тех, кто тебя всегда ждет. Как радостно встречать с ними рассвет и закат. Мой мир полон любви. Ухожу в страну вечного счастья». Невероятно романтичная особа! Обычно записки самоубийц другие. У нее есть тетка, Воронова Галина Леонидовна, возможно, она знает, от кого племянница девочку родила. Выслала тебе телефон Вороновой.

— Танечка, тут мужчина пришел, — крикнула из прихожей домработница Надя, — говорит, что его ваши гости позвали.

— Пусть направляется в столовую, — велела я, пряча телефон, вернулась в комнату и услышала слова Влады:

— Хороший кофе.

— Не согласен, — возразил Антон. — Ни на секунду не похож на тот, что делаешь ты. Нет нужной крепости, сахар живет сам по себе, не «поженился» с арабикой, пена пузырчатая, не плотная, отсутствует упругость. Напиток приготовили с помощью машинки?

— Да, — обиженно согласилась Рина.

Моя свекровь вдохновенная кулинарка, и ее сильно задели критические замечания Антона.

— В агрегате барахло получается, — кивнула Влада, — настоящий кофе только в пакуче готовится.

Ирина Леонидовна прищурилась. Я редко вижу свекровь растерянной, поэтому решила прийти ей на помощь.

— Простите мое невежество. Что за зверь этот пакуче?

— Специальная емкость для создания настоящего напитка... — начала было объяснять Владлена. Но заметила входящего в комнату крепкого мужика и сказала ему: — Сергей, ставь на стол.

Незнакомец, смахивающий на громоздкий гардероб, который когда-то стоял у моих родителей в спальне, молча выполнил приказ.

— Свободен, — скомандовала Влада.

Великан испарился. Мадам Тод подняла крышку кейса, и я увидела тесно уложенные пачки долларов.

— Здесь аванс, — объяснила Влада, — вторую часть получите завтра.

— Хотите расплатиться наличкой? — удивилась Рина.

— Ну да, — пожала плечами Владлена.

— Немного странно... — заметила свекровь. — Хотя почему нет?

Я подошла к столу возле окна и включила чайник. Все понятно — пятидесятилетняя Влада богата, молодой Антон беден, юность в обмен на деньги. Не раз о таком слышала. Мне стало жалко Тошу. Наверное, не очень весело постоянно поддакивать избалованной даме, исполнять все ее прихоти, зависеть от перепадов ее настроения. Влада выглядит чудесно, скорей всего, она тратит целое состояние на уколы красоты, филлеры, ботокс... но ведь молодости души не вернуть.

— Завтра приедут мастера, начнут разбирать нашу мебель и прочее, — захлопала в ладоши гостья, — а я привезу вам пакуче и сварю настоящий кофе.

— Дорогая, еще нужно прихватить вторую половину денег, — напомнил Антон.

— Конечно, — кивнула невеста. — Как нам повезло! Вензель «АВ»...

— Золотые ручки... — добавил Тоша.

— Краны-русалки... — закатила глаза Влада. — На небесах услышали мои молитвы. Ванечка, и завтра же начнут копировать тигренка.

— Медведя, — поправил Иван. — Не волнуйтесь, всех рабочих впустим.

— И меня, — кокетливо заметила Влада.

— А вы тут зачем? — спросил Иван.

Я толкнула супруга под столом ногой, но он почему-то никак не отреагировал на пинок.

— За людьми необходимо наблюдать, — объяснила госпожа Тод.

— Вам, наверное, на работу надо с утра, — предположила я.

— Ой, а я нигде не служу, — объявила Владлена. — День у меня, конечно, занят: спа, готовка для Тоши и всякое там разное, типа фитнеса, массажа.

— Приносить деньги в дом это обязанность мужчины, — уточнил Антон. — Не хочу, чтобы Владуся сидела в офисе и выполняла приказы начальника-идиота. Если ей вдруг придет в голову чем-то заняться...

— Не придет, — хмыкнула невеста.

— Я её сделаю управляющей пиар-отделом в своей фирме, — договорил Антон.

— Тошик создатель и владелец соцсети «Приятели», самой крупной в России, — похвасталась Владлена.

Ну и ну! Я все неправильно поняла, в этой странной паре богат молодой человек.

— Может, все же продадите собачек? — заканючила гостья. — Очень хочу таких. Жози и Кози!

— Мози и Роки, — поправила Ирина Леонидовна.

— Это у вас, — улыбнулась Влада, — а у нас поселятся Жози и Кози. Девочки, как ваши.

— Они мальчики, — объяснила Рина.

— Ой, правда? — восхитилась Влада. — Чудесно. А давайте поступим так. Завтра привезу сюда Жози и Кози, а вы мне дадите Мурзи и Рузи.

— Мози и Роки, — вздохнув, поправила я. — Нет, спасибо.

— Ладно, — загрустила Владлена. — А разрешите иногда к собаченькам вашим в гости приезжать?

— В любое время, как только захотите, — вежливо ответила Ирина Леонидовна.

В моем кармане снова завибрировал телефон. Я извинилась перед присутствующими и опять ушла в коридор.

— Галина Леонидовна Воронова, тетя Мартины Столовой, работает в том же институте, что и племянница, только она профессор на кафедре истории, — продолжила наш прерванный разговор Эдита. — Если ты сегодня к семнадцати часам приедешь в вуз, Воронова с тобой побеседует, я договорилась с ней. Похоже, у них с племянницей были непростые отношения.

— Спасибо, Дита, — поблагодарила я, — непременно к пяти прикачу в вуз.

— У тебя все в порядке? — вдруг поинтересовалась Булочкина. — Так внезапно куда-то смылась. И шеф унесся.

— У него дома потоп случился, — соврала я. — Вроде соседи кран не закрыли, или трубу прорвало, подробностей не знаю. А я по личному делу уехала.

— Ты где? — полюбопытствовала Дита.

— В магазине. Колготки покупаю, — снова солгала я, — свои порвала.

— Вроде ты в брюках утром пришла, — удивилось наше компьютерное чудо.

Я посмотрела на свои джинсы и продолжила врать:

— Нет, в юбке.

— Дита, — донесся из трубки голос Любы Буль, — сделай одолжение, найди...

Трубка замолчала, и я запихнула ее в карман.

Спросите, по какой причине я нагромоздила сейчас две тележки вранья? Объясняю: мы с Иваном Никифоровичем пока не афишируем наш брак. Почему? Просто не хотим рассказывать о своей личной жизни, она никак не связана со службой.

Я пошла в гардеробную.

Погода в Москве непредсказуема. В шесть утра в городе лил дождь, поэтому мне пришлось влезть в джинсы. А сейчас сияет солнце, пришла жара, я могу надеть платье. Пусть Эдита увидит меня в нем. Если вернусь в офис в джинсах, Булочкина непременно скажет: «Вот, говорила же, что ты была в брюках. Как ты колготки-то порвать могла?»

Глава 7

— Да, Анфису заберут в детдом, но это тот случай, когда ребенку будет намного лучше в приюте, чем дома, — сурово заявила Галина Леонидовна, когда я, с трудом протиснувшись в ее крошечный кабинет, умостилась на шатком узком стуле.

— Мартина вела неподобающий образ жизни? — уточнила я. — Алкоголизм?

— Нет-нет, что вы. Племянница прямо-таки тряслась над своим здоровьем, — неодобрительно сказала профессор, — заботилась о себе с маниакальным усердием. Продукты приобретала или на рынке, или в магазинах, где цены убивают разум. Три раза в неделю фитнес. Что бы ни случилось, Марта в среду, пятницу и воскресенье бежала к гантелям.

— Похвальная привычка, — улыбнулась я.

— Нельзя ничего доводить до абсурда, — отрезала ученая дама, — она спать ложилась по будильнику. Понимаете?

Но я не поняла, заметила, пожав плечами:

— Сама всегда завожу часы, боюсь проспать.

— Да, большинство людей встает по звонку. Именно встает, — подчеркнула профессор. — Но я сказала «ложилась спать». Несколько раз, когда я была в гостях у Марты, раздавалось дребезжание, и племянница, заявив: «Двадцать один пробило, пора на боковую», — выпроваживала меня. Она собиралась прожить двести лет, говорила: «Здоровая счастливая старость формируется в юности. Когда стукнет шестьдесят, начинать вести правильный образ жизни поздно. Надо гораздо раньше озаботиться, кем ты будешь на пенсии: развалиной или деятельным и бодрым человеком». Она поэтому и Анфису родила.

— Для того, чтобы улучшить физическое состояние? — уточнила я.

— Ну да! — воскликнула Воронова. — Представляете? Хороша мотивация! Узнав, что Марта беременна, я, несмотря на то что наши пути с племянницей давно разошлись, решила все же приехать к ней и образумить. В дом она меня не пустила, но согласилась потолковать в кафе. Я у нее спросила, кто отец ребенка. И последовал восхитительный ответ: «Мужчина». Мне следовало сразу встать и уйти, но я решила не сердиться на беременную, у которой в крови гормон «озлобин» кипит, и спокойно ей объяснила: «Дети должны появляться на свет в законном браке. Но если официально скрепить союз не удалось, то необходимо, так сказать, подстелить себе соломку. Нужно объяснить будущему отцу, что он несет ответственность за малыша, обязан оплатить роды и приданое для младенца, нанять опытного педиатра, няню, платить алименты». Вот скажите, что обидного в моих словах? Я вела себя приветливо, ни одного злого слова не произнесла. А Марта на меня зверем посмотрела и прошипела: «Понятия не имею, кто папаша». Я испугалась: «Тебя изнасиловали?» И услышала: «Нет, я забеременела от донора. В клинике».

Галина Леонидовна отвернулась к стене.

— Ну просто слов нет! Я обомлела, спросила: «Господи, зачем ты такую чушь придумала?» Чем угодно клянусь, не имела желания ее укорить, от неожиданности так отреагировала. Вопрос мой и не предполагал ответа, а Марта ухмыльнулась: «Значит, нужно ставить печать в паспорте? Вешать себе на шею мужика, который будет приносить гнутую копейку раз в полгода, требовать за нее безбрежного уважения и орать, если нет обеда? Ну уж нет, спасибо. А вот ребенок мне необходим. Врач сказал, если женщина до тридцати не родила, у нее онкология после сорока разовьется». Тут я опять самообладание потеряла: «Что за ерунда? Где ты такого дурака нашла? И младенец не средство для оздоровления. О ребенке придется всю жизнь заботиться». И что я услышала? «Знаю, я тебе не нравлюсь, мой образ жизни тебя бесит, всех, кто для меня значим, ты считаешь идиотами. Зачем тогда явилась с разговором? Давай расстанемся навсегда». Очень она меня разозлила, и я ей честно сказала: «Сейчас ты сделаешь глупость, а через пару лет кто ребенком займется? Володя и Ксюша. Не хочу, чтобы ты брату на плечи еще один рюкзак повесила, хватит с него твоей матери». Но Марта встала и ушла. Молча. Ни слова не произнесла. Всегда такая была — твердолобая, уверенная в своей правоте. Отвратительный характер!

— У Мартины есть брат? — уточнила я.

Моя собеседница тяжело вздохнула и пустилась в объяснения.

— Моя сестра Елена начудила по полной программе: родила кучу детей, а от кого — неизвестно. В браке ни разу не состояла, зато отпрысков — как семечек в подсолнухе. Учиться Лена не желала, наши родители устали с ней бороться, умолять ее на работу пойти, профессию получить. Первому внуку Володе они обрадовались. Лену за беременность не пойми от кого не корили — добрые слишком, нас, дочек, обожали. Правда, мама перед смертью шепнула: «Ты на два года Ленки младше, а как будто из разных миров вы». Очень точное выражение. Лена была двоечницей, я отличницей, она впервые забеременела, еще учась в десятом классе, а я не собиралась с мужчиной без свадьбы жить. Елена высшего образования не получила, я же написала и защитила сначала кандидатскую, потом докторскую диссертацию. Сестра у людей полы мыла, я — профессор. Ленка из одной постели в другую прыгала, а мы с моим мужем более тридцати лет вместе, вырастили двух девочек-умниц. Маша сейчас в Лондоне, управляющая самым крупным универмагом, счастлива замужем, Олеся в Кембридже преподает, ее супруг владелец банка. А что у сестры? Лена пить начала, когда Володе исполнилось шесть, Егору четыре, а остальные дети еще на свет не явились. И плевать ей было на отпрысков. У нас с ней отношения прервались после одного случая...

Воронова вдруг засмеялась.

— Она приехала в мое отсутствие в наш дом и хотела отбить у меня мужа. Но не учла, что мой Евгений весь в своей математике, мыслит не как обычные люди. Вернулась я в квартиру, Женя рассказывает: «Приходила Лена. Угостил ее чаем. Она сказала: «Как у вас жарко» — и начала раздеваться. Скинула с себя все. Я включил ей вентилятор. Леночка легла на диван, а я пошел в кабинет. Через минут пять слышу голос: «Женька, мне холодно». Вернулся в гостиную, а она, как была без одежды, так и лежит. Руки протянула: «Женюся, я согреться хочу». Я ее пледом укрыл, чаю горячего принес и отправился работать». Моему наивному мужу даже в голову не пришло, что свояченица ему предлагалась. Но я-то сразу все поняла, сказала ей: «Более в гости не заявляйся. Никогда. Забудь мой адрес и телефон навсегда». И тут она быстро Леночкины глазки состроила.

— Леночкины глазки? — не поняв, спросила я.

Галина Леонидовна поморщилась.

— Елена всегда была наглой, развязной, бесцеремонной, эгоистичной, людям хамила. Мама наша много раз от нее плакала. Но если Ленке что-то от вас требовалось, вот тут эта мерзавка мгновенно превращалась в цветочек. Помню, как мамочка говорила: «На клумбе растут анютины глазки, а у нас дома цветут Леночкины глазки». Сестра умела ласковой прикинуться, пряником медовым обернуться. И все покупались, давали ей то, что она выпрашивала. Елена же, получив желаемое, мигом улыбочку гасила и принималась зубы скалить. Леночкины глазки быстро в крысиные превращались и оставались таковыми, пока к их владелице не приходило желание опять что-то выпросить. И вот что удивительно: обычно, если человек так себя постоянно ведет, с ним никто дел иметь не желает. Но сестрица словно гипнотизер была. Сколько раз я себе говорила: «Все, ничего она от меня более не получит». Но проходит время, и Ленка опять на пороге стоит, руки к груди прижаты, глаза распахнуты: «Галочка, ты у меня одна, к кому в трудную минуту обратиться могу...» И снова я послушно за кошельком иду. Сколько она у меня денег взяла в долг, и не счесть, но так никогда ничего и не вернула.

Моя собеседница нахмурилась.

— Впрочем, сама я была виновата, следовало послать ее подальше и больше близко не подпускать. Помню, когда Елена умерла, стою я у гроба и думаю: «Единственное хорошее, что для меня сестрица сделала, так это избавила от любви к себе. Иначе б я сейчас обрыдалась. А так смотрю на домовину и тихо радуюсь: ушло горе навеки». И у детей ее, наверное, похожие мысли в голове роились. Все молча на покойную смотрели.

— Ваша сестра скончалась от какого-то заболевания? — уточнила я.

Профессор поправила свои красивые бусы.

— Купила где-то бутылку алкоголя, а тот оказался фальсификатом. Леся, ангел наш, «Скорую» вызвала, Елену отвезли в клинику, но не спасли.

Я решила до конца разобраться в ситуации.

— Кто такая Леся?

Воронова взяла пустую чашку из-под кофе, перевернула ее и поставила на блюдечко.

— Хотите погадаю вам? Кофейная гуща всегда безошибочно сообщает будущее.

Я не верю ни экстрасенсам, ни знахарям, ни разного рода предсказателям, но хорошо знаю: если хочешь, чтобы человек, которого ты опрашиваешь, был до конца откровенным, надо с ним на время беседы подружиться, а легче всего это сделать, восхищаясь его талантами. Обычно на то, чтобы сообразить, кем человек себя считает: великим художником, писателем, танцором, певцом, самым лучшим в мире шофером, бухгалтером, или он до невозможности гордится собственным умом, редкой красотой, уходит немалое количество времени. Но сейчас мне повезло — Галина Леонидовна оказалась гадалкой-любительницей.

Я взяла свою чашку и кивнула.

— Переворачивайте ее от себя, — велела моя визави. — Хоп! Молодец. Пусть некоторое время вверх донышком постоит. На чем мы остановились?

— Кто такая Леся? — повторила я свой вопрос.

Ученая дама оперлась локтями о стол.

— У Елены было пятеро детей. Сын Володя — старший, затем Егор, потом Роман, следом Петя и последняя Марта. Нормальная семья только у Володи получилась: жена Ксюша, сын Гена и дочь Леся. Егор холостяк, Петя тоже без семьи был. Марта родила девочку вне брака. Леся моя двоюродная внучка. Ангел, а не ребенок, в отличие от своего братца Гены, который весь в бабушку пошел. Когда я про очередное художество мальчишки слышала, всегда невольно думала: генетика Ленки в нем.

— Ваша сестра давно скончалась? — поинтересовалась я.

Глава 8

Галина Леонидовна откинулась на спинку стула.

— Елена умерла полгода назад. Ее сын Петя погиб раньше. Он пил похлеще матери, трезвым я его никогда не видела, он пьяным попал под машину, выскочив на дорогу. Рома умер в одиннадцать лет от лейкоза, что, собственно, закономерно, ведь если мать, будучи беременной, не расстается с бутылкой, то не стоит удивляться никаким болезням малыша. Наоборот, странно, что остальные трое детей на свет здоровыми явились. Уж не знаю почему, но Володя ничего крепче кефира никогда не пил. Впрочем, Егор тоже к спиртному не прикасался. Наверное, так получилось, потому что они первые сыновья. Лена тогда не употребляла алкоголь каждый день. Володю она вообще трезвая носила, говорила: «Отец ребенка на мне женится, вот только с женой разведется». Но тот не торопился законную супругу бросать, и тогда Ленка от него же еще и Егора родила. Глупее поступка я не знаю. Решила мужика к себе привязать, думала, тот при появлении второго сына расчувствуется и быстро отношения оформит. Куда там! Любовник не идиот оказался. Зачем ему нужна дура, у которой ни профессии, ни ума, ни красоты, ну ничего хорошего нет, а только пара крикунов?

Воронова снова поставила локти на стол.

— Вы поняли, что к моменту отравления Елены эрзац-алкоголем детей осталось трое?

Я кивнула.

— Володя, Егор и Мартина. Первый сын имел семью: жену Ксюшу, мальчика Гену и девочку Лесю.

— Олеся — ангел, — заулыбалась ученая дама. — Отличница, умница, приветливая, услужливая... Ни одной дурной черты девочки назвать не могу, ее все вокруг любят. Кто бабушкам-соседкам в зимнее время в гололед в магазин бегает? Олеся. И просить ее не надо, сама в квартиру старушки позвонит и скажет: «На улице каток, не выходите сегодня, все вам принесу, и хлеб, и молоко, и сахар». Ксюша иногда говорила: «Леську мне Господь за Гену послал».

— Мальчик рос очень хулиганистым? — уточнила я.

Галина Леонидовна махнула рукой.

— Не передать словами! С шести лет вещи из дома таскать начал. А уж хитер... Ни разу в милицию не попал, знал, у кого тащить можно, кто его не сдаст. С тринадцати годков пристрастился к наркотикам. В шестнадцать из дома ушел и поселился... у Ленки. Думаю, парень воровал, на добычу дурь покупал, а доброй бабушке, которая его пригрела-приютила, алкоголь приносил.

Собеседница открыла ящик стола, вынула тубу с лекарством, положила в рот таблетку, потом сделала пару глотков воды из бутылки и пояснила:

— От нервов мне доктор прописал. Без особой радости вспоминаю все, что с Леной связано. И вот ведь что она за человек была — даже на собственных похоронах ухитрилась семье нагадить.

— Это как? — удивилась я.

— Прощались с ней в ритуальном зале крематория, — вздохнув, стала рассказывать профессор. — Володя к тому времени стал солидным бизнесменом. Не из беспредельно богатых, но крепко стоящих на ногах. Он создатель фирмы «Молодильное яблоко».

— Замороженные овощи и фрукты, — кивнула я. — Хороший товар, иногда покупаю вишню этой марки, очень вкусная.

— Работал он как вол, — продолжала Галина Леонидовна, — и Ксюша мужу помогала. У них поле было в Краснодарском крае, теплицы под Москвой, несколько заводов в разных концах России, где овощи-фрукты и зелень мыли-чистили да в банки-пакеты раскладывали, плюс еще сеть закупочных контор — у населения брали грибы, клюкву, чернику... Все деньги Вова с Ксюшей в развитие производства вкладывали, в быту скромно жили. Супруги ездили на одной машине, не новой. Ксюша одевалась прекрасно, но не слишком дорого, всякие бренды ее не волновали. Она посещала парикмахерскую около дома, много лет у одного мастера стриглась, у Иры Кушуевой. Жили они в той квартире, которую купили, когда дела у Володи только-только в гору пошли. Четыре комнаты в обычном доме. Ремонт сделали хороший, но без позолоты, без паркета из красного дерева с перламутром. По тусовкам не бегали. Незадолго до смерти Елены журнал «Выход в свет» пригласил Лесю на бал дебютанток. Но она туда не пошла. Я знала о предстоящем торжестве и спросила девочку: «Ангел мой, какое платье тебе сошьют?» Леся спокойно ответила: «Тетя Галя, у меня нет желания ехать на мероприятие. Оно затевается, чтобы люди могли показать свое богатство, вызвать зависть у тех девочек, которые никогда не попадут на праздник. Мне это не по вкусу. И устроители велят явиться с женихом. А я в выпускном классе, о поступлении в университет думаю, мне не до мальчиков». Я очень удивилась: «Неужели тебе не хочется покрасоваться в стильном эксклюзивном платье на людях, а потом увидеть свое фото на страницах модных изданий?» Она спокойно ответила: «Нет». Ясное дело, Володя мать за свой счет хоронил.

Рассказчица потерла лоб ладонью и снова отхлебнула воды из бутылки, пояснив:

— Голову что-то схватило... Наверное, опять дождь начался. Погода постоянно меняется, а я реагирую. Старею, похоже. Так вот, слушайте далее. Когда гроб с телом Елены установили в ритуальном зале, распорядитель сказала какие-то слова и обратилась к родственникам: «Кто хочет первым попрощаться?» И тишина! Женщина решила, что все разбиты горем, поэтому молчат, и решила присутствующих приободрить. «Понимаю, очень трудно говорить, когда от боли горло перехватывает. Ведь ушла из жизни прекрасная мать, лучшая в мире бабушка, хозяйка семьи...» И декламирует стандартный текст, от которого у нормальных людей слезы льются. Но наша ситуация распорядительнице была неизвестна. Я голову опустила, про себя думаю: «Когда ж ты, наконец, заткнешься? Володя, Ксюша, Егор, Леся молчат, никто не рыдает. Отсутствие слез показалось ведущей неправильным, она сделала быстрое движение рукой. Откуда ни возьмись, появились три бабульки, прямо как из-под земли материализовались, и давай выть по нотам: «Леночка, дорогая, на кого ты нас покинула! Зачем так рано ушла!» Тут Володя и не выдержал: «Перестаньте, — говорит, — хватит затягивать процедуру. Пусть гроб уезжает. Мы уже простились».

Вспомнив об этом, Воронова тяжело вздохнула, не прерывая повествования.

— Выходим мы из зала, идем к машинам, подбегает к Вове одна из плакальщиц, ручонку протягивает: «Сыночек, дай нам на помин душеньки твоей мамочки. Уж как она тебя любила, как любила, как любила...» Володя был добрым человеком, он подавал даже нищим, которые на перекрестках в окна машин стучат. А тут аж в лице переменился: «Вали, бабка, прочь, не было у меня доброй матери». Ксюша мужа за руку схватила. «Бабушка, уходите, мы вас истерить у гроба не приглашали. Если деньги за фальшивые рыдания получить хотите, то это не к нам». Старуха вмиг изменилась, улыбка с лица ее съехала, появился оскал, и совсем иная речь из ее рта полилась: «Спасибо на добром слове, благодарствуйте, что объяснили, не ударили. За доброту вашу правду сообщу. Я будущее ясно вижу, от меня ничего не скрыто. Не захотели о матери поплакать? Что ж, ваше право. Не самый хороший человек она была, пила в темную голову. Но ведь мать! Могла бы аборт сделать, но нет, родила деток, жизнь им подарила. За одно это в ножки ей поклониться надо, а наследничкам поперек себя о покойной что-то доброе сказать. Однако никто не вымолвил: «Мамочка, прости нас, мы виноваты, что ты дни свои в пьяном угаре провела, не лечили тебя». Думаете, больно покойной сделали? Нет. Она обозлилась. И быстро вас всех за собой уведет. Следом пойдете. Никого на земле не останется». Я ногами к земле приросла. Откуда бабка знает, что Ленка была алкоголичкой? Может, она правда ясновидящая? А старуха дальше вещает, на Вову и Ксюшу пальцем показывая: «На том свете у матери и свекрови прощения вымаливать станете. Даже на платок ей пожадились, покойницу простоволосой упокоили. Грешно это». Потом на меня глянула: «И ты за ними двинешься, недолго жить осталось. А девочка врет родителям, врет, врет... Плохо с ней станется, ой, плохо». Потом перекрестила нас: «Да будет так, аминь!» — и вмиг в толпе исчезла. Мы стояли на парковке, там автобусов-машин полно и людей, как муравьев. Крематорий самый большой в Подмосковье, одновременно много похорон, вся толпа в черном. Плакальщица просто растворилась в массе женщин с покрытыми головами. Мы молча в автомобиль сели, домой поехали, поминки не устраивали. Не хотелось за столом сидеть — что хорошего вспомнить можем о Елене? И вот катим в полной тишине...

Галина Леонидовна прервала рассказ и опять сделала несколько глотков из бутылки.

— Вдруг Володя затормозил и быстро заговорил, обернувшись и глядя на Лесю: «Когда бабка твердила, мол, девчонка врет родителям, я вспомнил недавний случай. Как-то заехал инспектировать один из своих магазинов, паркуюсь, гляжу — моя дочурка шагает. В одной руке портфель, в другой пакет из дешевого супермаркета. Ты меня не заметила, мимо пронеслась, в подъезд вошла. Я удивился: что ты в этом доме забыла? Вечером спросил: «Приметил тебя на улице Касьянова. Зачем ты там разгуливала?» И ты ответила: «Одноклассница заболела, классная руководительница велела ей книгу по внеклассному чтению отнести». Я твоим словам поверил, а сейчас, когда злыдня про ложь выкрикивала, меня осенило. К чему пакет с продуктами был? Да к тому, что там, в подъезде, куда ты зарулила, мать моя жила! Вот только до меня сейчас доперло, лишь сию минуту догадался... Ах я болван! Выходит, ты к бабке ходила? Жрачку ей и Генке таскала?»

Профессор отвлеклась от рассказа, посмотрела на меня в упор.

— Сразу объясню: для моего племянника и тон, и лексика не характерные. «Жрачка» не его слово, и голос он на моей памяти ни на кого из членов семьи не повышал. Даже с Геннадием спокойно общался, а мне, в отличие от него, уже на первой минуте беседы с наркоманом хотелось парню нос дверью прищемить. Леся, услышав грубые слова отца, заплакала: «Да, я заглядывала к ним». И тут у Владимира все стоп-краны сорвало. Что он орал, повторять не стану, смысл его речи таков: «Объясни, зачем ты таскалась в гости к Елене?» А Олесенька от его допроса в истерику впала: «Она же моя бабушка, единственная. Я ее люблю. И брата тоже. Им есть было нечего, в квартире грязь. Приносила продукты, но немного, понимала, что они сыр-колбасу на водку или уколы поменяют. Налью два стакана кефира, сделаю пару бутербродов, и все. Ну еще раз в неделю полы, посуду и сантехнику им помою. Папа, я не твои деньги тратила, свои — я одноклассникам доклады за плату пишу. Простите меня, я их любила. Пусть бабулечка плохой человек была, но она же моя родная. А мы на прощании с ней ничего хорошего не сказали, хотя в последний раз видели в крематории. И сейчас не на поминки едем. Это не по-человечески».

Ученая дама вздохнула.

— Вот такая она девочка, Олеся. Просто ангел... Тогда ее отец вдруг у какого-то трактира притормозил, сказал нам: «Пойдемте, помянем мать. Права Леся, нельзя на умершего человека обиду таить». Часа два мы сидели, поели, попили, и вдруг Ксюша спрашивает: «Леся, а ты бабку, которая при крематории пасется, знаешь?» — «Нет, — удивилась девочка, — впервые ее сегодня видела». Ксения к мужу повернулась: «Откуда же тогда ей известно, что девочка родителей обманывала?» Мой племянник опешил. Потом заявил: «Не знаю. Но логическое объяснение этому точно есть» А Ксению затрясло в ознобе, и она воскликнула: «Бабка — вещунья! Мы скоро умрем!»

Глава 9

Галина Леонидовна умолкла и в который раз схватилась за бутылку.

— Извините, что-то в горле у меня от воспоминаний пересохло... Понимаете, в каком настроении мы из ресторана уехали?

— Старуха хотела отомстить людям, которые ей денег не дали, и ей удалось лишить вас душевного равновесия, — сказала я. — Наверное, те же слова плакальщица говорит всем, кто не дает ей гонорара.

— Она знала имя покойной, — напомнила Воронова.

Я попыталась успокоить ее.

— Так ведь распорядитель похорон неоднократно его называла. Еще кого-то по паспорту бабка называла?

— Нет, — протянула профессор.

— Вот видите, — сказала я.

— А ее слова «покойная была алкоголичкой»? Откуда ведьме про дурную привычку моей сестры знать? — продолжала Галина Леонидовна.

— Это просто догадка, — пожала я плечами. — Вспомните ситуацию: в гробу еще не старая женщина, людей в зале мало, и все нехорошо молчат. Плакальщицы, как правило, неплохие психологи. Воскликни вы после ее фразы: «Моя сестра никогда не пила!» — старушка бы придумала что-нибудь, вывернулась. Собственно, я уверена, у нее был заготовлен ответ для любых ситуаций. Но с вами она попала в яблочко. А когда не получила мзду, решила вас наказать и принялась гадости вещать. Про Лесино вранье наверняка она просто так сболтнула, ведь мало кто из подростков не обманывает родителей.

Моя собеседница поежилась.

— Умом-то я понимаю, что будущее предвидеть невозможно, и все-таки как-то жутковато... Потому что Володи и Ксюши и правда не стало. Но слушайте дальше...

Они поехали на дачу, у них маленький домик был, а участок приличный, двадцать соток, и не вернулись. Поздняя осень стояла, конец ноября. Племянник с женой не отдыхать отправились, а дом на зиму консервировать. Газа центрального в поселке не было, баллонным пользовались. Из-за этого и погибли.

Что да как произошло, точно неизвестно. Народа в том Мошкине уже не было, люди давно дома позакрывали и до весны в поселке не собирались появляться. Сторожа там не держали. Вообще-то Володя с Ксюшей раньше собирались на дачу, но Леся заболела, у нее грипп случился с очень высокой температурой, и они отложили поездку до ее выздоровления. Короче, в Мошкине они оказались последними дачниками в сезоне, когда все уже свои халабуды законопатили. Местная полиция не особенно волновалась, следователь сказал тете Владимира:

— Соболезную вашей утрате, но Столовы сами виноваты. Где у них баллоны с газом хранились?

Воронова честно ответила:

— Один на кухне в шкафчике стоял, к нему плиту подключали. Еще запасной был в сарае, который к дачке пристроен, в него дверь из кухни ведет. Неохота же на улицу за всякой ерундой бегать, в Подмосковье лето часто дождливым бывает.

Полицейский нахмурился.

— Галина Леонидовна, ваши родственники все правила нарушили. Баллоны нельзя держать в доме! Сто раз и дачников, и деревенских жителей предупреждали: хранить их можно только на улице, в специальном коробе. Вдруг утечка случится? Снаружи пропан смешается с воздухом, и беды не будет, но если газ в помещение попадет, отравиться ночью легко. Или на воздух взлететь. А как ваша родня баллон к плите присоединила? Продаются специальные шланги в оплетке, да с гайками, они плотно привинчиваются. А у Столовых что было? Простая резиновая трубка, примотанная проволокой. Из-за этого в псевдошланге дырка появилась, и газ потек в дом, где ваши родственники спали. Вот и случилась беда. Вам, как старшей в семье, следовало уговорить племянника поехать на стройрынок и приобрести нормальное оборудование. А у него все, словно с помойки взятое. Не бедные же люди, не пенсионеры деревенские.

Профессор начала оправдываться.

— Я редко их за городом навещала, уж не помню, когда в последний раз там была. Понятия не имела, как Володя газ подключает.

В общем, похоронила Галина Леонидовна племянника с женой, и сама на нервной почве в больницу угодила. Но ее каждый день Леся навещала... Один раз появилась в палате — а на ней лица нет. Вроде улыбается, из сумки пакеты с едой достает, а у самой пальцы трясутся...

Рассказчица нахмурилась.

— Спрашиваю ее, что случилось, а она в ответ: «Все хорошо». Но я-то видела, что врет. Насела на девочку, та в слезы: «Тетя Галя, не хотела тревожить, у вас же с сердцем плохо, но раз вы требуете, скажу: Гена умер. Передозировка героина».

Воронова вздохнула, помолчала немного.

— Можете считать меня бессердечной, но ничего в душе не дрогнуло. Что ж, ожидаемый конец наркомана. Еще хорошо, что ВИЧ не подхватил, к Лесе домой заразным не приполз. Девочка доброты бесконечной, она бы брата впустила, лечить его стала, взвалила бы на свои плечи такую обузу... Чтобы Олеся обо мне плохо не подумала, я всякие правильные слова сказала, но в душе-то никаких эмоций не было. Умер — и ладно. А теперь вот Марта с собой покончила.

— Вам не показалось странным, что Мартина вдруг приняла решение уйти из жизни? — спросила я. — У нее же маленький ребенок...

Профессор махнула рукой.

— Анфиса ее никогда не волновала, племянница очень на мать в этом плане походила. Да, Мартина не пила, не курила, по мужикам не таскалась. Девочку она ради собственного здоровья завела. Да, заботилась о малышке, покупала одежду, кормила, поила ее, но это все шло не от сердца, а от ума. И вот еще что, Марта всегда влюблялась, как в воду падала. О самоубийстве она впервые речь завела в тринадцать лет, когда голову от учителя физики потеряла. Сейчас подробно расскажу...

Учитель был раза в три старше школьницы, имел жену и детей. Я ничего о страсти Марты не знала, пока Сергей Петрович не приехал ко мне. Совершенно неожиданно, без предупреждения. Стою у плиты, блинчики жарю, мужа со службы жду, и вдруг звонок. Я решила, что Женя опять ключи забыл, рассеянный он у меня, на домофон не глянула и со словами: «Ну вот, что бы ты делал, задержись я сегодня на кафедре?» — дверь распахнула.

На пороге стоит красавец. Волосы кудрями вьются, на поэта Есенина похож.

Я удивилась, а он спрашивает:

— Вы Галина Леонидовна, родная тетя Мартины Столовой? Хотел с Еленой Леонидовной поговорить о дочери, но не смог. Она больна, в кровати лежит.

Я сразу же поняла, что Ленка в хлам пьяная. А красавчик дальше гудит:

— Разрешите представиться, Сергей Петрович Каренин. Фамилия, как у героя всемирно известного романа Льва Толстого. Преподаю в школе физику.

И выложил учитель такую историю.

Он счастливый муж и отец, супруге не изменял и прелюбодействовать не собирается, к школьницам не пристает, даже помыслить не может, чтобы с ученицей отношения завязать. Рефреном повторял: «Я не растлитель малолетних, попросите Марту прекратить приставать ко мне».

На меня сначала смех накатил. Стоит в моей прихожей взрослый мужик, к тому же и педагог, который не способен осадить подростка. Анекдот! Но чем дольше он говорил, тем меньше мне веселиться хотелось.

Оказывается, Марта его просто преследовала. После уроков приходила в кабинет физики — якобы вопросы задать, мол, материал она не поняла. Учитель за стол сядет, девочку напротив посадит, а та ножку вытянет и к его ноге прижмет, улыбается. Потом затеяла кофточку снимать, а под ней полупрозрачная футболка, лифчика нет. Физик не знал, куда глаза деть. В конце концов он назойливую девицу перестал в кабинет пускать. Так она домой к Сергею Петровичу заявилась. И в каком виде — мини-платье в обтяг, декольте. А у педагога жена беременная. Она дверь открыла, Марта ее попросила:

— Позовите Сергея.

Супруга удивилась:

— Мужа дома нет. И тебе не кажется, что девочке неприлично взрослого мужчину просто по имени, без отчества, звать?

Тут Столова и выдала:

— Я не девочка! Мы с Сергеем обожаем друг друга, давно спим вместе. Тебе лучше сразу понять: ты в нашей любви лишняя.

Хорошо, что супруга физика разумным человеком оказалась. Она спокойно ответила:

— Рада слышать, что ты нашла свою любовь.

А потом дверь закрыла.

Так Мартина в створку ногами колотить принялась! Но все же пришлось ей вон убираться — хозяйка квартиры никак на грохот не реагировала. Сергей Петрович вернулся домой и на двери обнаружил надпись, сделанную помадой: «Он мой, а ты...» фраза заканчивалась бранным словом.

Каренин, узнав о визите малолетней красотки, испытал малоприятные эмоции и на следующий день помчался к ее матери, адрес нашел в личном деле ученицы. Квартира оказалась не заперта, в ней царил вдохновенный беспорядок, Елена храпела на диване. Естественно, пьяная, а не захворавшая, как сказал вежливый педагог. Сергей Петрович разузнал подробности о семье Столовых и приехал ко мне.

Я пришла в негодование, попыталась вразумить Марту. Куда там! Она впала в истерику, схватила нож, начала резать себе запястья. Слава богу, не задела крупные сосуды. Я не знала, как ее успокоить, и вдруг оторва говорит: «Дай мне денег на туфли». Я совершенно не ожидала ничего подобного, растерялась, достала кошелек, в котором как раз была вся моя зарплата, и отсчитала нужную сумму...

Глава 10

— Вы не показывали девочку психиатру? — поинтересовалась я.

Собеседница отмахнулась.

— Поверьте, она была здоровее многих. Просто знатная актриса. Я это поняла именно после того, как она деньги потребовала. Ну представьте, только что девочка на тот свет собиралась, и вдруг нате вам — дай денег на туфли.

— Если подросток пытается совершить суицид, то, возможно, у него душевное заболевание, — осторожно предположила я.

— Ой, я вас умоляю... — поморщилась Галина Леонидовна. — Чушь! Хотя в целом вы правы. Если ребенок впадает в депрессию, становится неконтактным, это определенно повод забеспокоиться. Но с Мартой-то иначе было. Она не раз приезжала к Володе и Ксюше домой и начинала ныть: «Помогите купить пальто». Владимир был прекрасным человеком, очень обеспеченным, но деньги ему не с неба падали, благосостояние они с Ксюшей тяжким трудом зарабатывали. Вова очень аккуратно тратил деньги. Когда Мартина первый раз заявилась к нему с такой просьбой, он ей ответил: «У тебя есть пальто, только что его на вешалку повесила. Зачем второе?» Пару недель Марта к брату как на работу приезжала, продолжала выпрашивать обновку, а потом, заявившись в очередной раз и снова услышав отказ, вытащила бритву да как резанет себе по наружной стороне запястья. Потекла кровь, Володя опешил, Ксения испугалась, в результате девчонка обрела желаемое, брат выдал ей деньги на обновку.

— По внешней стороне запястья? — повторила я. — Но...

— Вы сразу суть вопроса уловили, — похвалила меня Воронова. — Чтобы лишить себя жизни, люди режут внутреннюю часть. И настоящие самоубийцы никогда не делают это прилюдно. Те, кто при скоплении народа глотает таблетки, хватает веревку и тыкает в себя ножом, истерики с демонстративным поведением.

Я молча слушала даму. Да, истерики, манипуляторы. Или больные психически. Возможно, Мартине требовалась помощь врача, но она ее не получила.

Галина посмотрела на уже пустую бутылку, достала из шкафа новую и в очередной раз выпила воды. Потом подняла мою чашку из-под кофе и уставилась на ее стенки.

— О! У вас будет много хлопот.

— Неужели? — улыбнулась я.

— По службе и дома. Вижу ремонт, — продолжала Воронова, — или какие-то заботы с жильем. Может, просто генеральную уборку. В остальном все в полном порядке. А у меня...

Моя визави посмотрела на кофейные потеки в своей чашке и замолчала, ее лицо вытянулось.

— Что-то не так? — встревожилась я.

— Нет, нет, — возразила профессор, — я проживу еще сто лет.

В кабинет заглянула растрепанная девушка.

— Галина Леонидовна, студенты нервничают.

Воронова всполошилась.

— Ой, забыла! Простите, у меня сейчас лекция для вечерников. Более не могу продолжать беседу.

Я встала и уронила сумку. Пришлось присесть на корточки, чтобы собрать выпавшее из нее содержимое. Одновременно я бормотала:

— Спасибо за разговор, извините, что отняла столько времени... Ох, Таня, ты растеряша... Все высыпалось, сейчас соберу...

— Если понадобится еще что-то узнать, звоните, — вежливо разрешила ученая дама.

Я встала, повесила кожаную торбочку на плечо, пошла к двери. И услышала оклик:

— Татьяна!

Конечно, я обернулась.

— Уж простите за бесцеремонность, — смущенно пробормотала хозяйка кабинета, — но лучше я скажу, чем потом над вами посмеиваться начнут. У вас юбка и колготки разорваны.

Я попыталась изогнуться, чтобы рассмотреть неприятность.

— Ну надо же! Когда выезжала из дома, все было цело. Спасибо за предупреждение.

Мы вышли в коридор, Воронова проводила меня до лифта.

Я спустилась во двор, позвонила Эдите и пообещала вскоре приехать. Затем выслала ей запись беседы с Галиной Леонидовной, пошла к автомобилю и тут увидела на другой стороне улицы вывеску: «Одежда для хорошего настроения и здоровья». Я быстро перебежала проезжую часть и вошла в магазин.

— Здравствуйте, — весело произнесла женщина за прилавком, — мы рады видеть вас в нашем «Концепт Хаус-Холле». Ищете нечто конкретное или просто посмотреть зашли?

— Порвала колготки, — объяснила я, — и юбку в придачу. Остается лишь гадать, как случилась эта незадача.

— Как вас зовут? — задала неожиданный вопрос продавщица.

— Татьяна, — представилась я.

Женщина обрадовалась, словно я сделала ей подарок, и затараторила:

— Обожаю это имя! Так звали мою любимую бабушку. Вы очень на нее похожи, прямо вылитая Татьяна Павловна незадолго до смерти. Она скончалась в сто четыре года. Бабуля такая добрая была!

Я уставилась на продавщицу. Хм, однако сомнительный комплимент она мне сделала. Из ее слов следует, что я выгляжу древней старушкой, правда милой и доброй бабусей, что, согласитесь, лучше, чем походить на злобную каргу, ровесницу египетской пирамиды. Во всем плохом всегда есть нечто хорошее. Отлично, значит, я добрая Баба-яга.

А торговка продолжала:

— Меня же назвали неинтересно — Катей. Ой! Вы, наверное, думаете, что я много болтаю? И решили, что похожи на пенсионерку?

— Нет, — соврала я, — когда я вхожу в магазин, все мои мысли только о покупке.

— Сказав, что вы вылитая Татьяна Павловна, я имела в виду не внешность, — безостановочно говорила Катя, — бабуля носила длинные волосы, а у вас они средней длины. Нет, я имела в виду одежду, вы одеты точь-в-точь, как она.

Я поперхнулась. Час от часу не легче. Значит, я отличаюсь от столетней бабки только прической, а одеваюсь точно, как мадам, отметившая вековой юбилей. Здорово!

— Опять я что-то не то ляпнула? — жалобно спросила торговка.

— Нет, нет, — поспешила заверить я.

— Слава богу, — обрадовалась она, — а то я прямо испугалась. Лицо у вас стало, как у Фрези. Знаете ее?

— Не довелось встречаться, — пробормотала я, окидывая взглядом стойки с вешалками.

Надеюсь, Фрези юная принцесса, о красоте которой слагают легенды.

— Вы не читали «Сказки Бурамундии»? — подпрыгнула Катя. — Фрези — тамошняя королева. Она хромая, косая, горбатая, жирная, как три слона, и у нее такая морда, что кирпич отдыхает!

— Колготки есть? — невежливо перебила я продавщицу.

Та начала бросать на прилавок упаковки, не переставая тараторить:

— У нас их море, любые на выбор. Восстановители кровообращения, массажные, антицеллюлитные, противодиабетические, эпилирующие...

— Обычных нет? — попыталась я остановить Катю, но вызвала новый приступ болтовни.

— Ой, ну что вы! Наш магазин уникальный. У нас только товары для улучшения, сохранения, шлифовки телесного и душевного здоровья. Новейшие разработки ученых всего света. Такое исключительно здесь, более нигде в мире. За ерундой сюда не ходят, наши клиенты продвинутые современные люди, желающие сохранить и приумножить тело и душу.

Я попятилась к выходу.

— Лично мне приумножать тело не надо, своего с избытком. А как колготки могут повлиять на душевное равновесие?

Катя широко распахнула свои и без того большие глаза.

— Неужели не понимаете? Гляньте в зеркало. Что там видите?

— Себя, — ответила я.

— Вы своим внешним видом довольны? — не отставала продавщица. — Только честно! Вот прямо, как бабушке родной, скажите мне: вы собой довольны?

— Ну... — протянула я, — по-моему, вполне так ничего...

Катя погрозила мне пальцем.

— Просила же, говорите, как бабушке. Ладно, я буду ваша бабулечка и сама поинтересуюсь: «Внученька, ты рада видеть сейчас две жирные ноги? Такое впечатление, что на двух столбах стоишь, все ровное от колена до щиколотки. А задница? Да она как арбуз! И видны валики на боках».

У меня отвалилась челюсть. Не слышала ранее таких «комплиментов». Никогда никто мне подобных слов в лицо не говорил. Уж не знаю, что думают посторонние, когда впервые меня видят, возможно, они считают меня помесью носорога с авианосцем, но у большинства людей хватает воспитания и ума, чтобы оставить свое мнение при себе.

— Вижу, вы уже впадаете в депрессию, — вещала тем временем Катя. — Но! Но! Но! Теперь есть решение! Вот — жиросжигающие колготки с эффектом внешнего ухудения на два размера.

Слово «ухудение» вызвало у меня приступ смеха.

Катя надула губы.

— Все всегда одинаково сначала реагируют, а потом натянут концепт-чулочки, и хаханьки-то прекращаются. У вас, похоже, пятьдесят восьмой размер?

— Пятьдесят второй, — уточнила я.

— Ну надо же, а выглядите почти на шестидесятый, — выпалила Катерина. — Идите, померьте. Если останетесь недовольны, я сделаю вам подарок: платье, юбку, блузку — что захотите. Отдам без денег. Просто так. Ступайте, не тормозите. Давайте, давайте.

Мне бы развернуться и спешно покинуть магазин, в котором хозяйничала бесцеремонная тетка, которая, судя по всему, плевать хотела на все принятые правила поведения с покупателем. Но я почему-то покорно взяла пакет и направилась в сторону кабинки.

— Ой, нет, вам не туда! — занервничала Катя. — Вы потопали в переодевалку для нормальных женщин, а надо рулить в левую, которая в два раза шире и оборудована для тучных.

Глава 11

В пакете, вопреки моим ожиданиям, оказались не колготки, а пояс с резинками и чулками. Никогда не носила ничего похожего, а вот моя бабушка любила такое белье. Натягивая каждое утро сию конструкцию, она назидательно говорила мне:

— Приличная семейная женщина никогда не станет щеголять в трусах, к которым дураки чулки пришили. Разврат просто. Так только гулящие бабы одеваются. Запомни, Татьяна, мои слова и веди себя всегда прилично.

Зеркала в кабинке для носорогов почему-то не оказалось. Я вынула чулки, которые оказались мягкими и шелковистыми на ощупь, не колючими, без дешевого блеска. И цвет был подходящий, натуральный, и плотность, которая нужна летом для работающей женщины.

Занавески раздвинулись, между ними появилась голова Кати.

— Вам помочь? Вау!

Я быстро одернула юбку.

— Пройдите, гляньте в зеркальце... — защебетала продавщица. — Вы... ну просто слов нет... Выходите в зал и на стену слева посмотрите. Точно от восторга упадете.

Я молча вышла из кабинки, надеясь, что мое жирное тело рухнет сейчас прямо на Катю и раздавит ее. Кто-нибудь может сказать, по какой причине я подчиняюсь глупой тетке? Зачем любоваться, как сидят колготки? Это же не джинсы, не платье. Спору нет, чулки хорошие, я непременно их куплю, но...

— Опля! — скомандовала Катя, отдергивая темную занавеску, закрывавшую стену.

Я увидела большое зеркало, посмотрела в него...

— Ой!

— Ага, — обрадовалась Катя, — что я вам говорила! Ну как?

— Потрясающе, — протянула я, — словно десять килограммов скинула. За счет чего такой эффект достигается?

Продавщица закатила глаза.

— Вообще-то это коммерческая тайна. Но вы мне нравитесь, поэтому расскажу: космические нанотехнологии плюс компьютерное моделирование, европейский дизайн, немецкое качество, американский стандарт, японская прочность. Сумма всего и дает визуальное исчезновение вашего жира.

— Беру, — выпалила я.

— Есть две модели, — застрекотала Екатерина, — одна с эротически-сексуальными кружевами для особых случаев, другая без выпендрежа для повседневной носки.

Меня охватил покупательский азарт.

— Обе беру. Почему изделие называется колготками? Это же пояс с чулками.

Екатерина пожала плечами:

— Об этом спросите производителя, ему виднее.

— Где выпускают столь замечательную вещь? — полюбопытствовала я.

— Город Париж, — объявила Катя, — столица Франции.

Я еще раз окинула себя взглядом и вынула карту. Продавщица протянула мне терминал, я увидела сумму и от неожиданности воскликнула:

— Ничего себе!

Катя прищурилась.

— Таблетки для похудания в аптеке брали?

— Да, — кивнула я. И уточнила: — Всего один раз.

— Отдали за них мешок баблосиков, — захихикала продавщица. — А помогло вам? Ни фига! Как перестали их глотать, килограммы назад прибежали, да еще друзей с собой прихватили. Сейчас же видите мгновенный эффект и во много раз дешевле.

— Колготки быстро рвутся, — грустно заметила я.

Екатерина подмигнула мне.

— Обычные — да. Наши — нет. Они созданы из мультифорте-параарамидного полипарафенилен-терефталамида. В просторечии кевлариса закрученного. Если вы в чулочках попадете в когти саблезубого тигра, то тело ваше он на раз-два сожрет, а с ногами не справится, потому что наше изделие не разорвет. Будете носить чулочки вечно.

— Это радует, — пробормотала я, набирая ПИН-код. — Вечные колготки — моя давняя голубая мечта.

— Впредь, прежде чем на стул задницей плюхнуться, осматривайте его, — посоветовала Катерина. — До меня вы в каком-то убогом месте побывали, там мебель ободранная стояла, край сидушки занозистый, вот и убили шмотки. Можно на эту организацию в суд подать, потребовать возмещение материального ущерба. Хотите, помогу нужные бумаги составить? Я по первому образованию адвокат.

— Спасибо, — поблагодарила я, взяв пакет и направляясь к двери, — подумаю насчет вашего предложения.

— Эй, Таня! — крикнула мне в спину продавщица. — Куда спешите?

— На работу, — ответила я.

— Так и порулите в драной юбчонке? — засмеялась Екатерина. — Вон там висит синяя, прямо как на вас сшита.

Я притормозила у порога, вернулась к стойкам и начала сосредоточенно перебирать вешалки под бодрые замечания Кати.

— Синюю, только синюю берите. Она ваш зад вполовину меньше сделает.

Я решила поверить продавщице, померила юбку, пришла в восторг от того, что стала выглядеть просто как супермодель, осталась в обновках, достала карточку и вытащила из кармана зазвонивший телефон.

— Я выяснила все по твоему запросу, — доложила Эдита. — Когда вернешься?

— Через полчаса, — пообещала я, еще раз оглядывая себя в зеркале и испытывая приступ восторга, — пробки на дороге жуткие.

Глава 12

Когда я вошла в комнату, все мои сотрудники уже сидели за круглым столом. Я специально на секунду задержалась у двери, ожидая, что кто-то из присутствующих воскликнет: «Таня! Как ты ухитрилась за несколько часов потерять десять килограммов?» Но никто не выразил удивления. Пришлось занять свое место, так и не услышав возгласов восхищения. Конечно, народ заметил, что главнокомандующая уменьшилась в размерах, но в моей бригаде работают воспитанные люди, они не станут, как Катя, громко делиться своими впечатлениями.

— Я узнала кое-что интересное, — сообщила Эдита.

— И я, — сказали хором Валерий и Аня.

— Пусть Дита начинает, — решила я. — Вы слышали запись моей беседы с Вороновой?

Все закивали, а Люба сказала:

— Да. Отмечу: профессор не нашла ни одного доброго слова в адрес своих родственников.

— Владимир, старший сын ее сестры, и его жена Ксения ей нравились, — возразила Эдита. — Я нашла дело, которое завели в отделении полиции Мошкина по факту отравления газом супругов Столовых. Вот, смотрите.

На большом экране появилось фото самого обычного резинового шланга, на концах его виднелась тонкая проволока.

— Супер! — воскликнул Валерий. — Неужели еще есть на свете люди, которые до сих пор вместо электропробок «жучки» вставляют, а под колченогую мебель сложенные бумажки подсовывают?

Экран мигнул, на нем возник снимок баллона.

— Всем понятно, что произошло, — заговорила Эдита, — хозяин решил сэкономить, нашел, уж не знаю где, ветхие трубки, да еще примотал их проволокой. Никогда так не поступайте! Соединение не будет герметичным, газ это газ, он везде просочится. А теперь...

Изображение увеличилось.

— Вижу дырку! — воскликнула Аня. — Находится на шланге чуть пониже места крепления к плите.

— Ага, — по-детски подтвердила Булочкина, — явно острый край проволоки повредил резину.

— Похоже на убийство, — сказала Аня.

— Почему? — спросила я.

— Владимир богатый человек, проблем с деньгами у него не было... — начала перечислять Анна.

— Специальный шланг в оплетке даже пенсионер себе позволить может, — перебил Валерий, — есть совсем дешевые.

— На проволоку внимательно посмотрите, — посоветовала Буль. — Да и на шланг тоже.

— Что с ними не так? — удивилась я.

— Резина чистая, а тонкая проволочная нить блестящая, — продолжала Буля. — Вывод: конструкцию намотали незадолго до смерти Столовых. Отличная попытка выдать убийство за несчастный случай.

— И она удалась, — заметила Аня.

— Но вы не правы, — отрезала Дита. — Я тоже сначала подумала: шланг новый, а все, что на кухне, в особенности вблизи плиты находится, покрывается противным жирным налетом.

— Это если хозяйка неаккуратная, — заметил Александр Викторович.

— Но потом я увидела весь интерьер и сообразила, что к чему, — договорила Эдита. — Сами полюбуйтесь.

— Такая обстановка была у бабушки моего бывшего мужа, — сказала через пару минут Аня.

— Владимир, как многие наши граждане, отвез на дачу то, что давно следовало выбросить, — усмехнулся Александр Викторович.

— Надо же, у них сохранился телевизор «Рубин»! — восхитилась я.

— Только у него сломался переключатель каналов, — развеселился Валера. — Наверное, они его с помощью пассатижей поворачивали, так мой дед поступал. У советских теликов ручки всегда слабым местом были.

Я не смогла удержать улыбку.

— Кухонные шкафчики, отделанные светло-серым пластиком с узором из розочек, эмалированная мойка, плита «Газоаппарат», холодильник «ЗИЛ» с огромной вертикальной ручкой, которую надо тянуть на себя до щелчка, темно-коричневые венские стулья... В самой большой комнате «стенка», забитая собраниями сочинений классиков, на полу палас, на окнах занавески из парчи и тюль, а в качестве завершающего штриха — пятирожковая люстра производства ГДР. Да я словно в своем детстве побывала! Мой отец упорно копил деньги на машину, поэтому семья ничего нового не приобретала, жила в интерьере, который создала бабушка, когда деду от завода дали отдельную квартиру. Ой, смотрите, в буфете сервиз «Пастушка»! У моих родителей тоже был такой, но пользоваться чашками-тарелками мать не разрешала, говорила: «Парадная посуда для гостей, а мы из простых кружек попьем».

— Слава богу, у моей маменьки был другой принцип, — тоже проявил не свойственную ему откровенность наш профайлер. — Она, наоборот, обычно говорила: «Сашенька, возьми красивый сервиз, положи серебряные приборы, не надо ничего беречь, пользуйся лучшими вещами, и жизнь покажется лучше». Мебель, ковры и все остальное вы рассмотрели, а я хочу обратить ваше внимание на идеальный порядок в доме. Такое ощущение, что невестка ждет в гости вредную свекровь и к ее приходу каждую вещь на место положила. Когда сделаны снимки?

— В пятницу Владимир с Ксенией уехали в семь вечера в поселок, — ответила Эдита, — обещали вернуться в воскресенье к ужину. Но не сдержали обещания. В поселке сотовая связь не работает, Интернета нет.

— Надо запомнить деревеньку, — вздохнула Буль, — идеальное место для моего отпуска.

— Леся решила, что родители не успели все законопатить, поэтому остались на даче дольше, и не забеспокоилась, — продолжала Дита. — Но к обеду понедельника встревожилась, поехала на фазенду. Вот оперативная съемка, сделанная местными полицейскими. Леся стоит у крыльца, показывает дознавателю, как сначала пыталась открыть дверь, а потом разбила окно и влезла на террасу. Судя по тому, что вещи были собраны только в детской, Владимир и Ксения устали, решили рано лечь. Вот здесь показания Леси, зачитываю: «Папа очень аккуратен за рулем, больше восьмидесяти километров в час не ездит. Уехали родители в начале восьмого вечера, время точно помню, потому что, проводив их, села смотреть кино по телику, которое в девятнадцать двадцать началось. В Мошкино они прибыли, наверное, в девять, а если на переезде застряли, то позже. Сторожа в поселке нет, жители на зиму вещи прячут. У нас есть подпол, на нем стоит комод. Если не знать, где люк, то и не догадаешься. Каждую осень самое ценное — посуда, столовые приборы — складывалось в коробки, а те спускались в подвал. Подушки, одеяла, постельное белье, книги, все, что отсыреть может, относилось в соседний дом к тете Варе. У нее, кроме избы, есть гостевой дом, там летом дачники живут. Постройка протапливается. Варвара Сергеевна бесплатно наше имущество берегла, потому что папа ей на зиму много продукции своей фирмы в подарок привозил. Мама и папа не любят зря деньги тратить. Только не подумайте, что они жадные. Им много работать приходилось, поэтому они знают цену деньгам, не даром их получают».

— На снимке дочь Столовых? — удивилась Аня. — Девочка одета просто, если не сказать бедно. Куртка до слез дешевая.

— Зато на ногах угги новые, высокие, — возразил Валерий. — Ты в курсе, сколько они стоят? И с чего ты решила, что пуховик дешевый? Теперь в моде стиль гранж, шмотки как бы мятые, потертые. Вид у них такой, словно прикид до тебя три человека носили и в нем умерли. Пригласил я недавно девушку в ресторан, и она в подобном платье пришла. Мамма миа! Я чуть со стыда не сгорел, испугался, что нас в зал не пустят. Потом выяснилось, что тряпка бешеных денег стоит, с подиума, с Парижской недели моды привезена.

— Дита, увеличь фото девочки, — попросила Аня.

— Ну, и что мы видим? Куртка производства Китая, подделка под известную фирму, не заводская, кустарная, из тех, что нелегалы на коленке шьют, — объявила Аня. — Качество ткани плохое, внутри не пух и даже не перо, а синтепон. Джинсы из сетевого магазина, цена им копеечная. При взгляде на обувь плакать хочется. И шапочка того же уровня. Я бы еще поняла родителей семилетки, которые приобрели такую дрянь, потому что ребенок постоянно растет. Но наряжать так выпускницу школы, девушку шестнадцати лет? Ни в какие ворота это не лезет.

— Судя по фото, Владимир был не просто экономен и рачителен, он скупердяй, скряга, которому жалко потратить деньги даже на собственную дочь. Прямо Гобсек какой-то, — вздохнула Дита.

— Кто? — не поняла Анна.

— Скрудж МакДак, — нашел понятное для нее сравнение Ватагин. — Смотрела мультсериал?

— Да, — кивнула юная Аня.

— Гобсек — имя скряги-ростовщика из повести Оноре де Бальзака «Гобсек», — пояснила Эдита, —

оно стало нарицательным для жадин. Хорошая книга. Рекомендую.

Александр Викторович улыбнулся. Аня поджала губы.

— Про Гобсека не читала. Зато я лучший знаток одежды. На Лесе не настоящие угги, подделка за минимальную цену, с мехом плюшевого мишки.

— Обратили внимание, что в избе нет санузла? — продолжал психолог. — И водопровод у них отсутствует. Раковина только на кухне, над ней рукомойник с краном.

Эдита подвигала мышкой.

— В саду стоит зеленая будка.

— Представляю, каково осенью в дождь или ночью шагать в клозет типа сортир, — поежилась Аня. — Да, Владимир был очень прижимистый человек. И жена ему небось под стать. Галина Леонидовна говорила, что пара жила дружно. Следовательно, Ксению не бесила жадность супруга, она ее разделяла.

— Сомнительно, что Столовы проводили целое лето в столь убогом месте, — предположил Валерий. — Наверное, приезжали раза два в сезон на субботу-воскресенье, шашлычок-машлычок. А кайфовали на Мальдивах или в Ницце.

— Нет, — возразила Эдита, — у них даже загранпаспортов не было. Леся свой получила через пару месяцев после кончины родителей. Слетала в Париж на две недели.

— Кто-то девушке правильный совет дал, нельзя зацикливаться на горе, — одобрил Ватагин. — Я заговорил про порядок в доме, но потом мы отвлеклись. Обратите внимание, как аккуратно стоят на окне кружки, из которых пили чай, — все ручками в одну сторону, по ранжиру. Кухонная утварь висит на гвоздиках, кастрюли стоят ровными башнями. Ничего нигде не валяется, занавески во всех помещениях уложены красивыми складками. Их не абы как на ночь задернули, а старательно расправили. Книги на полке в стенке словно солдаты на параде.

— Владимир жадина, Ксения зануда, — сделала вывод Аня. — Жаль Лесю.

— И в гости они в день своей смерти никого не ждали, — сделал вывод Ватагин. — Они приехали вещи на зиму прятать. Легли спать, утром намеревались продолжить. Но! Его брюки убраны в шкаф, пуловер там же на полке, ее джинсы-свитер в гардеробе, тапочки у кровати стоят рядышком. Идеальный порядок! Кто из вас, приехав на дачу, устраивает на вешалке старые штаны, в которых не жалко коробки к соседке в сарай таскать, а? Если честно?

— Я свои просто на пол швыряю, — признался Валерий.

— А вот вам занимательный фоторяд! — воскликнула Эдита. — Владимир, Ксения и Олеся на ежегодном праздновании дня рождения фирмы Столова. Хозяин устраивал корпоратив.

Буль прищурилась.

— Не такой он и скряга, раз сотрудников угощал.

— Первый снимок сделан пять лет назад, — объявила Дита, — последний за две недели до трагедии на фазенде. Найдите пять отличий. Вот семья Столовых приветствует работников в холле клуба.

— Кажется, они из года в год одно и то же помещение арендовали, — отметила Люба, — интерьер одинаковый.

— Платье у Ксении красивое, черное, в пол, — зачастила Аня, — французская фирма «Сандро», не из дорогих, бюджетная, отличное сочетание цена-качество. Но женщина его не меняла, пять лет в одном и том же. Она молодец, не приобрела остромодную шмотку со знаковым принтом, такая один сезон проживет и безнадежно устареет. А черное платье — оно на все времена. Пойди догадайся, когда его сшили, модель-то классическая. Ксения умница.

— Да вы на Лесю посмотрите, — попросила Буль.

Мне стало жалко девочку.

— Она тоже в одном и том же. На первом фото ее розовое платье касается пола, талия не на месте, съехала вниз, а рукава, судя по их толщине у запястья, просто подвернули внутрь. Через два года платье девочке впору, юбка прекрасно сидит, закрывает колени, талия там, где надо. Спустя еще год подол высоко открывает ноги, рукава три четверти, талия снова не там, где положено, но на сей раз поднялась. А в последний раз это уже мини-вариант, руки открыты выше локтя, на груди ткань натянута, как на барабане. Леся маленькая, хрупкая, но она стала подростком, вытянулась, у нее начала формироваться грудь. Девочка выглядит посмешищем.

— Беру свои слова назад, — решительно произнес Валерий. — Такой человек, как Владимир, просто обязан взять на помойке резиновый шланг, типа от клизмы отрезанный, и примотать его к плите проволокой, на той же свалке найденной. Извините, я был не прав. Убийством тут и не пахнет. Они сами себя жизни лишили — с помощью своей любовно культивируемой жадности.

— С Еленой тоже полная ясность, — кивнула Эдита, — вот вам снимок места происшествия.

— Ужас. Нора грязного кролика, — фыркнула Аня.

— Ни один кролик в таком кошмаре жить не станет, — возразил Валерий, — не кухня, а мусорная свалка. Сколько недель Елена ее не убирала?

— Месяц, — предположила Аня.

— Да ты что, — махнула рукой Буль, — год.

— А по мне, так лет десять, — высказала свое мнение Дита.

— На столе пустая бутылка из-под водки «Поле». Она ею отравилась? — спросила я.

— Да, — подтвердила Булочкина.

Я показала на экран.

— В углу батарея опорожненных поллитровок, на всех этикетка «Зажигай-ка».

— Самое дешевое пойло, — поморщилась Буль, — его чаще всего подделывают.

Глава 13

— Странно, однако, — протянула Аня. — «Поле» ведь очень дорогая марка. Элитный алкоголь.

— Ага, ты, оказывается, не только в шмотках сечешь, — ухмыльнулся Валерий, — и в выпивке разбираешься.

Анна убрала упавшую на лицо прядь волос и объяснила:

— Мой отец владеет сетью супермаркетов, в них есть отделы, торгующие спиртным. Дома часто ведут разговоры о поставках, качестве товара, ценах. Да, я не только в одежде понимаю, но и в спиртном.

— Отец? — удивился Валера. — Ты же сирота.

— Я живу вместе с родителями бывшего мужа, — так же спокойно уточнила Аня, — считаю их мамой и папой. Но моя биография не является темой для обсуждения, давайте вернемся к водке. За цену одной бутылки «Поле» можно пару ящиков пойла типа «Зажигай-ка» купить. Тара у «Поля» подарочная, хрустальная, пробка позолоченная. Такую выпивку приносят в подарок на юбилей. Или, скажем, вручают доктору за удачно сделанную операцию.

— То есть профессиональная алкоголичка ее никогда не приобретет, у нее элементарно таких денег нет, — сделала вывод Люба.

Аня посмотрела на меня.

— Еще нюансик. «Поле» в простых супермаркетах не продается. Эта водка представлена исключительно в сети «Мир гурмана», причем только во флагманском магазине, куда обычный покупатель не пойдет. А если заглянет случайно, то, увидев колбасу, за килограмм которой бюджет слаборазвитой страны требуют, сразу убежит.

— В голове у профессионального алконавта работает счетчик, — усмехнулся Ватагин. — Допустим, смотрит он на детскую игрушку и думает: «Ну ее на фиг, мой спиногрыз спичечными коробками позабавится. За деньги, которые я на эту машинку потрачу, литруху взять можно». Выпивоха все измеряет алкоголем. Если его позовут вытолкнуть автомобиль из грязи, обрадуется: «Отлично! Глядишь, на бутылевич получу». Весь его мир вокруг огненной воды крутится. Если бы вдруг у Елены появились деньги, она бы точно приобрела побольше «Зажигай-ка».

— К тому же сомнительно, что опустившуюся бабу могли пустить в очень дорогой магазин, — сказала я. — «Поле» ей кто-то принес.

Буль включила кофемашину.

— Вопрос дня: кто?

Валерий тоже встал и достал из шкафа свою кружку.

— Мать и сын Персакисы хотят найти биологического отца детей Потапа. Зачем мы роемся в грязном белье семьи Столовых?

Я удивилась.

— Ты не понял? Маргарита и Потап категорически не желают, чтобы Беатриса знала: муж и свекровь в курсе того, что она прелюбодейка. Маргарита же объяснила нам: узнав об этом, Би схватит мальчиков и сбежит.

— Потап бесплоден, — подхватила Люба, — наследников от него не будет. Кому передать империю «Приправы Персакис»? Предположим, Беатриса ушла от мужа, тот женился второй раз, новая супруга не будет бегать налево. Откуда возьмутся продолжатели удачного бизнеса? Вот Маргарита и решила воспитывать тех внуков, которые уже есть, и считать их родными. У госпожи Персакис-старшей мысли только о фирме, все остальное — романтическая чушь типа любви и верности — ее не волнует.

— И Потап совсем не Отелло, — заметил Ватагин, — он воспитан авторитарной, рациональной матерью. Не уверен, что он способен на сильные эмоции и отстаивание собственного мнения. У Персакисов всем командует Маргарита.

Валерий аккуратно поставил на стол чашки с кофе.

— Да я все это прекрасно понимаю, не надо мне объяснять, что соль соленая. Но зачем нам Столова?

— Ее дочь Анфиса рождена от того же мужчины, что и сыновья Беатрисы, — терпеливо разъяснила я. — Если мы узнаем имя отца девочки, выясним, и кто «автор» мальчиков. Все просто.

— Совсем не просто, — вздохнула Аня. — Мартина покончила с собой, у нее уже ничего не спросишь. Владимир и Ксения погибли на даче. Елена отравилась фальсификатом, Галине Вороновой подробности личной жизни племянницы неизвестны. Кто у нас из тех, с кем Марта могла откровенничать, остался?

— Леся и Егор, — подсказал Валерий. — Девочке сейчас всего семнадцать. Некоторое время она заботилась о своей бабушке и брате Гене, носила им еду. Вероятно, Елена что-то ей о Мартине рассказывала, могла назвать имя любовника дочери.

— Сомневаюсь, что Марта поделилась этим секретом с алкоголичкой, от которой сбежала. Однако поговорить с Олесей надо, — решила я. — Эдита, найди контакт девочки, завтра с ней встречусь. Вдруг и правда что-то полезное узнаю. Где она живет?

— В родительской квартире, которая досталась ей, как единственной наследнице, — спустя короткое время сообщила компьютерщица. — Еще Леся получила бизнес отца и всю собственность родителей. Но это ерунда. И квартира, и дачка, и земельный участок, и автомобиль — все это не из разряда роскоши. Главное — фирма Столова, ее продукция. Разная недорогая заморозка очень популярна.

— Богатая невеста, — с легкой завистью произнесла Аня. — У меня в ее возрасте было две пары обуви: зимние сапоги и босоножки. Промежуточного варианта не имелось. Леся, наверное, сейчас весь ЦУМ скупила.

— Нет, Олеся другая, — поправила Эдита, глядя на экран компьютера. — У нее кредитка с неограниченным лимитом, и она могла бы после кончины отца и матери кучу денег спустить. Но я вижу лишь весьма скромные траты на продукты, которые куплены отнюдь не в «Мире Гурмана», а в обычном, нет, правильнее будет сказать — дешевом супермаркете. Вот за книги она много отдает. Наверное, хочет учиться за границей, в Гарварде, Кембридже или Оксфорде. Вы знаете, что за названием Оксфорд кроется много колледжей? Это не как наш, скажем, МГУ, то есть не один университет, а множество вузов, среди которых есть и совсем захудалые, мало кому нужные. Если человек говорит гордо: «Я имею диплом Оксфорда», стоит поинтересоваться: «А какой колледж оканчивали?» Вы не поверите, какое количество врунов сыплется, услышав эту фразу. Многие лгуны и не предполагают, что Оксфорд — это почти сорок открытых и несколько закрытых колледжей.

— Спасибо за информацию, — остановил Эдиту Валерий, — с Оксфордом мы все поняли. Но скряга Владимир, нежно любивший каждый рубль, небось отдал девочку в бесплатное учебное заведение.

— Да, но сейчас Леся посещает американско-европейскую школу, — растолковало наше компьютерное чудо. — Она дает прекрасное знание трех языков: английский обязательный, еще два по выбору. Леся занимается испанским и китайским. Девочка настроена весьма серьезно.

— Умно, — похвалил Ватагин, — она взяла самые распространенные в мире языки.

— Похоже, несчастная сиротка собралась поступать в какой-то элитный вуз, — частила Эдита. — Кстати, курсы в АЕШ не из дешевых, но ведь Олеся теперь деньгам хозяйка, тратит их сама.

— И делает это очень разумно, — отметила Люба, — большинство подростков ее возраста, получив доступ к большим средствам, живо накупят шмоток, всякой ерунды, начнут гулять-веселиться, а Леся овладевает знаниями.

— Минуточку! — остановила эксперта Аня. — Ей еще семнадцать, несовершеннолетняя. У нее есть опекун? И кто управляет бизнесом?

Эдита постучала по клавишам и доложила:

— Опеку над Олесей оформил Илья Каравайкин, он председатель правления фирмы, занял место Владимира. А директором предприятия, как и при Столове, является Вадим Миронов.

— У девочки ведь есть кровные родственники? — заметила Буль. — Почему ее отдали под крыло постороннего мужчины?

— Каравайкин Лесе не совсем чужой, — пояснила Дита, — он долгие годы был начальником юридического отдела у ее отца. Работать у Столова Илья начал, когда старший сын Елены только-только зарегистрировал бизнес. Тогда никто и предположить не мог, что крошечное семейное дело вырастет в международного гиганта. Илья знает Лесю с детства. И она ведь уже достаточно взрослая, ей не три года, в данном случае опекунство — формальность. Наверное, девушка сама выбрала Каравайкина. О! А ведь ей буквально через пару дней исполняется восемнадцать, Олеся всего несколько месяцев находилась под его эгидой.

— Странно, что она не предпочла Егора, — удивилась я, — тот все же кровный родственник.

— Эхе-хе, — вздохнул Ватагин, — в жизни нередко бывает, что друзья становятся семьей, а братья-сестры врагами.

— Что-то я запуталась в родственных связях Столовых, — поморщилась Аня. — И вообще никогда докой в них не считалась. Шурин, деверь, свояченица, золовка... Вечно путаю, кто есть кто. Кем Егор приходится Олесе?

— Елена — мать Владимира и Егора, — пустилась я в объяснения, — значит, последний — дядя Леси. Проще некуда. Но давайте повторим. У младшей сестры Галины Леонидовны родилось пять детей: Владимир, Егор, Петр, Роман, Мартина. Рома умер в детском возрасте от тяжелой болезни, алкоголика Петра сбила машина. Владимир отравился газом, Мартина вроде покончила с собой. Сейчас из отпрысков Елены Леонидовны в живых остался лишь Егор. Кто отец ее детей — неизвестно. От одного мужчины они или от разных — тоже неясно. Но мне кажется, что любовников было трое.

— Почему? — удивился Ватагин. — Сварить тебе кофе?

— Спасибо, с удовольствием выпью капучино, — согласилась я. — Тут чисто логическое рассуждение. Владимир — серьезный человек, добился успеха в бизнесе, не пил. Егор кандидат наук, работает в НИИ...

— Пишет статьи в журналы, недавно получил грант от американского университета, — перебила меня Дита. — Довольно большие деньги. Сумма выдана заокеанским фондом, который поддерживает ученых-диабетиков в разных странах. Здоровому человеку на нее нечего рассчитывать, поэтому конкурентов у Егора было меньше, чем у тех, кто подает заявку на финансирование, не имея особых проблем со здоровьем. Но Столов не единственный научный работник с сахарной болезнью, который участвовал в конкурсе. Он победил, сейчас пишет докторскую.

— Какова сумма ежемесячной выплаты Егору? — полюбопытствовал Ватагин.

Эдита показала на экран.

— Читайте. Все вывесила.

— Ох и ни фига себе! — присвистнул, глянув на цифры, Валера. — За что такие офигенные деньги дают? Я тоже не прочь их получать. Можно даже половину, мне хватит. От кого грант? Кто золотыми дублонами швыряется?

Глава 14

Эдита откашлялась.

— Миллиардер Алекс Джонс, сын советских ученых Сергея и Тамары Ивановых, ухитрившихся в тридцатые годы двадцатого века убежать от сталинских репрессий сначала во Францию, а потом в США. Много лет назад он похоронил свою молодую жену Элизабет, которая умерла от комы, вызванной диабетом. В память о любимой супруге Алекс основал фонд и помогает российским ученым с сахарной болезнью, которые занимаются разными исследованиями, не обязательно медицинскими. Главное, чтобы работа заинтересовала Джонса. И тогда такому специалисту в течение семи лет будут капать деньги, на которые можно хорошо жить, не тратя время на подработку, на поиск средств, чтобы купить себе хлеб и кефир. Зарплата ученых в России крохотная, а почти каждому нужно содержать семью. Диабетику к тому же требуются дорогие лекарства, особое питание. Вместо того чтобы работать по специальности, что-то изобретать, доцент, профессор или старший-младший научный сотрудник разъезжают по стране с лекциями, репетиторствуют. Грант от Джонса позволяет ученому, чье здоровье оставляет желать лучшего, заниматься только наукой. И Егор получил помощь. Будьте уверены, фонд его проверил, убедился, что за кандидатом не водится грехов вроде пьянства и наркомании. Владимир и Егор нормальные мужчины. Думаю, у них был один отец. Разница в возрасте у братьев маленькая, женщины часто беременеют второй раз сразу после первых родов. Только через несколько лет после Егора на свет появился Роман. Мальчик умер в юном возрасте от онкологии. В придачу к заболеванию у него был шестой палец на ступне левой ноги, это отклонение от нормы называется полидактилия, оно передается по наследству. Старшие братья такого отличия не имели. Полагаю, что отцом Романа является уже другой мужчина. После смерти этого ребенка проходит какое-то время, затем у Елены рождается Петя, еще через год Мартина. Последние дети буквально с младых ногтей ведут себя отвратительно, парень быстро превращается в алкоголика, наркомана, а девчонка не желает учиться, постоянно выклянчивает деньги.

Я отпила из чашки, которую поставил передо мной профайлер.

— Спасибо, Александр Викторович, замечательный капучино. Подведем итог. Первый любовник Елены, тот, от кого родились Володя и Егор, физически нормальный мужчина, а девушка была совсем молода, не успела пристраститься к спиртному, поэтому и мальчики получились здоровые. Второй был носителем генетической аномалии полидактилии, возможно, имел в роду онкологию, а третий явно из социальных низов, пьяница, вот и дети от него соответствующие.

Ватагин погладил меня по плечу.

— Танюша, не все так просто. У каждого малыша мог быть свой отец. И если мужчина алкоголик, вовсе не факт, что и его сын схватится за бутылку.

— У того, кто заливает за воротник, здорового потомства не бывает, — возразила Люба.

— В принципе я согласен, — кивнул профайлер, — пьяное зачатие часто ведет к большим проблемам у новорожденного. Но нельзя говорить, что все, кто появился на свет от любителей спиртного, непременно сами сопьются. Наоборот, часто отпрыски алкашей, насмотревшись на «подвиги» вечно нетрезвых родителей, ни капли в рот не берут. Согласен, шестипалость передается по наследству. А вот по поводу онкологии этого не скажешь. Сейчас медики говорят о предрасположенности. Если у вашей матери или бабушки был рак груди, то это не значит, что вы автоматом получите эту болезнь. Но вам придется часто проверяться.

Я закрыла свой айпад.

— Хорошо. Действуем так. Валера завтра с утра поедет к Егору — возможно, брат что-то знает о личной жизни Мартины. Столовы работали в одном НИИ, вероятно, Егор и привел туда младшую сестру.

Я пообщаюсь с Лесей. Эдита пусть отыщет в Интернете бывших одноклассников Мартины, может, кто-то поддерживал с ней связь. Эдита, все, что найдешь-накопаешь на Столовых и Персакис, показывай Александру Викторовичу. И поинтересуйся личностью жены Потапа, мы пока ничего не знаем о Беатрисе Георгиус.

— Брак Потапа похож на союз, заключенный по любви, — заметил профайлер. — Давайте вспомним жалобы мужа на излишнюю сексуальность жены. Обычно бывает наоборот — сильному полу не нравится холодность слабой половины.

— Союз по расчету подчас бывает более удачным, чем брак по страсти, — вздохнула Аня.

— Огонь чувств быстро гаснет, — согласился Ватагин. — У женщины вдруг раскрываются глаза, она понимает, что ей совсем не принц достался — спутник жизни не очень красив-умен, чавкает, пукает...

— И почему у мужиков всегда мы плохие, жадные, корыстные? — рассердилась Аня. — Может, парень первый в партнерше разочаруется!

— Анечка, есть научные исследования, которые подтверждают: в брак по расчету женщины вступают намного чаще мужчин, — улыбнулся профайлер. — Малоэмоциональные с виду, не романтичные, не умеющие говорить красивые слова, забывающие важные даты, ставящие работу на первое место, мужики в душе своей нежные незабудки, они искренне влюбляются, не хитрят. Брак по расчету не совсем мужская история. Большинство из нас любит ту, которую повел в загс. И чисто физиологически представитель сильного пола не может спать с женщиной, которая его не возбуждает. Да, да, знаю, сексуальное желание не есть синоним страсти. Но, понимаешь, подавляющее большинство женихов на вопрос, чего они ждут от брака, отвечают: «Любви». А вот женщины говорят по-разному: детей, материального благополучия. Романтически настроенные, облаченные в белое платье и фату, взволнованные невесты оказываются намного прагматичнее женихов.

Александр Викторович потер ладонью затылок, обвел внимательным взглядом присутствующих.

— Я могу вам всем предсказать, будет ли ваш брак удачным. Аня, вот ты чего хочешь от своего будущего мужа? Не в материальном плане?

— Чтобы он любил меня всю свою жизнь до конца дней, — не задумываясь, ответила моя подчиненная.

Ватагин посмотрел на Эдиту.

— А ты?

Айтишница смутилась:

— Я никогда не пойду под венец.

— Почему, мой ангел? — удивился профайлер. — Ты красавица, умница, в тебя многие влюбиться могут.

Наша мисс компьютерная гениальность сложила руки на груди.

— Мне не важно, будет ли кто-то меня любить. Хочу, чтобы я этого человека до конца своих дней обожала. Но пока не встретила такого. Найти того, кто к тебе страстью воспылает, легко. Но я ищу свою любовь, свое чувство, свою страсть. Хорошо, если будет взаимность, но если нет, я не стану от этого несчастной. Любовь не умирает от того, что тебя не любят. Любовь гибнет, когда не любишь ты. Ох, наверное, я плохо объясняю...

— Нет, солнышко, ты прекрасно растолковала суть, — сказал профайлер. — Если подвести итог, то у Ани мало шансов на крепкий брак, а у Эдиты, если она сможет найти своего человека, семейная жизнь сложится прекрасно.

— Почему? — обиделась Аня. — Чем я хуже Диты?

— Неправильный вопрос, — вздохнул Ватагин. — Хуже-лучше — это не о межличностных отношениях. Ты эгоистка, хочешь принимать любовь. Но это чувство — как пирожное, десять штук слопала и объелась, тошнит, дайте соленый огурчик. А Дита сама мечтает любить. Кондитеру не надоест готовить меренгу со взбитыми сливками, а вот покупатель больше трех-четырех не слопает. Когда девушка говорит: «Хочу, чтобы меня обожали до гробовой доски», я испытываю к ней глубокую жалость, потому что понимаю: в браке она проведет от силы три-четыре года. И если не поймет, что нужно сменить установку, второе, третье и все последующие ее замужества тоже обречены на развод.

В комнате повисла тишина. Аня явно обиделась. А я рассердилась на психолога. Ну зачем он сейчас свой опрос затеял?

И тут резко зазвонил внутренний телефон. Люба, которая, похоже, испытывала сильное смущение, схватила трубку.

— Что? Кто? Секундочку.

Буль отвела телефон от уха.

— Кто-то заказывал пиццу?

— Да! — обрадовался Валера. — Пепперони с колбасками, острую, самую большую.

— Пусть поднимается, — сказала Люба в трубку.

Я решила уйти от темы счастья в браке:

— Все поняли задание?

— Да, — ответил нестройный хор.

— Наша задача найти еще и точку пересечения Беатрисы с Мартиной, — продолжала я. — Обе родили от одного мужчины. Где они с ним встретились? Офис, фитнес-клуб, врач, библиотека, общие приятели... Ищите место, где жена Потапа и единственная дочь Елены нашли красавчика. Ресторан, например.

— Маршрутное такси! — предположила Дита. — Они пассажирки, а любовник — шофер. Или тоже постоянный пассажир.

— Салон красоты, — подсказала Аня.

— Досуг. Какой-то клуб по интересам, — внес свою лепту Ватагин. — Мартина, по словам Галины Леонидовны, была зациклена на своем здоровье, в том числе на полезном питании. Может, какое-то общество любителей пельменей из сена?

— Поняла, — начала Дита, — и...

Договорить Булочкина не успела — дверь в комнату без стука распахнулась, на пороге возник высокий стройный парень в клетчатой рубашке, бейсболке и голубом комбинезоне. На его носу сидели очки от солнца. В руках разносчик пиццы держал большую плоскую картонную коробку.

— Жратеньки приехало! — обрадовался Валера. — Парень, ставь пепперони сюда. Ну-ка подними крышку, гляну, что положили. А то в прошлый раз я ступил, поверил вам и получил вместо пиццы «Четыре сыра» — несъедобную пакость с ананасами.

Доставщик стал открывать упаковку и вдруг произнес тоненьким голоском:

— Сам ты дерьмо с ананасами.

Слова курьера были неожиданностью для всех, поэтому мы на пару секунд растерялись. Разносчик тем временем вытащил лепешку, щедро намазанную томатной пастой, залепил ею прямо в лицо Валере и заорал:

— Сволочь! Думал, я тебя не найду? Врун! Скотина! Свинья! Гаденыш! Чтоб у тебя на пятке зубы выросли и тебе пришлось, когда жрать захочется, ботинок снимать!

После чего доставщик вылетел в коридор.

Глава 15

Первой очнулась Эдита. Она нажала тревожную кнопку, завыла сирена. Аня расхохоталась. Люба вытаращила глаза.

— Зубы на пятке? Сильный образ!

— Поэтичный, — добавил Ватагин.

— Валерий, это кто? — спросила я. — Знаешь его?

— Женя Морозко, — сердито ответил тот, вытирая лицо бумажными салфетками. — Мы вчера расстались. Я честно сказал, что не готов к длительным отношениям, не надо ко мне со всем своим хабаром и кошкой переезжать. Пойду умоюсь. И свитер переодену.

Все молча проводили Валеру глазами.

— Женя Морозко? — изумленно повторила Эдита. — Валерка с ним совместное хозяйство вести отказался?

— Мне в голову не могло прийти, что наш Валера гей, — заморгала Аня. — Конкретно не похож.

— Мда, — крякнул Ватагин.

— Возможно, Валера разругался с другом, — завела Люба. — Ну, с приятелем давним. Почему вы сразу про нетрадиционную ориентацию подумали?

— Вот меня интересует совсем другой вопрос, — сказала я. — Откуда этот Евгений узнал, где служит Валера? Если сотрудник бригады разболтал приятелю о месте работы, это не есть хорошо. Это очень даже плохо.

Дверь открылась, показались трое охранников, державших доставщика.

— Он тут блажил? — спросил старший.

— Да, — кивнула я. — Посадите его на стул и можете быть свободны.

Секьюрити ушли.

— Присаживайтесь, Женя, — попросила я. — Не очень-то красиво прийти в офис и швырнуть в человека пиццу.

Доставщик молчал.

— Деточка, — нежно произнес Ватагин, — неужели ты полагаешь, что после бурного скандала Валера устыдится и предложит тебе руку и сердце? Если юноша говорит девушке...

— Это не парень? — подпрыгнула Эдита.

— Конечно, — улыбнулся Александр Викторович. — Ведь кидаться лепешкой с сыром в обидчика абсолютно не характерно для мужчин. Как я понимаю, вы, ангел мой, подстерегли разносчика, заплатили ему, переоделись в комбез, спрятали свои красивые светлые волосы под бейсболку, прикрыли глаза очками и стали похожи на безусого первокурсника. Душенька, снимите кепочку и очки, они вам ну никак не идут.

Женя молча повиновалась.

— Да вы красавица! — проворковал Александр Викторович. — Огромные очи, как фиалки... Носите цветные линзы?

— Нет, — прервала молчание незваная гостья, — мне глаза от бабушки достались. У нее все спрашивали: «Лидия Григорьевна, вы чернила себе закапываете?»

— Таким методом цвет радужки не изменишь, — затараторила Буль, — мы видим редкую мутацию, я только в учебниках о ней читала. Можно мне потом ваши глаза получше рассмотреть?

— Пожалуйста, Любовь, — вежливо ответила Евгения, — мне для вас не жалко.

Я ощутила тревогу.

— Откуда вы знаете Буль? Валерий рассказывал о коллегах?

Морозко сгорбилась.

— Кофейку не дадите?

Александр Викторович встал и пошел к шкафчику, где хранится банка с арабикой.

— Валерка противный тип! — сердито воскликнула Женя. — Он мне врал, что служит в закрытой воинской части, сидит на кнопке, которая ракеты запускает, поэтому у него мало свободного времени. В любви клялся, мы год вместе провели, но он никогда на ночь не оставался, в полночь как Золушка, блин, исчезал. Часы пробьют, и Валера к карете, в смысле, вон бежит. И что мне думать следовало?

— Что кавалер женат, — хором произнесла вся женская часть моей бригады.

Евгения подняла указательный палец.

— О! Я у него про это напрямую спрашивала. А Валерка сразу: «Нет, нет, я одинок, люблю только тебя. Звонили с работы, генерал едет шахту с ракетами проверять, улетаю по делам».

Неожиданная гостья стукнула кулаком по столу.

— Кто-нибудь из вас слышал хоть раз подобную глупость? Гениальная отмазка, да? Надо же, проверка ракет в шахте всякий раз, когда я говорю: «Милый, останься...»

— Не очень умно, — согласилась Эдита.

— Идиотизм! — отрезала Женя. — На свою беду я излишне интеллигентна, и этот хмырь, то есть Валерий, мне очень нравился, вот я и делала вид, что верю ему. Я вообще гениально дурой прикидываюсь, моя лучшая роль — девочка-кретинка. Поэтому все мужики мои. Знаете стопроцентно работающие правила окапканивания любого парня?

— Нет, — живо ответила Аня.

— Окапканивание... Надо же такое придумать! — улыбнулась Люба. — Впервые слово слышу, но оно прекрасно передает суть процесса.

— Мне очень приятно, что сама медэксперт Буль меня похвалила! — воскликнула Евгения.

Мы переглянулись.

— А вы Аня, — улыбнулась девушка, глядя на Попову.

В комнате стало очень тихо. Посетительница продолжала:

— Анна, вы постоянно делаете одну и ту же ошибку — демонстрируете мужчинам недюжинный ум, да еще подчеркиваете, что сами две гири по шестнадцать кило весом из магазина до дома отнести способны. Ну и какой смысл мужику о вас заботиться? Пообщавшись с вами энное время, каждый мужик начинает испытывать комплекс неполноценности от того, что постоянно глупее, слабее и беднее бабы оказывается, поэтому сваливает. А я по-иному действую. «Ах, милый, я в сервисе, тут предлагают сделать моей машинке за пятьдесят тысяч полировочку от птичек, которые кислотой какают. Дорого? Я ничего в этом не понимаю». — «Развод? Да что ты говоришь! Как хорошо, что ты у меня есть, что бы я без тебя делала!» — «Котик, я в магазинчике, так хочу купить сумочку! Прямо плачу, как хочу, но она такая дорога-а-ая! Может, в кредит взять? Как ты думаешь? Стоит сорок тысяч. Тут банк открыт, деньги дают сразу, потом за год надо сто штук им отдать. Что? Грабительский процент? Ой, ты правда сам мне ее купишь? Ну какой же ты милый! Я тебя люблю-ю-ю! Ты са-а-амый заботливый!»

Женя криво усмехнулась.

— Мужикам нравится быть сильнее, умнее, богаче баб. Эти их закидоны нужно сплести в одну веревку, ее на шею кадру накинуть и тянуть к себе. Вот Татьяна молодец, правильно себя ведет, поэтому Иван Никифорович на ней и женился.

В момент, когда Морозко произнесла последнюю фразу, Люба как раз наливала в стакан воду. Рука ее дрогнула, минералка выплеснулась на стол.

— Таня супруга нашего большого босса? — ахнула Аня. — Ох и ни фига себе!

Теперь все присутствующие уставились на меня.

— Вы не знали? — захихикала Женя. — Прикольно.

— Откуда у вас сведения личного характера о сотрудниках бригады? — сердито спросила я.

Евгения пожала плечами:

— Я заподозрила, что Валерка женат, решила выяснить правду. Спокойно отношусь к посторонним, которые меня на работе обманывают, в магазине обвешивают, фейковое платье подсовывают. С врачом, решившим меня на массу ненужных дорогостоящих анализов отправить, отношения выяснять не стану, просто найду другого специалиста, честного, не жадного до денег. Но лапшу мне на уши решил повесить любимый мужчина. Это, согласитесь, другое дело. И у меня принцип: из чужой корзинки пирожки не таскать. Мужик со штампом в паспорте для меня табу. Я раздобыла сведения о Валере, выяснила: официальной супруги у него нет. Но кое-кто из мужчин в гражданском браке живет, а это, на мой взгляд, тоже чужая корзинка. С кем часто романы завязывают? С коллегами. Начала дальше вынюхивать. Валера говорил, что в воинской части служит, номер ее называл. Я адресок выяснила и приехала туда. А там никто про моего красавчика не слышал.

— Как узнали про наше подразделение? — остановила я девицу.

Та засмеялась.

— Наивно, однако, думать, что это невозможно. Валерка от меня в очередной раз умчался свои ракеты к проверке готовить, шахту пылесосить, и я на следующий день к вашему офису причапала.

Морозко расхохоталась.

— Ну и видок у вас, Таня! Словно в гамбургере живую мышь нашли. Не понимаете, как я реальное место просиживания штанов брехуна вычислила? Анекдот, ей-богу. Есть такая маленькая коробочка, запихиваешь ее в машину к объекту. Лучше всего в карман на задней стороне переднего сиденья, ни один мужик туда со дня покупки авто свой нос не засовывает. В результате получаешь данные о том, где любимый-дорогой шлялся. Кабы Валерка с такой умной девушкой, как Аня, связался, он мог бы подумать, что подружка его вычислит. А дура Женя? Ни за что. Ведь, по его мнению, эта кретинка полагает, что если утюг в радиоточку воткнуть, тот завоет соловушкой песни группы «Куин».

— Джи пи эс маяк, — кивнула Эдита.

— Разве проблема его купить? — усмехнулась Евгения. — Далее тоже несложно. Напротив вашего офиса есть жилой дом, на последнем этаже бабуля живет. Я сняла у нее комнатку, поставила кое-какую аппаратурку. Уверена, что вы ею тоже пользуетесь.

Женя показала пальцем на окно.

— Ай-яй-яй, рулонки-то не опускаете! Стремно это. Я вас всех разглядела, сфоткала, потом приятелю-хакеру снимочки отдала. И — опаньки! Вот вам вся бригада. Стало понятно, что Валерик в другом сарае хвостом крутит. Сергеева только замуж вышла, у них с Иваном амур-тужур, ремонт и полное счастье. У Буль семья, и Любовь моему красавцу по возрасту не катит. Про Ватагина и думать не стоит. Эдиту должны лишь мегаумные мужики привлекать, за фигом ей Валерка, который хоть и неплохой детектив, но уверен, что в консерватории консервы закатывают. Стала я дальше копать и накопала... Валерик ведь врет вам, Татьяна. Говорит, что едет по делу, и правда к кому-то топает, но поболтает с нужным человеком часок, а потом...

Евгения открыла сумку и положила передо мной лист бумаги.

— Огласите вслух, пожалуйста.

— Соколова, продавщица магазина «Обувь». 21 числа с пятнадцати до семнадцати, — прочитала я. — Нина Ковалева, официантка кафе «Рокос». 28 числа приехала на дом к объекту в полночь, ушла в шесть утра.

— Две в один день? Да он гигант! — восхитился Ватагин.

— Сексуальный монстр, — буркнула Женя. — Таня, то, что вы видите, это за последнюю неделю. Три постоянные бабы: я, Нина Ковалева и Наташа Перова. Две последние к нему в квартиру на ночь по очереди прикатывают, со мной он вечером развлекается, а днем с разовыми бабенками. Валерий постоянный клиент гостиницы «Сплюшкин», там номера за почасовую оплату снимают. Любовь, сделайте этой секс-машине анализы на ВИЧ, сифилис, хламидии и гепатит. Он же здесь, на службе, ест-пьет и в туалет ходит, еще заразит кого.

— Мда... — протянула Буль.

— Спецслужбы не держат в штате бабников, с которых штаны сами собой падают, — не утихала Морозко. — Небось понимаете, почему? КГБ в советские времена агентов среди иностранных дипломатов с помощью красивых женщин вербовал. Парни в постели все растрепать могут.

— Как вы узнали про постельные подвиги Валерия? — поинтересовался Ватагин. — Маленькая коробочка в машине о них не расскажет.

Дверь открылась, в кабинет вошел главный герой разговора.

— Снимай ботинок! — приказала ему Женя. — Левый.

— Психованная еще тут? — возмутился донжуан.

— Выполняй то, что велела Морозко, — приказала я.

Женя постучала ладонью по столу.

— Штиблет сюда!

— Сумасшедший дом, — хмыкнул Валерий, стягивая обувь. — Ты собралась ботинок нюхать?

Евгения быстрым движением открутила каблук, вытащила оттуда нечто, с виду похожее на ириску, и протянула ее Дите:

— Уверена, ты знаешь, что с этим делать.

Глава 16

— Звукозаписывающее устройство в башмаке? — повторил Иван, откладывая вилку.

— Да, — подтвердила я. — Причем очень чуткое, последнего поколения.

— Где она его достала? — поразился муж.

Я положила себе салат из миски.

— На такой же мой вопрос Евгения дала прекрасный ответ: купила. Попытка выяснить имя продавца не увенчалась успехом, Морозко его не назвала.

— Креативная девушка, — заметил Иван. — Данные на нее есть?

— Аспирантка, двадцать восемь лет, — отрапортовала я. — Родители уехали жить на Бали, сдали квартиру, загородный дом и резвятся на теплом песке под шум прибоя. Евгения с ними эмигрировать отказалась, решила, что ее в мире солнца, волн и фруктов тоска от безделья изведет. У нее диплом по истории, сейчас кандидатскую пишет, зарабатывает, и неплохо, составлением родословных. Живет в квартире, которую ей родители купили, машину приобрела сама. Занималась в секции стрельбы, владеет разными видами оружия. Три года назад на Женю поздним вечером напал насильник, и безобидная блондинка вырубила его болевым приемом. Потом уложила на живот, связала руки за спиной кожаным поясом от платья, щиколотки длинным ремнем, отстегнутым от сумки, и соединила нижние конечности с верхними.

— «Корзинка», — усмехнулся Иван.

— Вот-вот, — подтвердила я. — Приехавшие по ее вызову полицейские были впечатлены. Они увидели, как Евгения — без верхней одежды, в одном лишь белье — зачерпывает пустой бутылкой из близлежащей лужи грязную жижу и поливает ею лицо мужика, который, увидев парней в форме, заорал: «Спасите!» Старший наряда от неожиданности происходящего спросил: «Жертва кто?» — «Я, — объявила Женя. — И не смейте мне в вину ставить, что я мерзавца «купаю». Вы его в отделение отвезете, в зубы ни разу кулаком не сунете, побоявшись неприятностей, а мне очень хочется гаду отомстить. Вон там пакет, в нем мое платье, на нем остались следы нападавшего — он меня схватил и к себе прижал. В лаборатории точно найдут его волосы, капли пота-слюны, кожные частицы. Не отвертится мерзота! Я упаковала шмотку, хорошо, в сумке был кулек». — «Вы криминалист?» — опешил полицейский. «Нет, аспирантка истфака, просто детективы люблю. И меня за хулиганство в отношении нападавшего или за превышение мер самообороны привлечь нельзя — в момент, когда гаденыш напал, у меня случился реактивный психоз, я из-за тяжелой психологической травмы, нанесенной мне преступником, нахожусь в полном неадеквате, поэтому не наказуема», — объявила Женя и выплеснула на лицо мужику очередную порцию грязи.

— Да уж, сильное впечатление она на парней с земли произвела, — развеселился Иван. — Болевой прием, «корзинка»... Откуда у простой девушки специфические знания, которые получают агенты?

Я взяла стакан с водой.

— Отец ее бывший военный, полковник, мечтал о сыне. Родилась девочка. А папаша уже имя для мальчика заготовил — в честь своего деда. Евгений.

— Хорошо, что старика не звали Ксенофонт или Эпидокл, — еще пуще развеселился мой муж, — малышке на такое имя отзываться странно.

— Вояка воспитывал дочь как солдата, — продолжала я. — В пять утра подъем, и на улицу — водой холодной в любую погоду облилась, кросс пробежала, зарядку сделала. Потом завтрак, и в школу ать-два. Если в дневнике появлялось не «отлично», а «хорошо», следовали репрессии, не физические, моральные, лекция на тему «ленивые дуры должны вымирать». Кроме того, обучение стрельбе, приемам рукопашного боя, самообороны...

— Короче, папочка спецагента выпек, — резюмировал Иван.

— Прибавь к этому коктейлю незаурядные артистические данные девушки, умение добывать информацию из ничего и твердость на пути к достижению цели, — договорила я.

— Так... — протянул Иван. — Чую, в каком направлении твои мысли текут. Как намерена поступить с Валерием?

— Неуправляемый бабник мне в коллективе не нужен, это потенциальный «крот», — отрезала я. — Парень клялся, что все неправда. С Евгенией встречался, но та сама его вечером из своей квартиры прогоняла, а он чист как ангел.

— Ты сказала, что запись разговоров «из каблука» свидетельствует о контактах Валерия со многими женщинами, — напомнил Иван, — за неделю он общался с тремя постоянными партнершами и толпой одноразовых.

Я взяла из хлебницы булочку с сыром.

— Он все отрицает. Но голос-то его! Глупое поведение. Я велела ему написать заявление о переводе на склад. Пусть займется административно-хозяйственной деятельностью. Очень хочется выгнать сего павлина, но из бригады не уходят.

— Да, кто к нам попал, тот навечно с нами, — кивнул Иван. — Ладно, пусть на складе покрутится, а там посмотрим. Надо искать нового человека. Подумаю, что можно сделать.

— Помнишь Марту? — спросила я.

Муж отложил вилку.

— Конечно. Надо поговорить с ее старшим братом Егором.

Я начала рыться в корзинке с хлебом.

— Не о Мартине Столовой речь, хотя ее тоже называли Мартой. Имею в виду Карц, сотрудницу первой бригады, куда меня впервые Гри привел[1].

— Марта Карц, — повторил Иван. — Да, хороший сотрудник.

— Евгения на нее, как близнец, похожа по манере поведения, — пробормотала я.

Иван отодвинул от себя тарелку.

— Ясно. Хочешь попробовать Морозко? Ты с ней говорила о нас?

— Нет, но она много о бригаде знает, накопала кучу информации, — уточнила я. — Если даешь добро

---

[1] О Марте Карц подробно рассказывается в книге Дарьи Донцовой «Струха Кристи — отдыхает!».

и отдел «А», ее просветив, не возразит, предложу Евгении работу с испытательным сроком. Можешь главного кадровика поторопить? Вадим очень медленно кандидатуры рассматривает.

— Используешь личные связи в служебных целях? — улыбнулся муж.

— Да, — подтвердила я, — и совсем не стыжусь этого.

— Поехали домой, — зевнул Иван, открывая портфель. — А где бумажник? Черт! Оставил его на столе в кабинете!

— Не беда, сама заплачу, у меня карточка... — начала я и замолчала.

— Что не так? — встревожился супруг. — Тоже кошелек в офисе оставила?

Я начала выкладывать содержимое сумки на стол.

— Нет, он на месте, но куда-то подевался синий зайчик.

Иван вынул карточку из моего портмоне.

— Синий зайчик? Это что?

— Не помнишь? — расстроилась я. — Давно, когда мы с тобой еще были посторонними друг другу, я упала, сломала каблук и расстроилась из-за этого. Ты случайно стал свидетелем произошедшего, помог мне встать, увидел, что я разбила в кровь коленку...

— Да, да, да, — закивал муж, — конечно, да, да...

Но слова его звучали как-то неубедительно.

— Не помнишь, — вздохнула я. — Мы зашли в аптеку, ты купил перекись водорода, пластырь, а мне вдруг приглянулась маленькая плюшевая игрушка, выставленная на витрине, синий зайчик в красных галошах. И ты мне его подарил.

— С ума сойти, — усмехнулся Иван. — Уверена, что это был я?

— Стопроцентно, — снова вздохнула я. — С тех пор заяц всегда со мной, как талисман. А сейчас его нет. Куда он мог деться? О! Когда я прощалась с Вороновой, уронила сумку на пол, она открылась, все из нее вывалилось...

Я схватила мобильный.

— Алло, Галина Леонидовна? Татьяна Сергеева беспокоит. Сегодня... Ой, кто это? Как?!

— Что случилось? — насторожился муж. — В институте пожар, и твой амулет в огне сгинул? Новый куплю, лучше старого, у этого длинноухого не четыре лапы, а шесть будет.

Я положила трубку в сумку.

— Вороновой сразу после моего визита стало плохо. Вызвали «Скорую», но врачи ничем не помогли, констатировали смерть до прибытия. Почему Галина Леонидовна скончалась, пока неизвестно. Мобильный покойной сейчас в руках секретаря директора, она отвечает на звонки тех, кто ищет профессора. Да что ж такое творится? Владимир и Ксения отравились газом, Елена фальшивой водкой, Мартина покончила с собой, Геннадий слишком увлекся героином, Петр попал под машину, а теперь внезапно ушла из жизни Галина Леонидовна. Не слишком ли много неожиданных смертей для семьи Столовых?

— Родители Леси лишились жизни из-за патологической жадности, — напомнил Иван, — Елена алкоголичка. Гена наркоман. Никаких подозрительных обстоятельств.

— Дорогая бутылка водки «Поле» тебя не смутила? — спросила я.

— Ее мог кто угодно из собутыльников Елены украсть, — отбил подачу Иван. — Давай подождем до вскрытия Вороновой, после него все станет ясно.

— Или все еще больше запутается, — возразила я.

Глава 17

Едва мы с мужем вошли в прихожую, как Роки и Мози со счастливым визгом бросились к нам. Мози тут же от восторга напрудил лужу, а Роки подпрыгнул и головой выбил из руки Ивана мобильный. Айфон упал на пол и отлетел под калошницу.

— Кабачки, сейчас же прекратите бесчинствовать! — приказала я, снимая туфли.

Из глубины квартиры выплыл кот Альберт Кузьмич. Британец, как всегда, шествовал с гордо поднятой головой, не разбирая дороги. Альберт Кузьмич царь, он привык, что перед ним все расступаются, поэтому сейчас вышагивал с видом коронованной особы и... угодил передними лапами в лужу, которую напрудил бульдожка. Ощутив влажность, Альберт Кузьмич замер, попятился, потом сел, поднял правую лапу, осмотрел ее со всех сторон, то же самое проделал с левой, брезгливо потряс ими, распушил усы, вздыбил шерсть, встал, распушил хвост наподобие опахала, одним прыжком очутился около не чуявшего надвигающейся беды Мози и со всем кошачьим милосердием врезал бульдогу лапой по морде. Мози опрометью кинулся прочь из холла, а Альберт Кузьмич грозно посмотрел на Роки. Тот рухнул на спину и замер, сделав вид, будто умер. Кот презрительно фыркнул и, издав боевой клич, ринулся в глубь апартаментов.

— Каким образом британец всегда безошибочно вычисляет преступника? — изумилась я. — Как он догадался, кто устроил тут море?

— Хочешь взять его на службу? — улыбнулся Иван. — Без испытательного срока?

— Как хорошо, что вы пришли, — застрекотала Рина, появляясь в холле. — У меня столько новостей!

Я поежилась, слова «столько новостей» всегда вызывают у меня тревогу. Что случилось?

— Мастера начнут работать завтра, — приступила к докладу Рина.

— Какие мастера? — удивилась я.

Рина всплеснула руками.

— Танюша, ты забыла? Те, что будут разбирать проданный интерьер вашей квартиры. Сегодня они завезли инструменты, изучили фронт работ, составили план.

— О господи... — вырвалось у меня.

— Видите воду на плитке? — не заметив моей реакции, продолжала Ирина Леонидовна. — Собаки с прогулки пришли, у них с лап грязь течет.

— На улице сухо, — уточнил Иван, — лужу от радости при виде нас напрудил Мози.

— И песок с землей сыплются, — тут же изменила аргументы Рина. — Короче, я решила сделать мойку для собачьих ног.

— Неплохая идея, — согласилась я. — Но бульдожки все равно наследят. Потопают от двери по коридору...

— А вот и нет! — захлопала в ладоши мать Ивана. — Мойку я устрою прямо на лестнице. Здесь!

Ирина Леонидовна распахнула входную дверь.

— Смотрите, вон тот закуток слева словно специально для помывочного места предназначен.

— А это можно? — усомнилась я.

— Что? — не поняла Рина.

— Установить кран с водой вне квартиры, — пояснил Иван. — Существуют же какие-то нормы для установки так называемых мокрых точек. Не знаю их, правда.

— И не надо, — отмахнулась Ирина Леонидовна, — никто не узнает про ванночку.

— Зато все, кто по лестнице пойдет, ее увидят, — возразила я.

— У меня есть один знакомый Михаил Потапович, он очень милый... — частила Рина.

— Топтыгин, — хихикнула я, — бурый медведь.

— Некому здесь шляться, — не обращая внимания на мое веселье, заявила Ирина Леонидовна, — соседей раз-два и обчелся. Я закрою «баню». Вокруг поддона сделаю нечто типа деревянной тумбочки. Когда Мози и Роки с прогулки притопают, открою дверцы, а там вместо полок душ. Вымою им лапки, и все будет чисто-красиво.

Иван взял Рину под руку.

— Бульдожки легко зайдут в шкафчик, но как ты туда влезешь?

— Я же маленькая, — пожала плечами Рина, — гибкая.

— Тебе же придется сильно наклоняться, чтобы головой о верхнюю часть тумбы не стукнуться, — начала я отговаривать Рину.

— Глупости! — снова отмахнулась она. — Михаил Потапович сказал, что соорудит все за полчаса. Да, да, всех дел на полчаса, надо только шланг от кухни бросить, вот здесь внизу дырку проделать, протащить сквозь нее трубку, поставить кран с душем, поддон... Я все уже купила. Даже шкафчик есть. С утра сгоняла в мебельный и нашла подходящий вариант светло-бежевого цвета, он сольется со стеной.

Я вздохнула. Если Рина что-то решила, ее не остановит ни землетрясение, ни цунами, ни ядерный взрыв. И никто не сможет отговорить мать Ивана от ее затеи. Поэтому не стоит с ней спорить. Да и зачем? Хочет Ирина Леонидовна сделать мойку? Пусть она у нее будет. Может, и правда меньше грязи с улицы в дом псы принесут. У Ивана в голове толкались, похоже, те же мысли.

— Отличная идея, — похвалил он. — А поесть нам дадут? Мы пытались в кафе перекусить, но там очень невкусно было, пришлось все оставить.

— Конечно! — спохватилась Рина. — Мойте руки.

— Сначала я душ приму, — сказала я, — быстренько.

— Пойду пока подогрею файеркафель, — засуетилась Ирина Леонидовна и убежала.

Я удивилась.

— Что такое файеркафель?

— Впервые слышу, — ухмыльнулся муж. — Надеюсь, не керамическая плитка под соусом.

— Тогда бы блюдо называлось бешамелькафель[1], — предположила я и замолчала.

— Что случилось? — удивился муж.

Я показала пальцем на стену.

— Зеркало. В полный рост.

— Да оно тут сто лет висит, — сказал Иван. — Очень удобно, можно перед уходом себя полностью увидеть.

— Я такая же толстая, как всегда, — пробормотала я, — а в магазине выглядела на десять кило меньше.

— Ты о чем? — не понял супруг.

Я рассказала ему о волшебной покупке, которая мигом сделала меня визуально невероятно стройной, и завершила выступление пассажем:

— Позже, вернувшись в офис, я удивилась, что никто ничего не сказал о моем похудении, но потом решила: сотрудники не хотят показаться дурно воспитанными, вот и молчат, на самом же деле они поражены. Но сейчас впервые за весь день я опять обозрела себя в полный рост и поняла: я ничуть не изменилась. Десять кило назад прибежали.

---

[1] Б е ш а м е л ь — соус на основе муки, сливочного масла, молока или воды.

Иван расхохотался.

— Боже! Ну почему даже самая умная женщина — прелесть какая дурочка? Милая, ты попалась на старую, как мир, уловку торговцев. В магазинах часто вешают зеркала, которые «вытягивают» фигуру. Их держат закрытыми, открывают, когда дама натянет платье для примерки, и начинают восторгаться: «Ах, как вас обновка стройнит!»

Я вспомнила, как не страдающая хорошими манерами продавщица отодвинула портьеру и сказала: «Да вы на десять кило стали тоньше!» — и чуть не заплакала.

— Это был всего лишь обман...

Иван обнял меня.

— Дорогая, перестань думать о ерунде. Поверь, никакой твой вес не влияет на мою любовь к тебе.

Я поцеловала мужа, пошла в ванную и начала раздеваться.

Платье сняла без проблем, с бюстгальтером и трусиками справилась легко, а вот пояс никак не хотел сползать. Несколько минут я дергала его, потом решила избавиться от чулок, но когда взялась за кружевную верхнюю часть, то не смогла оторвать ее от кожи. Я попробовала скатать чулки к щиколотке, но меня вновь постигла неудача — они не дрогнули.

Следующие минут десять я изо всех сил старалась приподнять край чулка, однако ничего не происходило. Пояс тоже сидел как приклеенный. В конце концов мне пришла в голову идея, которую я сочла гениальной — если встать под душ, ткань намокнет, станет тяжелой и вследствие силы земного притяжения сползет на пол.

Я включила душ и стала старательно себя поливать. И опять ничего не изменилось, пояс с чулками сидел как влитой. И тут меня снова осенило — надо намылиться! Взяв бутылочку с любимым гелем, я щедро наплескала его на себя. Пояс и чулки никак не отреагировали на эту акцию.

— Танюша! Ты еще долго? — крикнула из коридора Рина.

— Совсем чуть-чуть, — заорала я, хватаясь за жесткую мочалку.

Жаль, конечно, но красивые, удобные, нежные на ощупь чулки придется разорвать. Я начала энергично тереть ноги. Вы не поверите, чулки даже не ойкнули.

Нет, я, конечно, не ожидала, что они начнут издавать звуки, слава богу, предметы туалета не способны говорить. И это очень радует. Представляете ужас? Вы пришли домой и слышите вопль из комода: «Эй! Почему утром нас неаккуратно в ящик запихнула? Из-за этого мы, твои колготки, впали в депрессию».

Я остановилась и перевела дух. Испытывать депрессию нынче очень модно, прямо как в начале двадцатого века. Только в прежние времена сия напасть именовалась сплин — тоска, и страдали ею по большей части представители творческой интеллигенции: поэты, писатели, художники... У остальных слоев населения времени на то, чтобы капать слезами в кофе с коньяком, не было. После переворота в тысяча девятьсот семнадцатом году черной меланхолией стали страдать совсем уж редкие особы, основной массе советского народа было не до горестных мыслей о собственном несчастном бытии, приходилось выживать, чтобы прокормить детей. Голод, разруха, гражданская война, репрессии тридцатых, война, восстановление страны, застой, перестройка, перестрелка никак не способствовали меланхолии. Но сейчас депрессия снова в моде, а значит, не все у нас так уж плохо. Лить слезы человек начинает, когда у него появляется избыток свободного времени.

Кстати, депрессия — это серьезное заболевание, которое лечат психиатры, и оно встречается не так уж часто. Если вам по утрам неохота вставать на работу и вы несетесь жаловаться психологу на свое состояние, а он нежно говорит: «Милочка, мы справимся с вашей депрессией, вам надо ходить ко мне на сеансы. Оплатите десять приемов вперед, вот счет...» — то знайте, это вовсе не депрессия, а жадный психолог и ваша лень. Недуг, охвативший вас, лечится просто: поменяйте работу, найдите себе интересное дело, обучитесь другой профессии и тогда помчитесь в офис совершенно счастливой. Есть отличный способ определить, страдает ли дама на самом деле от уныния. Надо дать той, кому вроде бы белый свет не мил и она, вся больная да несчастная, не может встать с дивана, конверт с большой суммой денег и сказать: «Купи себе что хочешь, но времени у тебя на приобретение шмоток только один день». Готова спорить на что угодно: большинство тяжелобольных мигом полетят по лавкам.

Я посмотрела на свои ноги и увидела: чулки не снимаются!

Я вылезла из-под душа, попыталась как следует вытереть ноги, но чулки, купленные в лавке креативных товаров, все равно остались влажными. Мне придется лечь в них спать. И как отреагирует муж, увидев, что я заползаю под одеяло в столь странном виде? Сказать Ивану правду? Да он потом всю оставшуюся жизнь будет надо мной потешаться! Что же делать?

Взгляд упал на комод с бельем, и я обрадовалась. Все просто! Натяну пижаму с длинными штанишками — есть у меня такая, — а завтра зайду к Любе в лабораторию и попрошу ее стянуть с меня «вторую кожу». Буль на все способна, и она никому не расскажет, какая прикольная история приключилась с начальницей.

Накинув халат, я пошла в столовую и в коридоре столкнулась с Иваном, который спешил в холл.

— Ты куда? — удивилась я.

— Форс-мажор у Никитина, — пояснил муж, — надо с ним срочно встретиться. Вернусь очень поздно. Не волнуйся, все живы. Документы пропали, у Андрея портфель украли.

Я никогда не вмешиваюсь в дела других бригад, поэтому не стала расспрашивать Ивана, просто проводила его до двери. А потом, решив сегодня не ужинать, легла в кровать, тихо радуясь, что муж сегодня точно не узнает, что я сплю в чулках.

Глава 18

В шесть утра мне позвонил мужчина и приятным баритоном произнес:

— Татьяна, вас беспокоит Илья Каравайкин, адвокат Олеси Столовой. Вы вчера изъявили желание побеседовать с ней. Так как она несовершеннолетняя, я должен присутствовать при разговоре.

— Если не ошибаюсь, через пару дней Лесе стукнет восемнадцать, — уточнила я.

— Но сейчас ей пока семнадцать, — подчеркнул Илья, — так что давайте соблюдать закон. Вы категорически против моего участия в беседе?

— Конечно, нет, — ответила я, — жду вас вместе в полдень.

— Это же просто беседа? — уточнил адвокат.

— Я хотела задать Олесе несколько вопросов об ее бабушке Елене. Девочка вроде с ней дружила.

— Леся ангел, — вздохнул Каравайкин, — вечно всем на помощь летит, а потом за свою доброту по носу тряпкой получает. Она не способна никому отказать. Когда вы вчера позвонили, девочка постеснялась отказаться от встречи. Сегодня у моей крестницы свадьба, и Леся подружка невесты. Я ее укорил: «Почему не рассказала детективу о празднике? Как ты можешь приехать к ней в полдень, если в час дня надо быть в загсе?» Она ответила: «Не знаю, дядя Илюша. Постеснялась. Татьяна выясняет, что случилось с Мартиной, а это важно. И бракосочетание Наташеньки огромный праздник. Не знаю, что теперь делать?» Из-за своей неспособности кому-либо отказать Леся часто страдает.

— Нет проблем. Давайте перенесем встречу на завтра, — предложила я.

— Крестница у меня одна, и очень любимая, — продолжил пространные объяснения адвокат. — Она дочь обеспеченного человека, и я не беден, мы с ее отцом приготовили для новобрачных оригинальный праздник — сразу после того, как пара в загсе поставит свои подписи в книге, новоиспеченные муж и жена вместе со всеми гостями полетят в Питер, сядут на забронированный теплоход и поплывут на Валаам. Мы все воцерковлены, поэтому без венчания никак. В монастыре мы проведем три дня, затем...

— Ясно, — приуныла я.

— Понимаю необходимость беседы с нами, — продолжал Илья, — поэтому позвонил вам в неприлично раннее время. Приезжайте к Олесе домой к восьми. До одиннадцати поговорим. А потом, извините, Лесе надо делать макияж, прическу... Девочки всегда хотят быть красавицами. Даже, если свадьба не твоя, все равно ты должна выглядеть на все сто. Понимаете? Вас устроит такой вариант?

— Конечно, — обрадовалась я. — Где живет Столова?

— Неужели начальник особой бригады не могла вычислить место прописки? — удивился Каравайкин.

— Официальный адрес мне известен, — спокойно ответила я, — но некоторые люди, будучи зарегистрированными в столице, реально живут в подмосковных поселках.

— Леся осталась в родительской квартире, — уточнил Илья. — И...

Последние его слова утонули в грохоте.

— Буду в восемь, — проорала я в трубку и пошла на кухню.

Шум уже стих.

— Что это гремело? — спросила я у Рины, которая несла к столику кофейник и молочник.

— Где? — не поняла Ирина Леонидовна.

— Словно камни с горы кидали, — поморщилась я.

— Дррр!!! — понеслось по квартире. — Дррр!

— Вот, опять! — закричала я.

— Мебель демонтируют! — завопила в ответ Рина.

Грохот прекратился.

— Совсем забыла! — по инерции заголосила я. — Долго они греметь будут?

— Пока все не унесут! — надрывалась Ирина Леонидовна.

— Что случилось? — спросил Иван, заглядывая в столовую. — Почему вы кричите, как бедуины в пустыне?

— В нашей квартире мастера шкафы от стен отдирают! — загорланила я.

— Панели декоративные срезают! — переорала меня Рина.

— Я понял, что внизу что-то типа перфоратора запустили, — сказал Иван. — Но сейчас-то вы почему вопите? Тихо ведь в доме.

Мы с Ириной Леонидовной растерянно примолкли. Иван Никифорович рассмеялся и ушел.

— Мяу, — недовольно произнес кот Альберт Кузьмич, восседавший в кресле во главе стола.

— Прости, дорогой, — засуетилась Рина и осторожно налила кофе в чашку, которая стояла перед котярой.

— Он пьет кофе? — опешила я.

— Раньше Альберт Кузьмич терпеть не мог даже запах напитка, — голосом министра, командующего парадом на Красной площади, возвестила из кухни Надя, — а потом позавидовал Ирине Леонидовне и стал по утрам кофеек просить. Только со сливочками его употребляет. И обязательно двадцатидвухпроцентными, остальные ему не нравятся.

— Надя, зачем ты кричишь? — засмеялась Ирина.

— Так перфоратор грохочет, — объяснила домработница.

— Сейчас тихо, — возразила хозяйка.

— А и правда, — смутилась Надежда.

Я пошла в гардеробную, завидуя Сан Санычу, который сейчас, сидя за столом, вкушает из фарфоровой чашки кофий со сливками, потом ляжет на диван, зароется в теплый плед и проспит до полудня. И весь день у кота пройдет лучше некуда, ну разве что придется воспитывать бульдожек. А я понесусь к восьми утра беседовать с Лесей, потом до вечера буду бегать по делам, и о кофе со сливочками мне придется только мечтать, потому что от этого напитка самая мощная часть моего организма (не подумайте, что это мозг) становится все шире и шире. А у британца никаких угрызений по поводу того, застегнутся ли на нем джинсы, нет. Так кто из нас счастливее? Госпожа Сергеева или Альберт Кузьмич?

Отчаянно зевая, я влезла в платье. Визит в лабораторию к Любе временно откладывался, чулки снимать пойду к ней после встречи с дочерью Владимира и Ксении.

Глава 19

— Да, я посещала бабушку и Гену, — сказала Леся, — но не дружила с ними. Мне трудно объяснить вам, какие нас связывали отношения. Ну... просто я жалела их. Раньше в детстве я знала, что у папы есть мать, и она иногда к нам прибегала, но потом перестала. Как-то раз я спросила: «Почему мы с бабушкой не дружим?» Отец рассердился, буркнул: «Не твое дело». А мамочка объяснила: «Бабушка Лена пьяница, она с папой, когда тот ребенком был, плохо обращалась, била его, не кормила, сама много раз замуж выскакивала. У нее один сын совсем маленьким от плохого обращения заболел и умер».

Леся начала накручивать на палец прядь светлых волос.

— Я очень ее несчастного ребенка пожалела и обрадовалась, что папа жив остался.

— А с Егором и Мартиной вы общались? — поинтересовалась я, изо всех сил стараясь не чихнуть из-за того, что в комнате сильно пахло необычным парфюмом — с яркими нотами цитрусовых, корицы, ванили и еще каких-то специй.

Олеся прижала ладошки к груди.

— Родители с ними не встречались, я была в курсе, что у папы есть братья и сестра, но ни с кем из них не виделась. Не подумайте, что я злая, просто в голову не приходило, я маленькая еще была. А потом...

Девушка нервно сцепила пальцы.

— Не волнуйся, — успокоил ее Илья, — просто расскажи.

— Гена стал наркотики принимать, и мои родители сначала этого не знали. Только не подумайте, что они невнимательные... — прошептала Леся и шмыгнула носом. — У меня лучшие на свете мамочка и папочка были. В том, что случилось, только я виновата. Да, одна я!

— Это неправда, — отрезал адвокат.

— Нет, дядя Илья, — строго произнесла девочка. — Татьяна, я сейчас все вам расскажу.

— Слушаю, — кивнула я.

Олеся выпрямилась и завела рассказ.

...Владимир и Ксения постоянно пропадали на работе, однако няни или помощницы по хозяйству они не держали, не хотели, чтобы в квартире находился посторонний человек. Ксюша делала обед на несколько дней и оставляла его в холодильнике. Гене вменялось в обязанность привести младшую сестру из школы и накормить ее. Мальчик вовсе не радовался этому заданию, у него после уроков были свои планы, поэтому он строго сказал сестричке:

— Ты уже большая, сама до квартиры дотопаешь. И суп в микроволновке разогреть сможешь. Только матери не говори, что я не отвел тебя домой. Наябедничаешь — станешь предательницей, и я навсегда с тобой раздружусь.

Леся, конечно, согласилась, и долгое время родители понятия не имели, что девочка одна возвращается домой и сама еду разогревает. Гена приносился вечером, иногда за пять минут до появления матери, и изображал, будто сидел за уроками весь вечер. Хитрый подросток всегда выходил из школы вместе с Лесей, все учителя поэтому считали мальчика прекрасным братом, который нежно заботится о маленькой сестренке. Но, отойдя от школы и свернув за угол, Гена говорил девочке:

— Усе, я помчался. Ковыляй в квартиру.

И убегал в глубь квартала серых пятиэтажек, а Лесенька спешила в отчий дом. Она с младых ногтей была чрезмерно ответственна, училась на одни пятерки, садилась делать уроки без понуканий.

Но один раз заведенный порядок был нарушен. Когда Гена на пороге школы схватил сестру за плечо, она даже сквозь платье ощутила, что у брата лихорадочно горячая рука. Потом ладонь стала ледяной. Во дворе Гена сильно побледнел, вспотел, затрясся в ознобе, а метров через сто ему стало совсем плохо.

— Заверни за магазин... на лавочку помоги сесть, — с трудом выговаривая слова, попросил он Лесю.

Сестра дотащила Гену до скамейки, стоявшей в чужом дворе. Гена рухнул на сиденье и, лязгая зубами, приказал:

— Беги в дом, где на первом этаже булочная... Вот он, слева... Квартира сорок... пес... попроси лекарство... Скажи, Гене надо, ломает его... Деньги отдам завтра...

Леся поняла одно — брат заболел, ему нужны таблетки, но при чем тут какая-то собака, не поняла. Лесенька была наивной, очень послушной девочкой, которой строгие родители разрешали смотреть по телевизору исключительно российские мультики и то всего четверть часа в день. Отец жестко контролировал книги, которые попадали в руки дочери. Эра айфонов-айпадов только начиналась, у дочки Столовых дорогих гаджетов не было. И все же малышка слышала, что на свете есть плохие люди, наркоманы, но какое отношение к ним мог иметь Гена?

Олеся помчалась по указанному адресу. Дверь открыл парень в майке, который выслушал ее сбивчивый лепет и лениво сказал:

— Ломает? Нехай подыхает. Нет денег — нет дури. Или ты за него расплатишься?

— У меня есть деньги, — обрадовалась Леся, — мама на булочку дала.

Хозяин квартиры произнес несколько непонятных слов, грубо оттолкнул Олесю и захлопнул дверь. Девочка не удержалась на ногах, упала, стукнулась затылком о пол. Но поднялась и побежала к Гене.

Брат лежал на скамейке. Она начала его трясти, но Гена не отвечал. Перепуганная насмерть Леся опять кинулась в тот же дом, но на сей раз принялась бить ногами в створку первой квартиры. Дверь открыла женщина, услышала от Леси, что ее брату плохо, и вызвала «Скорую». Доктора прикатили быстро, забрали Геннадия, а заодно и Олесю, у которой весь затылок был в крови. Девочку тошнило, у нее кружилась голова.

Спешно приехавших в клинику родителей ждала шокирующая информация: у их сына состояние наркотической ломки, а у дочери сотрясение мозга. Олеся поправилась быстро, а Гена вернулся домой через несколько месяцев.

Владимир и Ксения стали тщательно следить за отпрыском, но пристальное внимание не помогало. Геннадий продолжал колоться, его регулярно отправляли на лечение. Жизнь Столовых превратилась в день сурка: сын выходит из больницы, пару недель сидит тихий, затем снова хватается за шприц, оказывается у врачей, и все снова идет по бесконечному кругу. В конце концов через несколько лет, когда Гена, только-только вернувшись после очередного курса лечения, опять купил героин, отец не сдержался и выгнал сына вон. Тот исчез, некоторое время Леся о нем ничего не слышала. Но она постоянно испытывала давящее чувство вины, потому что отлично помнила, как брат, впервые приехав из больницы, вошел в ее комнату и зашипел:

— Ты, гадина, виновата. Зачем «Скорую» вызвала? Из-за твоей глупости у меня огромные неприятности.

И в дальнейшем, когда мама начинала рыдать, а в доме появлялись санитары, чтобы отвезти брата на очередное лечение, он находил момент шепнуть сестренке:

— Сволочь! Из-за тебя у меня жизни нет!

Другая девочка могла бы ответить наркоману: «Скажи спасибо, что спасла тебе жизнь. И виноват в беде только ты сам. Я, что ли, заставляю тебя наркотики принимать?» Но Леся не могла резко ответить брату, она молча выслушивала обвинения и шептала: «Гена, тебя вылечат». Маме с папой о неприятных беседах с братом девочка не докладывала. Понимаете, как совесть ее мучила после того, как старшие Столовы избавились от сына? Бедная Олеся искренне считала себя виноватой во всем, что случилось.

Спустя год после изгнания Геннадия к Лесе после занятий подошла худая, плохо одетая женщина и спросила:

— Лесенька, не узнаешь меня?

— Простите, нет, — ответила та.

— Я твоя бабушка Лена, — представилась незнакомка. — Солнышко, умоляю тебя, помоги! Нам с Геной не на что жить. Я бутылки на помойке собираю, а твой брат, мой внук, грузчиком в магазине работал, да выгнали его и больше никуда не берут.

Леся схватила Елену Леонидовну за руку, заговорила горячо:

— Бабуля! Почему вы к нам никогда не заходите? Маме с папой ничего не рассказываете? Они вам помогут!

— Сын меня знать не хочет, — прошептала Елена, — а невестка скалится. Я долго болела, рак у меня был, вот водку и пила, чтобы успокоиться. Володя меня стыдился, Ксюша тоже, я и перестала их навещать. Один Гена меня любит, пришел ко мне жить. Поверь, твоя бабушка не алкоголичка, свою меру я знаю. И не лентяйка я, просто здоровье не позволяет на постоянную работу наняться. Помоги, кровиночка!

Бабушка заплакала, и сердце Леси наполнилось жалостью. Добрая девочка поспешила вместе с бабулей к ней домой. С тех пор она стала помогать «несчастным» бабуле и брату, приносила им продукты, наводила хоть какой-то порядок в квартире.

— Неужели вы не понимали, что Елена Леонидовна алкоголичка? — удивилась я. — Уж наверное, «пейзаж» в жилище без слов об ее пристрастии говорил.

Леся судорожно всхлипнула.

— Сначала я решила, что грязь в квартире из-за плохого здоровья бабули, ей трудно стирать, убирать, гладить. Потом, конечно, глаза открылись, стало ясно: вылечить их невозможно. Елена Леонидовна алкоголичка, Гена наркоман. Одна пьет, второй колется. Любые попавшие к ним в руки деньги бабушка несет в винный отдел магазина, а брат тащит дилеру. Я договорилась с врачом из наркодиспансера, и Гену согласились взять в больницу на бесплатный курс дезинтоксикации. Он сначала согласился, а как нужный день настал, на попятную пошел. Мол, нет, и все. С Еленой Леонидовной та же история. Я записала ее на кодирование, но перед этим требуется три дня ни капли в рот не брать, к тому же прийти к гипнотизеру самостоятельно. Психолог объяснил: если я бабушку на закорках принесу, процедура не поможет, необходимо ее желание со спиртным покончить. Но у бабушки не хватало силы воли. Мне и ее, и Гену очень жалко было, но я поняла: деньги им давать нельзя, они их на пагубные привычки тратят. Поэтому приносила еду, каждый день по чуть-чуть. Одну бутылку кефира, две котлеты. Если сразу целую пачку сосисок притащить, баба Лена их не съест, а продаст и помчится в магазин за водкой. Причем алкоголь она брала самый дешевый.

Леся закашлялась, потянулась за бутылкой с водой, стоявшей на столике, и вдруг вскрикнула:

— Ой!

— Что случилось? — насторожился Каравайкин.

— Я порезалась, — прошептала его подопечная, показывая ладонь, где на тыльной стороне появилась царапина.

Илья вскочил.

— Сейчас принесу пластырь! Как ты умудрилась так сильно пораниться?

— От стеклянной столешницы небольшой кусочек отломился, — пояснила Леся, — край очень острый, я не заметила.

— Вот те на! — удивился Каравайкин. — Еще вчера мебель целой была.

Адвокат ушел.

— Не новый стол, — вздохнула Леся, — вот и разваливается.

После того как Илья, залив ранку перекисью, заклеил ее пластырем, мы продолжили беседу с того места, где прервались.

Леся вздохнула.

— С Еленой и Геной тяжело было. Иногда я уходила домой с мыслью: все, больше никогда не вернусь к бабушке и брату. А потом совесть просыпалась, шептала: нельзя так, они твои родственники, кто еще им поможет.

— Кроме вас, кто-то еще заботился о Елене и Геннадии? — поинтересовалась я.

Леся покачала головой.

— Нет. Папа очень на нее злился, а мама всегда, как отец скажет, поступала. Галина Леонидовна, сестра бабушки Елены, ее прямо ненавидела. Один раз она пришла к ней — я ванную в тот момент убирала, все слышала — и заорала: «Ты подонок общества, отребье! Позор нашей семьи. Не смей больше ко мне приезжать, деньги клянчить! У меня безупречная репутация, я замуж честно вышла, вырастила порядочных детей...» Я у рукомойника затаилась, испугалась, вдруг злюка в санузел войдет, меня увидит, родителям наябедничает. А она все вопила. «Я то, я это, а ты...» Тетя Галя считает себя образцом, все с нее пример брать обязаны. Когда папа только создавал фирму, Галина Леонидовна в гости не заходила, а потом, как у родителей дела в гору пошли, начала часто появляться. Сядет вот тут...

Леся показала на кресло во главе стола.

— Устроится поудобнее, чаю попросит и давай всех учить. Маму упрекала, что та одевается плохо. «Ксения, надо следить за собой, ты супруга успешного бизнесмена». Папе выговаривала: «Володя, вам нужно неудобную тесную квартиру продать и купить дом, хорошее авто». Ко мне тоже привязывалась: «Леся, не сиди месяцы напролет, уткнувшись носом в книгу. Почему у тебя подруг нет? Где твой мальчик?» Я ей один раз честно ответила: «Тетя Галя, мы очень счастливо живем. Комнат у нас достаточно, целых четыре, и машина у папы резвая. Я не люблю с девочками время зря проводить, они только о косметике болтают, мне с ними скучно. И не хочу с парнями гулять, об учебе думаю». Галина Леонидовна к маме повернулась: «Полюбуйтесь! Вы вырастили аутистку!» Вот тогда отец встал и велел ей: «Уходите. Мы вам не рады». И все!

— А Мартина навещала Елену Леонидовну? — подобралась я к интересующей меня теме.

— Нет, я только слышала о ней, — пояснила Леся. — Бабушка рассказывала, что у нее есть дочькрасавица, которая вышла замуж за очень богатого человека и живет благополучно. Супругу она сказала, что давно сиротой стала, не хочет, чтобы он с ее матерью встречался. Денег Мартина никогда Елене Леонидовне не давала. И она у бабушки не появлялась.

Важный разговор прервал звонок в дверь. Леся живо вскочила.

Глава 20

— Сиди, я сам открою, — велел Каравайкин и ушел.

— Дядя Илюша очень хороший, — сказала девушка, — он лучший папин друг. Что бы я без него делала, не знаю, он мне родителей заменил. Если вас интересует Мартина, то лучше с Егором поговорите, он с ней общался. Дядя — ученый, кандидат наук, очень умный, добрый. Только необщительный, молчит все время. Но мне такие люди больше, чем болтуны, нравятся. Я его на похоронах родителей видела. На поминках он около меня сидел и сказал: «Не обижайся, что Мартина не пришла, у нее дочка заболела». Но я сразу поняла: тетя просто не сочла нужным появиться. Дядя Егор эту фразу сказал и больше рта не раскрывал. Но он несколько раз по телефону звонил, я заметила, что нажимал в контактах на слово «Мартина». Только там не отвечали.

— Платье привезли, — объявил Илья, входя в комнату.

Леся вскочила.

— Оооо! Красивое?

— Мне не показали, — усмехнулся Каравайкин. — И правильно, я не разбираюсь в моде.

Олеся умоляюще сложила руки.

— Можно я пойду примерю? Нас семь человек, все в одинаковом. Мое платье ушивали, оно в талии мне велико было. Рассказала все, что знаю. Извините, если этого мало. Ой, так хочется поскорей красоту надеть! А еще есть туфли, ожерелье, украшение в волосы...

Опять послышался звонок.

— Наверное, стилист. Мне сделают прическу! — запрыгала Леся. — Как взрослой! Дядя Илюша, мне волосы заколоть или по плечам распустить?

— Иди уж, — махнул рукой Каравайкин, — наслаждайся. Меня про это не спрашивай, я не разбираюсь в женской ерунде.

Леся крутанулась на месте и умчалась.

— Светлый ребенок, — вздохнул Илья, — такую легко обидеть. Видели мультфильм «Ежик в тумане»?

— Да, — кивнула я, — очень хороший. Но книга мне больше понравилась.

Илья сел в кресло.

— Не читал. А фильм случайно увидел — зашел в гости к приятелю, его дочка у телевизора сидела. Пришлось и мне за действием наблюдать. Типичное ми-ми-ми. Пока на экран пялился, подумал: «Ежик это же Леся. Милый зверек — просто слепок с дочери Володи».

— У каждого наивного, доброго, рассеянного Ежика должен быть Медвежонок, который будет самоотверженно о нем заботиться... — заметила я.

— Если я правильно понял, вас, в основном, интересует Мартина, — резко остановил меня Каравайкин. — Не стал ничего спрашивать при девочке, не хотел ее пугать в светлый день праздника, но раз вы пришли, значит, произошла неприятность. Ведь так? Наслышан о системе ваших бригад, за ерунду вы не возьметесь. И вы начальник, не простой сотрудник, следовательно, случилось нечто серьезное.

— Дела у нас бывают разные, — возразила я, — я не являюсь верховным главнокомандующим, тоже выполняю приказы. Со смертью Мартины все ясно. Никто не сомневался в суициде, женщина добровольно выпила яд, никаких признаков применения силы эксперт не обнаружил. Тут другое. У нас есть клиент, у которого два сына, и ДНК этих детей совпадает с ДНК Анфисы. Мартина незадолго до смерти попыталась заставить отца мальчиков платить ей на дочь алименты. Однако мужчина отрицает факт связи со Столовой, уверяет, что она просто одно время работала в его офисе.

— Значит, не просто, — развеселился Каравайкин. — Наверняка ваш клиент сходил от жены на сторону. Ничего страшного. Как говорят, здоровый левак укрепляет брак.

— Тот, на кого мы работаем, сделал кое-какие анализы, — продолжала я, — и выяснилась интересная подробность: он бесплоден.

— Еще лучше, — усмехнулся собеседник, — значит, мужик ни при чем, а его супруга прелюбодейка.

— Заказчик хочет знать имя отца детей, — договорила я.

— Зачем? Пусть гонит взашей блудливую бабу! — воскликнул Илья. — Нет, зря у нас на неравные браки ополчились. Сорокалетний мужчина должен брать в жены совсем юную девушку и воспитывать ее. В двадцать пять ее обтесывать уже поздно, нахваталась всего дурного от других мужиков. Вашему клиенту надо взять веник и выгнать из своей жизни неверную супругу вместе с ее бастардами.

— Не имею права давать такие советы, — возразила я. — Думаю, вам понятно теперь, почему мы заинтересовались Мартиной.

— Надеетесь выйти на ее любовника, — кивнул Каравайкин. — Сколько лет мальчикам?

— Три и два, — ответила я.

— Вроде Анфисе пять, — пробормотал мой собеседник. — Когда, говорите, Марта на алименты решила подать?

— Незадолго до своей смерти, — повторила я.

— Чего ж она так долго ждала? — удивился Илья. — Обычно женщины начинают требовать деньги на следующий день после того, как тест им две полоски покажет. Хотят наблюдаться в платной клинике и рожать в роскошных условиях. А уж когда младенец на свет появится... — Адвокат махнул рукой.

— Мог бы вам порассказать, какие суммы любовницы на ребенка откусывают. Я лет десять занимался бракоразводными процессами, потом отказался — слишком много грязи разгребать приходилось, устал. Уж поверьте, ни одна дамочка пять лет скромно молчать не собиралась. Да, да, всегда сразу деньги требуют. И Мартина не тот человек, чтобы тихо в углу плакать. Где она жила?

— В самой обычной квартире, — ответила я. — Две комнаты, кухня, дом блочный, район не элитный.

Каравайкин побарабанил пальцами по подлокотнику.

— Хм, девочки такие девочки... Вы сейчас очень по-женски ответили — стали описывать бытовые условия. Вопрос был о другом — кому принадлежит двушка? Найдите хозяина, возможно, ему деньги за аренду квартиры на карточку переводились. Наблюдение из моего богатого адвокатского опыта: мужчины часто не хотят вручать своей подружке сумму на ежемесячную оплату жилища. Дамочка может потратить ее на покупки, а затем занет: «Дорогой, давно такое платье искала, а тут случайно в магазине попалось... Дай мне еще деньжат».

— Апартаменты принадлежали Мартине, — уточнила я, — они ее собственность.

— Вот как? — хмыкнул Илья. — А вы не задумались, откуда у нее, дочери алкоголички, не имеющей ни высшего образования, ни высокооплачиваемой работы, взялись средства на приобретение квартиры? Ведь даже крошечное жилье бесплатно не получишь, потребуется отдать пару-тройку миллионов. И где бы их Мартине откопать? Я Столову пару раз видел — вполне упитанная, не голая. Более того, одета нормально, и Анфиса ее на оборванку никак не походила. На какой грядке росло и плодоносило денежное древо дочери Елены Леонидовны?

Я молчала.

— Девочки такие девочки... — повторил свою присказку Каравайкин. — Однако косячок-с. Сглупили вы, не проверили денежный след. А ведь это элементарно, Ватсон.

— Да, сглупила, — согласилась я. — Сейчас вернусь в офис, подниму документы. Вдруг обнаружится хозяин денег? Хотя надежда выяснить фамилию того, кто Мартине мешок с дублонами выдал, призрачна.

— Вовсе нет, — заспорил адвокат. — В договоре купли-продажи жилья непременно указывают, кто внес деньги в кассу.

— Логично, — кивнула я. — Но ведь возможен и другой вариант: любовник дал девушке нужную сумму, та поехала на сделку, положила купюры в ячейку... Тогда во всех документах будет указано имя Мартины Столовой.

— Упс, — пробормотал Илья, — теперь я ступил.

— Мальчики такие мальчики... — не удержалась я.

Каравайкин хлопнул в ладоши.

— Стоп! Сейчас реабилитируюсь! Вы проверяли, кому Марта свое имущество оставила? Кто получит двушку?

— Нет, — призналась я.

Адвокат поднял указательный палец.

— Найдите эту информацию. Хотя лично я сомневаюсь, что девица завещание оставила. Значит, жилье отойдет Анфисе. Не сейчас, когда девочка подрастет, но малышка единственная наследница. Кстати! Вы ведь меня не спросили, откуда я знаю про образование Мартины и про то, что она на службе маленькую зарплату получала.

— Просто не успела, — улыбнулась я.

— Девочки такие девочки... — бормотнул привычно Каравайкин. — Отвечаю. Когда Володя и Ксюша так трагически внезапно ушли на тот свет, я позвонил Мартине и сообщил, когда состоятся похороны брата. Та ответила: «Незачем мне в крематорий кататься, это не удовольствие на мертвецов смотреть. Мы с Владимиром чужие люди, давно не общаемся, он мне никто». И трубку швырнула. А я, старый боевой и опытный конь на поле адвокатства, беседу эту записал, потому как сообразил: «Володю единоутробная сестрица в последний путь не проводит, а на наследство рот наверняка разинет». И оказался прав. Как, впрочем, и всегда. Мартина ко мне приехала и нагло потребовала рассказать, что у старшего брата и его жены из имущества имеется, заявила: «Мне половина положена». Как вам такое нахальство?

Я ничего не ответила, лишь усмехнулась.

— Я ей очень спокойно растолковал: если она подаст на раздел наследства, Леся обратится в суд. Через мое посредничество, естественно. Мартине тоже придется адвоката нанимать, а это немаленькие деньги, у нее таких нет. Далее. Родство ее с Владимиром половинчатое, процесс надолго затянется. И пятьдесят процентов от всего ей никогда не отгрызть. Во-первых, столько Мартине по закону не положено, а во-вторых, я и любого другого адвоката в блин раскатаю. Ну присудят ей десять рублей. А своему дураку-адвокату она миллион задолжает. Овчинка выделки не стоит. Учитывая, что Мартина тетя Леси, делаю отличное предложение: «Госпожа Столова получает двести тысяч и отказывается от всех прав на наследство, купюры отсчитываю прямо сейчас». Она возразила: «Меньше чем за триста «лимонов» не соглашусь. Знаю, сколько бизнес брата стоит, в Интернете прочитала». А я ей запись той нашей беседы включил. И объяснил, что судья отнюдь не по-доброму отнесется к истице, которая не явилась на похороны брата, мотивируя свой отказ проститься с ним так: «Мы чужие люди. Владимир мне никто, давно не общаемся». Значит, хоронить брата Мартина чужая, а в наследство его деньги получить родная? Понятно, в чью пользу дело решится? В общем, Столова взяла двести тысяч и оформила отказ.

— А Егор? — поинтересовалась я. — Он тоже мог надеяться на свой ломоть.

— Я смог и его убедить не требовать долю, — усмехнулся Каравайкин.

— Как вам это удалось? — насела я на него. И тут не удержалась, чихнула.

— Будьте здоровы, — улыбнулся адвокат. — От начинающейся простуды прекрасно помогают пастилки с ментолом. Хотите, дам упаковку?

— Спасибо, я совершенно здорова, — заверила я. — Просто... э... понимаете...

— Одеколон! — догадался адвокат. — Не имею привычки обливаться парфюмом. Этот Леся купила и щедро им брызгает меня. Сегодня облила со словами: «Чудесный аромат! Очень тебе идет». Девочки такие девочки!

— Как вам удалось договориться с Егором? — повторила я свой вопрос.

— Вы внимательно смотрели материалы дела о самоубийстве Мартины? — вместо ответа спросил собеседник.

Я развела руками.

— Там мало информации. Местные полицейские сразу поняли, что имел место суицид. Молодая женщина, хорошо одетая, с макияжем, прической, маникюр-педикюр свежий, белье дорогое и на ней, и на постели. В комнате убрано. На столе бутылка недешевого вина, паспорт, свидетельство о рождении Анфисы и записка. — Я вынула телефон, нашла нужное и прочитала: «Как прекрасна жизнь среди тех, кто тебя всегда ждет. Как радостно встречать с ними рассвет и закат. Мой мир полон любви. Ухожу в страну вечного счастья».

Адвокат прищурился.

— Написан текст на дорогой бумаге чернилами, а рядом лежала перьевая ручка. И почерк очень красивый с завитушками, каллиграфический. Так?

— Откуда вы знаете? — поразилась я.

— Уже один раз видел подобное послание.

Каравайкин встал.

— Простите, больше времени нет. Можем опоздать в загс, моя крестница очень расстроится. Найдите в архиве дело Мотыльковой Полины Константиновны двадцати пяти лет. Она покончила с собой лет семь-восемь-девять назад, точную дату я запамятовал. Прочитайте, будет интересно. Со мной Мартина никакими своими секретами не делилась, о любовниках бесед не вела. Да и странно было бы, если б она стала это делать. Я адвокат Владимира, а тот единоутробную сестру недолюбливал. Но если уж совсем откровенным быть, Володя Марту терпеть не мог, потому что в первые годы его брака она Ксению изводила, мелкие пакости ей делала. Ерунду всякую, но неприятно. И еще она денег у старшего брата попросила. На учебу. Сказала, что экзамены сдала успешно, но на бюджетное отделение одного балла не хватает. Это случилось, когда ей семнадцать стукнуло. Напела, будто в институте только наличку принимают, банковский перевод не берут. Но Володя, который сам, своими усилиями бизнес поднял, на эту удочку не попался, не поленился ее слова «проверить». Его обмануть трудно. И что оказалось? Вранье сплошное. Вуз, правда, существует, но Мартина Столова документы туда даже не подавала. Брат ей заявил: «Забудь мой адрес, не хочу дел с аферисткой иметь».

Адвокат умолк. И вдруг воскликнул:

— О! Вспомнил! У Мартины была подруга, Валентина Юферева. Она к Владимиру приходила, просила поговорить с Мартой, боялась, что та плохо кончит, много глупостей делает. А Вова меня позвал, посоветоваться хотел, как поступить. Так Юферева потом и ко мне однажды прикатила.

Каравайкин вынул телефон, стал листать записную книжку, приговаривая:

— Не выбрасываю никакие контакты... Никогда не знаешь, что тебе в жизни пригодится... Юферева порывалась всю правду про Мартину открыть. Уж не знаю, почему я ей лучшим конфидентом показался. Но мне не с руки было ерунду слушать, поэтому я аккуратно от посетительницы решил отделаться. Дескать, сейчас очень занят, давайте в другой раз поговорим, я вам позвоню. Валентина оказалась сообразительной, телефон свой сообщила. И пошла к двери. Но на пороге остановилась: «Илья Борисович, если хотите узнать много интересного про Марту и Егора, обращайтесь. Вас удивит, что я знаю». Мне никакие сведения о дочери Елены Леонидовны ни тогда не понадобились, ни сейчас, а вам, возможно, пригодятся. Вот, уже отправил вам номер на ватсапп... Давайте провожу вас до двери.

Мы с адвокатом направились в прихожую. Квартира Столовых была типовой — небольшой холл с вешалкой, из него ответвляются два маленьких коридора. Левый ведет в ванную, туалет, кухню, а в правом двери в комнаты. Беседа наша протекала в гостиной, следующая дверь оказалась закрыта. Когда я приблизилась к ней, оттуда раздался счастливый визг Леси:

— С ума сойти! Какое платье!

— Вы красавица! — воскликнул незнакомый голос.

Илья нажал на ручку и сунул голову в спальню.

— Нет! — крикнули два голоса. — Нельзя! Не смотреть!

— Я ничего не видел, — засмеялся Каравайкин. — Девочки такие девочки, вечно что-то придумают... Татьяна, не забудьте про обувь, не уйдите в тапках.

— Случалось это со мной пару раз, — улыбнулась я. — Еще из больниц часто убегаю, забыв снять бахилы. Какие красивые белые туфельки! С жемчугом. И сумочка к ним в пару.

Илья открыл дверь.

— Леся очень хотела быть самой красивой подружкой невесты. Девочка немного приуныла, когда узнала, что всем надо одинаковые платья надеть. Но обувь и все остальное не регламентировано. Олеся долго выбирала ботинки, результат видите. Девочки такие девочки.

— Только мужчина способен назвать ботинками туфли на шпильках от «Диор». Мальчики такие мальчики... — рассмеялась я и ушла.

Глава 21

— Где ты эти чулки раздобыла? — изумилась Люба. — Тебе их Баба-яга принесла?

Я, сидевшая на высоком стуле, поболтала ногами.

— В магазине купила.

Буль отошла к шкафчику.

— Роскошный ответ. Мой муж, если я позвоню, чтобы узнать, когда он дома появится, и спрошу: «Где ты сейчас едешь?» — бормочет: «По дороге». Лавчонка поди в царстве Кощея Бессмертного находится? Чулки неубиваемые. Разрезать их не получается.

— Ты просто не стараешься как следует, — укорила я эксперта. — Взяла маленькие ножницы, не справилась, и сразу лапки кверху. Тут у тебя столько разных инструментов! Пила с диском, ты ею кости легко располовиниваешь, или вон лазерный резак... Избавь меня от дурацких чулок побыстрей.

Люба уперла руки в боки.

— Таня! У меня много еще чего есть, о чем ты даже представления не имеешь. Позавчера я железную бочку вскрыла, на что меньше минуты понадобилось.

— Вот видишь, — сказала я, — а ко мне с дурацкими ножницами пришла. Вооружись, скажем, вон той штукой с круглой пилой и действуй.

— Охо-хо... — простонала Буля. — Ладно, повинуюсь, возьму «ту штуку». Раз начальница приказывает, мне остается выполнять.

Эксперт направилась к столику, взяла то, что я назвала круглой пилой, повернулась и нажала на рукоятку. Сверкающий диск завертелся с бешеной скоростью, Люба двинулась ко мне...

— Стой! — завопила я. — Забыла, что я живая? Ты сейчас мне ногу отпилишь!

Буля выключила механизм.

— Экая, однако, моя шефиня капризная... И так ей плохо, и эдак несладко. Поняла теперь, почему я только маленькие ножницы использовать могу?

Я кивнула.

— Извини, сглупила.

Затем Люба показала на полку, где теснились разнокалиберные бутылки.

— Есть жидкости, которые что хочешь растворят, но ведь чулки к твоим ногам приварились. Дальше объяснять?

— Не надо, — вздохнула я.

— Ножницами они не режутся, — констатировала Буля, — скальпелем их порвать не получилось. Ведьмины изделия.

— Мне в них теперь вечно ходить? — приуныла я.

Люба вернула пилу на место.

— Нет ответа на твой вопрос. Впервые с такой красотой сталкиваюсь. Кто производит эти чудесные чулки?

Я вынула телефон.

— Я сделала фото упаковки. Когда натягивала чулки, они мне сразу понравились — нежные, удобные, не царапучие, не блестят. Подумала, поищу в Интернете изготовителя, возможно, у него на сайте они дешевле продаются, в магазине-то очень дорого.

Буля взяла трубку.

— Тэкс, давай-ка глянем... «Экспериментальный завод. Спецодежда для подводных работ, обмотка для труб в мокрых зонах и т. д. Гарантия качества». Ну и далее реклама. Неудивительно, что чудо-чулочки под душем не дрогнули. Однако хотелось бы посмотреть на рабочего, который мастерит что-то на дне океана в поясе с резинками...

Люба не договорила, рассмеялась.

— Сейчас многие предприятия, чтобы побольше заработать, выпускают товары для массового покупателя, — залепетала я, — продавщица клялась, что моему приобретению сноса не будет.

— И не обманула, — резюмировала Буля. — Извини, что не помогла.

— Да уж поняла, — пробормотала я, слезая со стула.

— Рано или поздно все само разваливается, — оптимистично пообещала Люба. — Правда, египетские пирамиды пока не дрогнули, только облицовка с них осыпалась.

— Умеешь ты человека утешить, — хмыкнула я. — Надеюсь, то, что сейчас прилипло к моей коже, не является близким родственником пирамид Древнего Египта. Хочется, чтобы чулки разорвались не через тысячу лет, а пораньше.

В кармане занервничал телефон — меня искала Булочкина. Я пошла к двери, бросив на ходу:

— Люба, никому не болтай, зачем я в твои владения заглядывала.

Буль постучала себя кулаком в грудь.

— Я кладбище чужих секретов. Ивану Никифоровичу тоже нельзя?

— Да! — воскликнула я. — Умоляю, придержи язык.

— Босс и так знает, что с женой приключилось, — возразила Люба.

— К счастью, нет, — помотала я головой.

— Минутку, ты же вчера в них спать легла, — опешила Люба. — Шефа не удивило странное одеяние супруги? Или ты всегда отправляешься на боковую в... Оооо! Прости меня, поросшую мхом бабу, я много лет в законном браке и забыла о всяких феньках. Вы же молодожены! Конечно, конечно, ролевые игры — развратная учительница... гадкая восьмиклассница... Мда, чулочки твои кстати пришлись. Аха-ха! Хочешь, подарю халат? Сексуально озабоченная медсестра — это будет тоже прикольно. Нам с мужем когда-то очень нравилось.

Ощутив, как кровь приливает к щекам, я выскочила в коридор. Ну вот, началось! Поэтому мы с Иваном Никифоровичем и не хотели громогласно сообщать о том, что поженились. Озабоченная медсестра? Кто бы мог подумать, что Люба с супругом такие затейники...

Ухмыляясь, я поднялась в офис и спросила у Эдиты:

— Что нашла?

— То, что ты просила, — затараторила она, — дело Мотыльковой Полины. Девушка покончила с собой. Вот снимок ее прощальной записки.

— Эй, ты перепутала, — воскликнула я, — вывела на экран фото письма Мартины.

— Нет, — возразила Эдита, — вот оно, смотри.

Экран разделился на две части, в каждой появилось по одному изображению.

Я внимательно изучила обе версии.

— Та, что слева, просто копия.

— Ее оставила Мартина, — уточнила Эдя. — Здорово, да? Бумага, почерк, текст — все совпадает. Но это еще не все. Изучи антураж — комнату, ее хозяйку. Обрати внимание на стол.

— Полное совпадение, — удивленно произнесла я через минуту. — Как это могло получиться?

Айтишница схватила «мышку».

— Я задала себе тот же вопрос. Полина Мотылькова работала в банке, делала там карьеру. Девушка окончила финансовый институт, получила диплом с отличием, поэтому ее сразу взяли на службу в престижное учреждение. Но начала она с низшей ступени, села за кассу, хотя проработала там недолго, была переведена в финансовый отдел и все годы работы уверенно поднималась по карьерной лестнице. На момент самоубийства являлась заместителем начальника структуры, которая обслуживает ВИП-клиентов.

— Хороший рост, — кивнула я. — От несчастной любви, как правило, травятся излишне эмоциональные особы, деловые женщины обычно не слишком романтичны.

Эдита открыла еще один ноутбук.

— Чужая душа потемки.

— Привет! — воскликнула Аня, входя в комнату. — У меня мешок интересного.

— Придется подождать, — сказала Дита, — уже докладываю.

— А я что? Я ничего, — пожала плечами Попова и села к столу. — Говорите, я послушаю.

— Внешне Мотылькова выглядела успешной и счастливой, — продолжала Эдита. — Родители не бедные, у отца небольшая фабрика в Подмосковье. Там шьют халаты и пижамы фасона «Прощай, молодость». Но их охотно берут дамы пенсионного возраста. Байковый, ситцевый или сатиновый ужас с давно надоевшими узорами из цветов радует исключительно бабулек.

Я сидела с непроницаемым лицом. Вот пример того, что не стоит активно что-то высмеивать в присутствии других людей. Сейчас Булочкина потешается над «бабушкиными» шлафроками. Мне далеко до пенсии, но такой наряд у меня есть. Может, он не очень красив, зато мягкий, уютный, не «стреляется» статическим электричеством, я его очень люблю и всегда надеваю после ванны.

Конечно, в моем гардеробе есть разные варианты домашней одежды. Не так давно Рина преподнесла мне роскошный пеньюар из черного шелка с кружевами и вышивкой, с сильно расклешенными рукавами.

Чтобы не обидеть Ирину Леонидовну, я раз в неделю щеголяю в ее презенте, хотя не испытываю при этом ни малейшей радости. Шелк скользкий, холодный, кружева колючие, излишки ткани, болтающиеся вокруг рук, мешают что-либо делать, плюс к этому у пеньюара нет пуговиц, а пояс постоянно развязывается. Да, шмотка радует глаз тем, кто смотрит на нее издали. Но я испытываю настоящее блаженство, когда снимаю броский наряд и натягиваю байковый «ужас». И еще. Почти уверена, что у каждой женщины есть подобная байковая или фланелевая пижамка, футболка, ночная рубашка, нежно любимая, уютная, пусть и украшенная пятнами от шоколада или мороженого. Конечно, в ней никак нельзя появиться перед посторонними, но зато ее обожаешь.

Глава 22

Эдита, которая ничего не знала о моих мыслях, продолжала:

— Константин и Вера Мотыльковы воцерковленные люди, дочь свою с детства водили на службу в храм. У них было все необходимое — своя квартира, машина, дача. Дочка родителей только радовала. Но не зря говорят: «Кто утром не перебесился, тот начудит вечером». Уже взрослая, Полина влюбилась в клиента банка. Вот тут я вижу допрос ее матери... Вера говорила следователю: «Он ужасный человек, ни разу на литургии не был. Девочку нашу околдовал, она под его влиянием дорогу в церковь забыла. Теперь дочка бесовствует, ходит на уроки дьявольского чистописания, которые монстр ведет, читает сатанистские книги».

Эдита оторвалась от ноутбука.

— Мне непонятно, как взрослые люди в эпоху Интернета могут лбы перед иконами расшибать. Наука давно доказала, что никакого бога нет. Космонавты сколько раз летали, никто из них его на облаках не встречал.

— Попы народ дурят, чтобы денег побольше с людей содрать, — подхватила Аня. — Недавно я пошла к стоматологу, сижу в очереди. Подходит священник, толстый такой, щека у него раздутая, и говорит: «Пропустите к врачу, болит очень». Я ему и ответила: «Воды святой попейте, помолитесь, и все пройдет. Или вы в бормашину больше, чем в бога своего, верите?»

— И что он ответил? — полюбопытствовала Эдита.

— Не знаю, меня народ из очереди выгнал, — вздохнула Аня. — Собрались там святоши, разорались. Тань, ты что думаешь о боге?

— В церковь я не хожу, — ответила я. — Что касается науки, то мне приятнее думать, что человек создание чьих-то добрых рук, а не родственник обезьяны. И у меня есть сомнение: вдруг после смерти я узнаю, что посещающие храм правы? Поэтому стараюсь не совершать плохих поступков. На всякий случай. Икон дома не держу, не молюсь, не пощусь, но не стану смеяться над батюшкой. И, кстати, существует неписаное правило, которое родилось из простого человеческого сочувствия: с острой болью к дантисту вне очереди проходят. А теперь прекратим теологический спор и вернемся к Мотыльковой.

Эдита почесала лоб.

— В общем, у родителей с дочерью случился конфликт на почве веры. Полина ушла из дома, мать ее на иконе прокляла.

— Сильно, — поморщилась я. — И слишком злобно для истинной христианки.

— Я еще не закончила, — остановила меня Булочкина. — Более того, родительница заявилась к управляющему банком и наступала на дочь, наговорила всякого. Босс выслушал ее, но к Полине никаких карательных мер не применил.

— За что ее гнобить? — хмыкнула Аня. — За личную жизнь?

— Мамаша не успокоилась, отправилась по месту службы возлюбленного дочери. А там на высокой должности оказался такой же, как Вера, оголтелый верующий, и он парня уволил. Тот был преподавателем в институте, вот декан ему и заявил: «Вы морально гнилой человек».

— Бредятина! — разозлилась Попова.

Компьютерщица развела руками.

— Из песни слов не выкинешь. Понятно, что поведение Веры не поспособствовало, так сказать, залитию костра водой, наоборот, мамашка в пламя ссоры бензин плеснула. Короче, дочка с родителями всякое общение прекратила. И вот — нате! Полина покончила с собой, оставив письмо, которое написала каллиграфическим почерком. У эксперта сомнений не возникло: яд она приняла самостоятельно.

— Уже при первом беглом осмотре специалисту всегда становится понятно: добровольно жертва что-то ела-пила или к ней применили силу, — произнес голос Любы.

Я вздрогнула и оглянулась. Надо же, не заметила, как в комнату вошла Буль.

— Хотя можно и обмануть человека, сказать: «Прими это, очень полезные витамины». И объект спокойно проглотит яд, — продолжила Любовь Павловна.

— Согласна, — кивнула Аня Попова. — Но как уговорить составить предсмертную записку?

— При желании это тоже может получиться, — сказала я, — ведь человеческая психика практически терра инкогнита. Вот вам пример. Профессиональные гипнотизеры в один голос утверждают: введенный в транс человек не способен сделать то, чего никогда не совершит в нормальном состоянии. То есть если ты не можешь украсть кошелек в реальной жизни, то и под воздействием гипноза портмоне не унесешь. Но я помню дело одного психотерапевта, который внушал клиенту: «Твоя мать умирает, а у человека, который сейчас рядом с тобой стоит, в кармане в бумажнике лежит таблетка, которая может ее спасти, сделать здоровой». И пациент запускал руку куда не следует.

Эдита открыла бутылку с водой и завершила доклад:

— Константина от известия о смерти дочери свалил инфаркт, он умер спустя два дня после похорон Полины. Через некоторое время Вера ушла в монастырь, ее дальнейшая судьба неизвестна. Вот такая история.

— Следователь допрашивал старших Мотыльковых? — поинтересовалась я.

Булочкина пошевелила «мышку».

— Нет. Отец, как я только что сказала, попал в больницу и вскоре умер, мать от встречи с полицейским отказалась. Да ему, похоже, и так все было ясно без лишних разговоров и явно хотелось побыстрей дело закрыть. Что неудивительно — обычное отделение полиции, у каждого сотрудника тьма работы. Так, тут все понятно. Но после того как папка с делом о смерти Мотыльковой в архив десантировалась, вышестоящему полицейскому начальству поступила от гражданки Зубаревой Раисы Михайловны, коллеги Полины, жалоба. Раиса обвиняла в халатности следователя, который лихо сделал вывод о самоубийстве, не пожелав выслушать ее рассказ, а она в курсе, что Мотылькову околдовал мужчина. Они не могли пожениться, и кавалер предложил возлюбленной совершить двойное самоубийство, дескать, на том свете все проблемы разрешатся.

Я пошла к кофемашине.

— Современные Ромео и Джульетта?

— Вроде того, — согласилась Эдита. — Оказывается, Полина позвонила Рае, сказала о своем решении и попрощалась. Зубарева испугалась, бросилась к Мотыльковой и нашла в незапертой квартире бездыханное тело приятельницы. Мужчины там не было.

— Так... — пробормотала я. — Он струсил.

— Теперь новость дня. Угадайте, кто считался женихом Полины? — прищурилась Эдита.

— Давай обойдемся без глупых вопросов, — попросила Аня. — Есть информация — говори.

— Ладно, — неконфликтно согласилась Дита. — Имя его...

Возникла пауза.

— Ну хватит! — рассердилась Попова. — Мы же на работе, а не в клубе знатоков!

— Имя его Егор Столов, — объявила Эдита.

Стало тихо, потом Буля произнесла с расстановкой:

— Очень интересно.

Я поставила на стол полную до краев чашку.

— Надеюсь, полицейские с ним поговорили?

— Вызвали для беседы, — застрекотала Булочкина, — и у меня после изучения этой записи мозг в кисель превратился. Сначала брат Владимира говорил только «да» и «нет». Потом слегка оттаял, рассказал, что увлекается каллиграфией, считает ее величайшим из искусств, а себя великим мастером. Основания для гордости у него были — на разных конкурсах чистописания Егор занимал призовые места. Он повесил в Интернете объявление — предложил людям научить их красиво буквы выводить. Откликнулось несколько человек, среди них некий Савелий Рогов. Но о нем чуть позже. Квартиры у Егора не было, он жил вместе с матерью, которая пила по-черному. Не то чтобы снять хотя бы комнату, у каллиграфа денег не было, он в своем институте ерунду зарабатывал. А у его любовницы Полины была своя норка. Хорошая такая, трехкомнатная.

— Как она ее раздобыла? — спросила Аня.

— Покойная бабушка внучке свои хоромы незадолго до смерти подарила, — объяснила Эдита. — Егор стал жить у девушки. Потом Мотылькова продала квартиру в центре, приобрела однушку в спальном районе, а Егор в то же время обзавелся двухкомнатными апартаментами. Понимаете? Очень похоже, что влюбленная женщина своему любовнику жилье на блюдечке с голубой каемочкой преподнесла.

— Опаньки! — подпрыгнула Аня. — Красивый поворот. И на него налоговая не наехала? Вопросы задавать не стала, типа откуда денежки?

Эдя опять схватилась за воду.

— Я не нашла никаких претензий от налоговой. Но можно же сказать: взял в долг у приятелей, у брата-бизнесмена. Никто проверять, глубоко копать не стал бы. Дело происходило довольно давно, тогда так пристально, как сейчас, крупные покупки не отслеживались. Или просто Егор не попал в зону интереса налоговиков.

Я положила в кофе сахар.

— Полина подарила любовнику жилье, причем более просторное, чем купила себе. Интересно, почему они решили разъехаться?

Люба, рисовавшая на листе бумаги домики, оторвалась от увлекательного занятия.

— А у меня возник иной вопрос, когда я узнала про столь оригинальное решение жилищного вопроса. Следователь не заподозрил, что самоубийство Мотыльковой, может, и не суицид вовсе?

— Из-за того, что полицейские быстренько закрыли дело, не удосужившись как следует разобраться в нем, подруга Полины и накатала телегу, — объяснила Эдита. — Энергии Раисы мог бы позавидовать танк! Следователь ее отфутболил, но она не сдалась. И тогда Егор нанял адвоката, Илью Борисовича...

— Каравайкина, — подсказала я. — Ага, понятно теперь, откуда он про записку, каллиграфически написанную, знает.

— Никаких улик против Столова не было, — продолжила Булочкина, — но адвокат посоветовал своему клиенту рассказать, что у них с Полиной произошло. Егор пришел к следователю и поведал такую историю. У них с Полей были планы на совместную жизнь. Да, двушку купили на его имя, но Столов там не жил, влюбленные поселились в однушке, а в двухкомнатной квартире работали курсы каллиграфии. Ничего незаконного в этом нет, денег преподаватель за обучение не требовал, хотя если кто давал небольшую сумму, не отказывался ее взять. Среди учеников был врач Савелий Рогов, Егор и Полина с ним подружились. Савва часто летал в Индию, Китай, привозил оттуда тамошние лекарства, и лечили своих пациентов. А друзей он угощал разными экзотическими чаями, которые тоже доставлял из восточных стран, поскольку кроме каллиграфии Савелий увлекался чайными церемониями разных народов. Столову и Мотыльковой очень нравилось в них участвовать. Процедура обычно занимала около часа. Рогов включал особую музыку, девушка танцевала, Егор пел, врач колдовал над напитком. Такие развлечения друзья устраивали сначала раз в месяц, потом стали проводить церемонии еженедельно, затем каждый день. Пара подсела на чай, как на наркотик, стала зависимой от напитка из незнамо каких сухих листьев, который готовил Савелий. Рогов рассказал, что в далеких горах, где он побывал, есть проход в страну вечной жизни, и ему известен туда путь... Поля с Егором мечтали о прекрасном месте, где нет проблем, злости, зависти, необходимости зарабатывать деньги, нудного быта, где всегда солнце, теплое море, фрукты и можно лежать на берегу, слушать прибой, а когда надоест, заниматься каллиграфией, пить чай, общаться с такими же просветленными людьми. Им очень туда хотелось попасть, в эту Страну Вечного Счастья, где правит бог Кавараши. Понимаете?

— Да уж... — вздохнула я.

Глава 23

Эдита кашлянула и продолжила.

...Спустя некоторое время Савелий пришел попрощаться, сказал друзьям, что он упросил бога Кавараши отправить его в чудесное место.

— Мы туда тоже хотим! — закричали Егор и Полина.

Савелий кивнул.

— Ладно. Попробуем поговорить с Кавараши, ведь надо получить от него разрешение. Но чтобы он согласился вступить в беседу, требуется особая церемония, очень долгая. Я ее несколько дней проводил. Готовы на это?

Полина с Егором согласились, и Савелий начал обряд.

Троица пила чай, ела какую-то странную кашу, похоже, приготовленную из сена, пела мантры, делала какие-то упражнения, долго дышала через одну ноздрю, зажав другую. Сколько длилось шаманство,

Егор сказать не мог. В какой-то момент Столов перестал соображать, ему стало казаться, будто он то ли в замке, то ли в какой-то каменной башне, повсюду ходят полуголые рабы, запускают фейерверки. Вдруг среди всего этого появился человек в красной одежде, который провозгласил:

— Дверь страны счастья открыта. Идите...

И Егор вдруг очнулся, обнаружив, что лежит на полу. А рядом сидели Савелий и Полина, которые, перебивая друг друга, рассказывали, что видели Кавараши.

— Мне было приказано перейти в мир любви и благоденствия вместе с вами через неделю, — объявил Рогов. — Что ж, давайте готовиться. Вам надо сесть на диету и вести здоровый образ жизни.

Спустя семь дней троица, облаченная в самую красивую одежду, убрав квартиру Полины, выпила вино, которое принес Савелий. Рогов устроился на кухне, где стоял диван, Полина легла на кровать, Егор пристроился рядом с ней. Некоторое время все молчали, потом перед глазами Столова запрыгали разноцветные звезды...

Сознание вернулось внезапно, когда парень открыл глаза. Егор ожидал увидеть горы, море, пляж, услышать шум волн, но ничего такого перед ним не оказалось. Он лежал на кровати, рядом спала Полина. У Столова сильно кружилась голова, ему адски хотелось пить и срочно требовалось посетить туалет.

Егор сполз с постели, еле-еле добрел до сортира, потом нахлебался воды прямо из-под крана. В голове слегка просветлело. Столов заглянул на кухню — Савелий исчез. Пропал и его чемоданчик, в котором врач принес все необходимое для перемещения в Страну Вечного Счастья. Егор зарыдал от разочарования. Значит, Рогову удалось перейти в мир любви, а им с Полиной нет. Заливаясь слезами, он пошел в спальню, упал и... больше ничего не помнил.

Очнулся Егор в больнице. Со всех сторон к его телу змеились трубки, тут и там мигали лампочками разные приборы. Появился врач и вроде бы начал задавать вопросы. Столов видел, как у человека в белом халате мерно открывается рот, но не слышал ни единого звука. Егор хотел попросить доктора говорить громче, но тот неожиданно переоделся в красную одежду.

— Кавараши, — закричал парень, — скорее возьми меня к себе!

В ту же секунду прилетела пчела, больно укусила его в руку, и все вокруг опять куда-то провалилось. Вернее, он провалился в небытие. Последующие дни слились в калейдоскоп странных впечатлений — в палату заходили разные люди, одни пытались поговорить с Егором, другие делали уколы, третьи что-то капали ему в рот. В промежутках между их визитами возникал Кавараши, звал его к себе. Появлялась радостная Полина и рассказывала о том, как ей хорошо в Стране Вечного Счастья... Постепенно божество и любовница прекратили посещения, к Егору вернулся разум, парня перевели в обычную палату, к трубкам больше не подсоединяли, но уколы делали.

Через некоторое время к Столову пришел молоденький полицейский и стал задавать вопросы.

— Помните, в каком клубе вас угостили лимонадом? Как тот человек выглядел? Куда он вас отвел?

Егор изумился.

— Клуб? Коктейль? Вы о чем?

Полицейский встал.

— Понятно. Эх, парень, кажется, ты никогда не поймешь, как тебе повезло. Поправляйся.

Когда полицейский ушел, сосед по палате поинтересовался у Егора:

— Ваще ничего не помнишь? В каком клубешнике обычно тусишь?

— Я не хожу в увеселительные заведения, — честно ответил Столов.

— Тогда где ж тебя опоили? — удивился сосед. — Они только на танцульках промышляют.

— Кто — они? — опять не сообразил Егор.

И услышал от своего сопалатника рассказ.

...Вот уже несколько месяцев по утрам на улицах Москвы первые прохожие находят молодых людей в невменяемом состоянии. Как правило, бедолаги раздеты до белья, у них нет при себе часов, портфелей, кошельков, никаких документов, чтобы определить их личность, ключей от машины, вообще ничего. Просто лежит человек в трусах и носках на тротуаре, и все. Первая жертва не удивила полицейских, ну переборщил парень с наркотиками, эка невидаль. Правда, в крови у неизвестного обнаружился не обычный героин, а смесь разных препаратов, но сей факт тоже никого не изумил, наркозависимые люди готовы употреблять что угодно. Но когда количество отравленных перевалило за десяток и все они умерли в реанимации, стражи порядка наконец поняли, что в столице действует преступник, который опаивает людей лекарствами, причем каждый раз разными, а потом грабит бедолаг. И возможно, орудует целая группа.

Как преступники ухитряются угостить обреченных на смерть людей адской смесью, стало ясно быстро. В желудках у всех жертв обнаружился коктейль «Тутто», который имеет темный цвет, резкий характерный запах и пользуется популярностью вследствие своей дешевизны. В «Тутто» легко подлить что угодно, «букет» пойла забьет любой вкус. И то, что жертв выбирали в клубах, тоже выяснили сразу. Многие ночные заведения ставят своим клиентам на руки печати, и у большей части умерших они имелись. Причем разные — похоже, преступник дважды в одном месте не работал.

Полицейские стали опрашивать посетителей злачных заведений, но быстро поняли тщетность этого занятия. Разглядеть в полутемном зале среди оравы пляшущих и орущих молодых людей того, кто подливает в стаканы отраву, практически невозможно. Никто из присутствующих ничего странного не замечал. Охрана на входе не спрашивала документов, оплата в баре шла, как правило, за наличный расчет. Вспомнить, кто выводил на улицу вконец опьяневшего приятеля, секьюрити тоже не могли, потому что окосевших посетителей уйма и многих из них вытаскивали подышать. Туман немного рассеялся, когда один из отравленных выжил и дал показания.

Двадцатипятилетний Павел Коробков рассказал, что он бизнесмен, приехал в клуб на своей новой, очень дорогой машине без друзей и девушки. Хотел расслабиться и найти партнершу для быстрого секса — в клубах полно девушек, готовых на все за пару коктейлей. Паша не так давно стал получать солидные деньги, поэтому наслаждался материальным благополучием по полной программе — на запястье у него болтались дорогущие часы, на шее на толстой золотой цепочке висел крест, украшенный бриллиантами, в кармане лежало три самых навороченных мобильника, плюс ботинки из крокодиловой кожи, кожаная куртка, перстень... У Коробкова не было любимого заведения, он просто выбирал из десяти лучших клубов, куда поехать.

В тот злосчастный день он порулил в «Бобо». Выпил немного виски, познакомился с симпатичной брюнеткой Леной, угостил ее шампанским. Девушка оказалась с норовом. Она осушила бокал, пошла к бару, принесла коктейль «Тутто» и сказала:

— Ты мне, я тебе. Интересно, кто кого перепьет?

Павел не любитель дешевого пойла, но рассмеялся и опрокинул фужер со словами:

— Хочешь соревноваться? Я — за.

Дальше воспоминания молодого человека носят отрывочный характер. Вроде он на улице, холодно, хочется спать... Кровать жесткая и колючая, одеяла нет... Его везут в машине...

Почему Коробков не скончался, как другие? Может, бандиты ошиблись, составляя очередную смесь, взяли малое количество лекарств, или организм парня оказался толерантным к отраве? Ответа на этот вопрос нет. Понимаете теперь, почему полицейские не очень удивились, узнав, что в самую большую скоропомощную больницу Москвы привезли молодого голого мужчину, анализы которого показали, что в его крови смесь из лекарств и какой-то диковинной гомеопатии. Егора посчитали очередной жертвой бандитов-отравителей. Экспертиза не смогла установить большинство ингредиентов из тех, что попали в организм Столова. Дело тихо сплавили в архив...

— Ну и ну! — возмутилась я. — Хорошо, что Егора нашли на улице голым и посчитали очередной жертвой. Но потом-то, когда подруга умершей Полины начала скандалить, а Столов честно рассказал свою историю следователю, почему не стали искать Савелия Рогова, который подбил эту пару якобы отправиться в Страну Вечного Счастья?

Эдита развела руками:

— Экспертиза подтвердила: Мотылькова выпила смесь галлюциногенов и чего-то еще добровольно. Николай Иванович Лопатин, который вел дело о самоубийстве и на которого жаловалась Раиса, придумал гениальную версию. По его мнению, любовники поругались, Егор уехал в клуб, а Полина в припадке депрессии взяла да и совершила самоубийство. То, что Столова отравили преступники, к суициду его любовницы отношения не имеет. Все это он изложил в докладной записке начальству, которое велело ему успокоить Раису.

— Супер! — разозлилась Буля. — Не хватило ума сравнить анализы крови Егора и Полины? Эксперт не заметил, что там и там одна токсикология?

Эдита поджала губы.

— Лопатин уходил на пенсию, скандал из-за суицида Мотыльковой был последним эпизодом перед заслуженным отдыхом.

— Дальше можешь не продолжать, — сказала я, — все ясно.

— Нет уж, — возразила Дита, — дослушай. Николай Иванович благополучно распрощался с полицией, продал свою квартиру и уехал в Планерское, курортное местечко около Коктебеля. Через месяц туда же, тоже расставшись с работой и сбыв с рук свою трешку, улетела Лариса Горина, делавшая экспертизу по делу о самоубийстве Полины Мотыльковой. Горина и Лопатин зарегистрировали в Планерском брак, купили хороший дом и живут там поныне. Небось, сейчас домашнее вино с фруктами вкушают.

Глава 24

Булочкина отвернулась от ноутбука.

— Все ясно?

— Полностью, — фыркнула Люба. — Парочка намылилась в теплые края, разбираться в смерти девушки им не хотелось, они спустили расследование, как говорится, на тормозах. Потом, правда, появилась излишне активная подруга погибшей и слегка им подгадила, но ненадолго. Егор рассказал правду следователю, тот понял, что Полина собиралась перенестись в Страну Вечного Счастья, никакого преступления нет, одна глупость. Мысль о том, что Рогов, третий участник «чаепития», мог быть хитрым убийцей, он отбросил. Придумал отмазку: Мотылькова покончила с собой из-за разрыва со Столовым, а тот стал жертвой отравителей. Начальство осталось довольным докладом следователя.

— Постойте, выходит, что у Егора один раз не получилось улететь в Страну Вечного Счастья с Полиной, и он спустя годы предпринял вторую попытку? — воскликнула Аня. — На сей раз с Мартиной? С собственной младшей сестрой?

— Похоже на то, — согласилась я, — уж очень сходны два самоубийства. Письмо, написанное каллиграфическим почерком, вино, красивая одежда на умершей...

— Помнится, Савелий велел Егору и Полине тщательно подготовиться, — заметила Дита. — Они сидели на диете, вели здоровый образ жизни.

— По словам Галины Леонидовны, Мартина была прямо-таки помешана на здоровом образе жизни, — протянула я. — Но она его вела задолго до самоубийства.

Люба кашлянула.

— Токсикология Марты показала наличие смеси большого количества разных успокаивающих препаратов, общим числом девять названий, вполне безобидной гомеопатии и вина. А у Полины, если я правильно поняла, в организме был коктейль из трав.

— Верно, — согласилась Эдита, глядя в компьютер. — У Мотыльковой ситуация обратная: малая доза снотворного и океан травы. Выделили двадцать девять видов, из них определили только пять, остальные эксперт не знала. Или, торопясь к теплому морю, не захотела в них разбираться.

— А что с Савелием Роговым? — поинтересовалась я. — О нем какие-то сведения есть?

Булочкина улыбнулась и стала шутливо хвалить себя:

— Эдита умная и сообразительная. Эдита давно поняла, что Таня такой вопрос рано или поздно задаст. Эдита пошарила, где надо, и нашла большую конфету.

Все присутствующие невольно заулыбались, а компьютерщица сменила тон на серьезный.

— Савелий Рогов сын дипломатов, с рождения жил с родителями в Индии, Китае, Непале, Бутане. Свободно владеет местными наречиями. Окончил МГИМО, несколько лет работал переводчиком в странах, где провел детство, считался прекрасным специалистом. После смерти отца и матери неожиданно ушел с работы, начал рисовать странные картины, участвовал в разных выставках. Богатым и знаменитым не стал. Написал фантастический роман, его даже издали. Но книга успеха не имела. За несколько лет до смерти Мотыльковой Рогов был поставлен на учет в психиатрическом диспансере. Лежал в больнице. Диагноз: биполярное расстройство. Вышел. Чем занимался, неизвестно. Из родственников у него была тетя, сестра матери. Она и подала заявление о пропаже племянника. Документ очутился в полиции через неделю после самоубийства Мотыльковой. Тетка оказалась на редкость активной, она постоянно пинала полицейских, написала на них кучу жалоб, обвиняла в бездействии, дошла до министра внутренних дел. В конце концов труп Рогова обнаружили в одном из моргов среди невостребованных тел. Савелий давно похоронен. Обстоятельства его смерти неизвестны, труп без документов подобрали на улице. Вскрытие не делали. Все.

Попова повернулась ко мне:

— Вкратце получается так: в день, когда троица решила улететь в Страну Вечного Счастья, Егор очнулся и ушел из дома. Полина умерла в своей квартире. Савелий Рогов, если верить рассказу Столова, покинул однушку до него и умер на улице. Егор выжил. Спустя время он зачем-то решил убить Мартину, вспомнил о кончине Мотыльковой и представил все как самоубийство.

— В твоей версии вопросов больше, чем ответов, — вздохнула я. — Первый из них: зачем брату понадобилось избавляться от сестры? Где мотив? И со стороны Егора очень глупо дублировать обстоятельства смерти Мотыльковой, ведь, если поднимут старое дело, сразу всплывет его имя.

— Наверное, он хотел все свалить на Рогова, — не сдалась Аня. — Может, парень не знал, что тот мертв, вот и обставил дело таким образом, будто бы в нем участвовал Савелий. Но достать нужные травы Столов не смог, поэтому к смеси лекарств добавил простую гомеопатию, чтобы было похоже.

— Идиотизм со всех сторон, — высказала свое мнение Буль. — К чему такие сложности?

— Возможно, он не собирался лишать Мартину жизни, — наконец-то подал голос упорно молчавший до сих пор Александр Викторович, — просто решил предпринять вторую попытку уйти в пресловутую Страну Вечного Счастья.

— И опять облом? — усмехнулась Аня. — Снова очнулся, увидел, что Марта мертва, тщательно уничтожил все следы своего пребывания в квартире и ушел? Дежавю? День сурка?

— Надо поговорить с Егором, — решила я. — Вы не забыли, что он работал в одном институте с Мартиной? Аня, отправляйся завтра с утра в НИИ и потолкуй со Столовым. А я договорюсь о встрече с Валентиной Юферевой. Каравайкин уверял, что она лучшая подруга Мартины. Эдита, можешь о ней что-то рассказать?

— Не готова пока ответить, — сникла Дита. — К вопросу о Рогове я подготовилась, а фамилию «Юферева» только что услышала.

— До завтра успеешь собрать информацию? — спросила я.

— Обижаешь, начальник, — надулась Эдя, — через пару часов все сведения получишь.

— Не нравится мне история с Мартиной, — процедил профайлер.

— Да, очень уж мрачная, — согласилась Люба. — Прям ужас какой-то, молодая женщина принимает решение уйти из жизни, и маленькая девочка остается сиротой. Анфиса окажется в детдоме.

— По словам Тани, Леся очень добрая девушка, — заметила Попова. — Может, она ребенка приголубит? С деньгами у нее полный порядок, нанять няню проблем нет.

— Смотрела мультик «Ежик в тумане»? — спросила я.

— Кто ж его не видел, — ответила вместо Ани Буля. — Классика жанра!

Я пустилась в объяснения.

— Леся типичный Ежик. Ей не сегодня-завтра стукнет восемнадцать, а она ведет себя как первоклассница.

— Несовпадение паспортного возраста с психологическим — распространенное явление, — кивнул Александр Викторович. — Я знаю несколько шестидесятилетних девочек, совершенно не приспособленных к жизни, не умеющих свою квартиру запереть.

— Они на обед сырую картошку грызут? — с серьезным видом поинтересовалась Аня. — Или голодные сидят, поскольку денег не зарабатывают и готовить не умеют?

— Нет, — улыбнулся Ватагин, — в их домах горничные, повара, потому что обе состоят в счастливом браке с успешными, богатыми мужчинами. Так что все в порядке. Очень милые, но крайне наивные дамы, сохранившие менталитет очаровательных малышек. С ними забавно общаться.

— Хорошо, когда есть кто-то, вкладывающий тебе в ладошку платиновую кредитку, — фыркнула Аня. — Имейся у меня такой супруг, я тоже была бы наивной и милой, сидела бы на диване в подушках и любила все человечество. Но очень трудно оставаться пушистой заинькой, когда приходится на корочку черного хлеба зарабатывать. В процессе погони за рваным рублем характер здорово портится.

— Не у всех, — возразил Ватагин, — есть люди, независимые от денег.

— Они ходят босиком, завернувшись в мешковину, питаются кузнечиками, живут в пустыне и называются святыми, — рассердилась Аня. — А остальные хотят бабла. И чем больше, тем лучше. Тань, а как ты относишься к приятно хрустящим купюрам?

— Деньги нужны, — согласилась я. — Грешна, люблю вкусно поесть, а хорошие продукты стоят дорого. Жевать насекомых, которых можно бесплатно отловить, не могу. Они, наверное, противные на вкус.

— Сплошной белок, — оживилась Буль, — масса пользы для здоровья. Например, тараканы. В них...

— Фу-у! — закричала Попова. — Замолчи сейчас же! Ну вот, теперь неделю, наверное, есть не смогу. Какая мерзость!

Глава 25

Я молча слушала разговор. Хм, не знала, что Попова завистлива. Вон как ее завела моя фраза про инфантильность Леси. Оказывается, Аня жаждет денег. За время нашей совместной работы у меня не возникало повода подозревать ее в алчности.

Она подчас приносит в офис булочки, конфеты, может заплатить в нашей столовой за обед коллеги, забывшей кошелек в кабинете, а потом, когда та будет возвращать сумму, махнуть рукой, мол, перестань, такая ерунда, если хочешь, в конце концов, можешь мне завтра супчик купить. Но комплексная еда в нашей харчевне совсем недорогая, на выпечке тоже не разоришься. А про большие суммы мы никогда с Аней речи не вели. И вот я слышу от нее такие слова в адрес женщин, которым повезло с богатыми мужьями. Нехорошо...

Если сотрудник страстно мечтает стать обладателем крупного счета в банке, то он может ради исполнения своей мечты решиться и на... на предательство служебных интересов, скажем так. Агенты-перебежчики и те, кто продает секреты врагу, не редкость в рядах спецслужб разных мастей. При поступлении к нам на работу нужно пройти массу тестов, побеседовать с психологом. Аня благополучно миновала разные ловушки, не попалась на каверзных вопросах, которые определяют скупердяя, завистника, вруна. Но люди обычно готовятся к опросам, знают, что, как и кому отвечать. Правда об их характерах вылезает спонтанно, в самом простом разговоре. И теперь мне хочется знать: на что Аня готова за золотую кредитку? Лично я не против денег, но кое-что не стану делать даже за миллиарды. У Поповой тот же принцип? Или ее волнует исключительно цифра на счете?

— Танюша, что случилось? — окликнула меня Буля. — У тебя такой вид...

Я встряхнулась.

— Просто размышляю, почему Мартина, решившись на суицид, не подумала о дочке? Мать не вспомнила об Анфисе, потому что не все родители любят своих детей? Завтра поеду к Юферевой. Надеюсь, после разговора с ней у меня появится более полное представление о том, что за человек была Марта Столова. Аня, ты пока не встречайся с Егором, мне надо сначала услышать, что Валентина скажет. Просто походи по институту, порасспрашивай людей об обоих Столовых, собери сплетни. В навозной куче можно найти жемчужное зерно[1].

— Не нравится мне все это, — опять сказал Ватагин.

— Что именно, уточните, пожалуйста, — попросила я профайлера.

— Зачем нам Егор? — продолжил Александр Викторович. — Возможно, он убил свою сестру. Но мы ведь ищем не того, кто лишил жизни Столову, а мужчину, от которого Мартина родила Анфису.

— Мне тоже все, с чем мы неожиданно столкнулись, весьма не нравится, — кивнула я. — В особенности то, что за последний год Столовы стройными рядами отправились на тот свет. Елена, Владимир, Ксения, теперь Мартина и Галина. Может, их смерть не случайна?

---

[1] Таня вспоминает басню Ж. Лафонтена в переложении И. Крылова «Петух и жемчужное зерно». «Навозну кучу разрывая, Петух нашел жемчужное зерно...»

— И как это приблизит нас к отцу Анфисы? — не успокаивался Ватагин. — Расследование уезжает в сторону.

— Нет, просто становится веерным, — не согласилась я, — охватывает все большее количество людей, и, на мой взгляд, мы уже начинаем подбираться к таинственному мужчине. Не побеседуй я с Лесей, не случилась бы встреча с Каравайкиным. А кто сказал про Юфереву? Илья. До этого мы считали, что у Мартины не было закадычных подружек.

— И все равно мне как-то не по себе, — уперся Ватагин, — на душе тревожно.

Буль пошла к шкафчику.

— Александр Викторович, сейчас сварю вам капучино, угощу замечательным печеньем. Моя душа от такого угощения мигом перестает метаться, рыдать и становится благостной.

Глава 26

— Хотела позвать для работы Михаила Потаповича, а потом вспомнила: у меня же есть гений Жора, — шепотом заверила Рина, выходя мне навстречу. — Хотя вид у него жутковатый. Увидев его на пустынной улице, убежишь даже в солнечный полдень, а ночью так и вовсе от страха окочуришься. Но по сути Жора добрейшее существо. Не поверишь, как его Альберт Кузьмич полюбил. Надя в шоке!

Я вспомнила, что Михаил Потапович это мастер, которому свекровь собиралась поручить изготовление мойки для собачьих лап, решила спросить, кто такой Жора, но не успела открыть рот — в холле появилась высокая шкафообразная фигура. Незнакомец носил рваные джинсы и черную майку-алкоголичку, его руки, шею и часть тела, которую не скрывала одежда, покрывали разноцветные татуировки. Круглое лицо было мрачным, маленькие глазки прятались в опухших веках. Ладони смахивали на совковые лопаты, а на ступни я смотреть побоялась. Мне стало понятно, что это и есть тот самый Жора.

Рост его явно зашкалил за два метра, а вес, даже на самый беглый взгляд, намного превышал центнер. И поверьте мне, человеку, регулярно посещающему тренажерный зал: основную массу тела Жоры составляла хорошо развитая мускулатура. На правом плече великана был набит тигр, который пожирал зебру, на левом крокодил дрался со львом. Но эти агрессивные татушки меня не поразили, потому что наряду с ними сразу бросались в глаза другие картинки: сердечко, пронзенное стрелой и с надписью: «Катенька» внутри. Недоумение вызвала огромная черная лохматая шапка, сидевшая на голове сего персонажа. Объемный малахай закрывал лоб почти до бровей и походил на головные уборы воинов Золотой Орды. Мне сразу вспомнилась иллюстрация из моего учебника по истории, где было пояснение, гласившее, что это татаро-монгольский воин. На ней был изображен мужчина в здоровенной шапке, с бока которой свисал хвост неизвестного мне животного. Точь-в-точь такая же украшала Жору. И зачем ему летним днем меховой убор?

— Жора, познакомься с Танечкой, — защебетала Рина. — Давай ей мойку для собак покажем?

— Уже сделали? — удивилась я.

— Разве ты не видела ее, когда дверь открывала? — спросила свекровь.

— Нет, не заметила, — смутилась я, — о своем думала, по сторонам не глазела.

— Да чего там делать было? — неожиданно приятным тенором сказал Жора. — Только собрать. Бац, бац, и в дамках. Трубу кинуть недолго. И...

Великан вдруг заморгал, наморщил нос и чихнул. От оглушительного звука я на секунду лишилась слуха. Рина отпрянула к вешалке, а с головы мастера свалился малахай. Шлепнувшись на плитку, головной убор издал сдавленное кряканье, потом встряхнулся и резво убежал.

— Ой, живая! — подпрыгнула я в полном изумлении от того, что меховая шапка издает звуки и самостоятельно двигается.

— Слава богу, Альберт Кузьмич бодр и весел, он прямо в экстазе от Жоры. Вон даже спать улегся у него на макушке, — сказала Надя, входя в холл. — Вот таблетка, примите.

Жора взял лекарство и стакан с водой, протянутый домработницей.

— Премного благодарен. Извините за чих, не сдержался. Меня Алена всегда ругает, говорит: «Когда муж чихает, от шума я на бок падаю». А как же тихо-то чихнуть? И так вон сколько времени изо всех сил крепился. Да, живу с аллергией на котов, прям все зудит.

Жора начал яростно чесать совершенно лысую голову.

— Зачем же вы Альберт Кузьмич на себе таскали, если ваш организм против животных бунтует? — укорила я его.

— Так он сам залез, — сообщил Жора. — В секунду по джинсам вскарабкался, потом по майке и на маковке притулился.

— Говорила тебе, что Альберт Кузьмич до смерти Жору полюбил, — напомнила Рина.

— Не скидывать же кошака, — зашмыгал носом мастер, — я уважаю тварей всех мастей. Подумаешь, глаза опухли и нос чешется. Таблетку заглотнул, сейчас пройдет.

— Кот вас исцарапал, — испугалась я.

— Где? — удивился Жора. — Не больно совсем.

— На лбу, висках и щеке длинные глубокие следы, — поежилась я, — кровь не течет, но ранки красные. Надя, найдите мирамистин или перекись водорода, заодно принесите мазь, которой мы обрабатывали Мози, когда он разбил себе лоб, пытаясь достать из-под прозрачной крышки печенье.

— Вот дурень! — рассмеялся Жора. — Песик решил, что печенье без упаковки, тюк мордой, а там стекло?

— Именно так, — подтвердила я. — Мози ухитрился забраться на стол, увидел тарелку, где лежали «ушки» с корицей, и попытался их съесть. Вот только бедолага не сообразил, что они прикрыты стеклянной крышкой. В результате разбил ее и поранился.

Жора цокнул языком.

— Дурашка. Конечно, он же собака, мозгульки мелкие, вот и не дотумкал, что печенье не стырить. А что про людей сказать, которые башкой в закрытые двери магазинов долбятся? Ей-богу, кое-кто тупее пса.

— Вот, нашла, — сказала Надежда, возвращаясь в прихожую.

Я взяла у нее флакон с антисептиком и начала открывать его.

— Не надо, — остановил меня Жора.

Я улыбнулась, зная, что многие брутальные мужчины панически боятся боли.

— Раствор совсем не щиплется, это не йод.

Жора похлопал себя ладонью по лысине.

— У меня не царапины. Шрамы. Они давно зажили.

— Правда? — удивилась я. — Выглядят свежими.

Жора поморщился.

— Над теми, кто стекло в двери не разглядел и мордой в него вошел, я сейчас потешался, а сам не лучше. Я когда-то деньги боями без правил зарабатывал, а в этом бизнесе надо выглядеть устрашающе, показать противнику, что ты ни фига не боишься, морально его еще до начала поединка сломить. Выхожу я на ринг весь в зверских татухах, шрамах, и у противника в башке тумблер щелкает: вау, ну и зверюга. Я еще зубы чернил, издали казалось, что их вовсе нет. Открою рот — ну, прямо жесть! Молодой был, ума с горошину, силы море. Потом в разум вошел, биться перестал и хорошую профессию получил, фирму открыл «На все руки мастер». Сейчас у меня сорок сотрудников, сам давно по заказам не катаюсь, я же босс. Но к Ирине Леонидовне всегда лично приезжаю, она мне как мать родная, благодетельница.

— Ой, да ладно тебе, — отмахнулась Рина, — ничего особенного я не сделала, просто денег на открытие дела одолжила.

— Дала! — уточнил Жора. — И назад не взяла!

— Ужас просто, — поежилась я, разглядывая шрамы мастера. — Похоже, у ваших противников были когти, как у леопардов. Или в боях без правил разрешено ножами пользоваться? И кто вам раны зашивал? Руки бы ему оторвать! Почему так неаккуратно?

Жора наклонился и взял на руки Роки, который пытался залезть на него.

— Это называется шрамирование, его под уколом делают, вкривь и вкось специально залатывают. Не ранили меня.

— Хотите сказать, что шрамы — нечто вроде татуировок? — уточнила я. — Они выполнены ради морального устрашения противника?

Жора почесал бульдожку за ухом.

— Ну да. Молодой был, совсем дурак. Полагал, что мне всегда двадцать лет будет. О том, как на пенсии выглядеть стану, не думал. Что детям скажу, когда они меня спросят: «Почему ты так жутко выглядишь?» — тоже не парился. Поумнел потом, поехал к Козявке, попросил: «Убери, что сделал».

— К кому? — не поняла я.

— Козявка Джо, — пояснил Жора, — мегасупермастер. Что хотите набьет, любые шрамы смастерит. Лучший в своем деле. Дорогой, правда. Но где вы дешевое хорошее видели? Козявка растолковал, что ходить мне таким до конца жизни. И врачи не берутся, очень большая площадь тела покрыта рисунками. Козявка предложил шрамы татухами закрыть, но я решил: пусть лучше на морде отметины останутся.

— Жора, покажи Танюше, как работает мойка для собак, — остановила мастера Рина.

Глава 27

Мы вышли на лестницу.

— Видишь справа от входной двери шкафчик? — спросила свекровь

— Конечно, вижу, — сказала я. — Красивый, дерево под цвет стен, ручки бронзовые. Но он же широкий, много места занимает.

— Соседей нет, на этаже мы одни, а те, что выше живут, на лифте ездят, пешком по лестнице не ходят, — отмахнулась свекровь. — Зато как удобно! На верх можно ставить сумку, когда из магазина приходишь. Есть ящик, в нем будут лежать полотенца для вытирания лап. Но главное... Опля!

Ирина Леонидовна распахнула дверки, и я увидела, что у шкафа внутри нет ни полок, ни дна. Внизу сделано углубление, в нем стоит поддон, из стены торчит кран со шланговым душем.

— Красота! Да? — расцвела Ирина Леонидовна.

Я изобразила восторг.

— Замечательно! Но как же пользоваться этой «ванной»?

Рина хихикнула.

— Непонятливая ты моя... Все элементарно. Мози, лапочка, иди сюда!

Хитрый бульдожка, сообразив, что его неспроста подзывают чересчур любезным тоном, развернулся и исчез в квартире. Роки кинулся вслед за братом.

— Нечеловеческого ума собаки! — восхитился Жора. — Я бы повелся и подошел.

Рина умчалась за бульдогами, через пять минут вернулась назад и крикнула:

— Мы сейчас будем сыр есть!

Раздалось цоканье, кабачки дружно вынеслись на лестничную клетку, сели и преданно уставились на хозяйку.

— Сыр может победить любой ум, — засмеялась Ирина Леонидовна и бросила кусочек принесенного эдама в поддон. — Давай, Мози, ты первый опробуешь мойку.

Но псы ринулись за сыром вдвоем и вмиг очутились в «ванне».

— Вот и все, они там, — объяснила свекровь. — Первое время буду их на вкуснятину приманивать, потом привыкнут, начнут даром лапы полоскать.

— Если человеку много на службе платить, а потом, когда время пройдет, велеть работать за так, он никогда не согласится и уволится, — высказался Жора. — Вот в обратную сторону хорошо сработает: сначала ни копейки, а через три месяца сочный оклад, тогда любой обрадуется. Суть не изменится, бабло то есть, то его нет, но порядок вручения и лишения денег большое значение имеет.

— Как их мыть? — спросила я.

— Водой, — ответила Рина.

— Ее надо включить, — не успокаивалась я, — и лапы им прополоскать.

Жора и Рина переглянулись.

— Так просто же, — объяснил мастер, — рычажок повернуть, и все дела.

— Бульдожкам самим это не проделать, — возразила я.

— Конечно, нет! — воскликнула Рина и присела на корточки. — Сейчас покажу, как это делается.

Свекровь всунула голову в шкаф, потом забралась целиком внутрь. Через секунду послышался шорох, затем раздался голос Ирины Леонидовны:

— Танюша, помоги, рука застряла, за что-то рукавом зацепилась.

Я встала на колени и тоже вползла в шкаф. Бульдожки смирно сидели в поддоне. Собаки живо поняли: в этом замечательном месте угощают сыром — и терпеливо ждали продолжения банкета.

— Видишь, что мою руку держит? — поинтересовалась Рина.

— Какая-то штука из пола торчит, — прокряхтела я, — сейчас освобожу вас. Ой! Простите, рукав порвался.

— Ерунда, — заявила свекровь, ужом ввинчиваясь между стеной и мною. — Подвинься к поддону, хочу вылези.

— Вы им лапы не помыли, — заметила я.

— Хочу, чтобы ты попробовала, — сказала Рина. — Ведь по вечерам с братьями-разбойниками ты гуляешь, вот и давай, осваивай ноу-хау. Я уже натренировалась сегодня, сто раз туда-сюда лазила. А тебе надо понять, как действовать.

— Увы, не могу похвастаться твоей компактностью. Мне тут ни вздохнуть, ни охнуть, — призналась я.

— Соберись в комок, — посоветовала Рина и выползла из шкафа на лестницу задом наперед. — Ты мягкая, сожмешься.

— Да уж... — закряхтела я. Но умудрилась-таки схватить душ, положила его в чашу мойки и повернула рычаг.

Из лейки полилась вода. Мози издал хрюкающий звук и выскочил из «ванны», явно решив удрать. Но Рина со словами:

— Нет, нет, сиди там, — захлопнула дверцы.

Стало темно.

— Эй, эй! — крикнула я. — Ничего не вижу! Откройте!

— Тогда псы удерут, — донесся до меня голос Ирины Леонидовны. — Жора завтра свет проведет, а пока так мой, тренируйся. Поверь, это очень удобно и решит все наши проблемы с грязью от лап.

Я нашарила рукой лежащий в поддоне душ, взяла его и попала струями воды прямо себе в лицо. Я взвизгнула.

— Что там такое? — поинтересовалась невидимая мне Рина.

— Наверное, мышь, — предположил Жора. — Дом старый, грызуны в нем точно живут.

Мози завыл. Он понимает слова «грызун», «мышь», «полевка» и боится хвостатых тварей до одури.

— Прекрати! — цыкнула на него я. — Нет тут мышей!

Бульдожка заорал сиреной.

Я попыталась толкнуть дверцы рукой, но поняла, что не дотягиваюсь до них. Решила стукнуть в створки ногой, однако, увы, я не такая юркая, как Ирина Леонидовна. Мне внутри шкафа было тесно, я даже пошевелиться не могла. И взмолилась:

— Рина! Жора! Вытащите меня отсюда!

— Подожди немного, — откликнулась свекровь. — Жора за инструментом пошел. Замок заклинило.

— Зачем он сделал запор? — удивилась я.

— Сказал: «На лестнице шкаф стоит, соседи из любопытства полезут смотреть, что там. Кран с душем свистнут».

— Надеюсь, в нашем доме таких людей нет, — вздохнула я. — А как вы мойку без ключа открыли?

— Ручку повернула, — отвечала Рина, — она язычок отодвигает. А сейчас как-то очень крепко захлопнулась. Тебе там удобно?

Я, стоявшая в коленно-локтевой позе в кромешной темноте, пошевелила головой на затекшей шее и бодро заявила:

— Очень. Здесь уютно.

— Сейчас Жора тебя вызволит, — пообещала Ирина Леонидовна. — И куда он подевался? Пойду гляну, чего это мастер пропал.

Повисла тишина. Мне было лишь слышно, как журчит вода из душа. Я сделала еще одну попытку повернуть кран, опять не преуспела, решила не суетиться, и тут моя вытянутая рука наткнулась на мохнатую мокрую лапу.

— Не унывайте, ребята, — попросила я, поглаживая собачью конечность, — скоро выберемся и тогда...

Окончание фразы застряло в горле, потому что в этот момент справа и слева в мои бедра уткнулись два собачьих тела и начали тереться о них. Я замерла. Значит, Мози и Роки вылезли из поддона, им совершенно не понравилось сидеть в воде, надежда получить сыр растаяла, и сейчас бульдожки пытаются вытереться о мою одежду. Но если их влажные тушки находятся сзади, то кого же я самозабвенно глажу?

Я пощупала пальцами мохнатую лапку — та пошевелилась.

— Таня, вы живы? — спросил голос Жоры.

— Угу, — ответила я. — Рина, у нас случайно не появилась третья псинка?

— Зачем она мне, — засмеялась свекровь, — двух бандитов выше крыши хватает.

— Может, кто еще бульдожку принес, а вы и не заметили? — продолжала я, трогая не пойми откуда взявшуюся собачку.

— Не было такого, — твердо возразила Ирина Леонидовна.

— Альберт Кузьмич! — осенило меня.

— Он тебе нужен? Зачем? — осведомилась свекровь.

— Кот уже здесь, — засмеялась я, — ему очень мойка понравилась, кайфует в воде.

— Очень люблю, когда меня разыгрывают, — рассмеялась Рина, — почти всегда попадаюсь на крючок. Но сегодня у тебя не получилось. Альберт Кузьмич на пороге нашей квартиры стоит, усами шевелит, на Жору смотрит и мурчит. О! Да я Пушкин! Стихи на ходу составляю!

Меня охватило изумление. И тут дверцы открылись, внутри мойки стало светло, и я увидела, что нежно ласкаю... волосатое, пучеглазое существо, никогда ранее мною не виденное. Мози и Роки тоже заметили неведому зверушку. Бульдожки разинули пасти, громко завыли, бросились к выходу, столкнулись задами, потом головами. Мози упал, Роки перепрыгнул через него, кинулся прочь, и... дверцы снова закрылись. Я услышала тихий щелчок.

— Да чтоб тебя подняло и бросило! — разозлился Жора. — Таня, вы как?

Члены бригады, мои малочисленные друзья, в основном сотрудники наших подразделений, Иван Никифорович и Ирина Леонидовна считают меня очень храброй женщиной. Иван зауважал меня после аварии, в которую мы с ним, тогда еще просто шеф и подчиненная, угодили, пытаясь догнать одного неприятного человека. Автомобиль его оказался оснащен не хуже наших спецмашин — преступник вылил из него на ходу ведро масла. Джип, за рулем которого сидел Иван, занесло, нас завертело, сбросило с дороги. Машина стала кувыркаться, из горла интеллигентного Ивана Никифоровича посыпались слова, которые можно произносить в сугубо мужской компании. Только не надо считать моего супруга матерщинником, он из тех редких людей, которые, идя ночью в туалет и споткнувшись о спящую на полу собаку, называют ее именно собакой, а не как-то иначе, гладят пса и шагают дальше. И после той аварии я больше ни разу не слышала от Ивана нецензурной брани. Видно, когда летишь с откоса во внедорожнике, в тебе просыпаются предки, дикие первобытные люди со всей своей лексикой.

Когда мы выползли из автомобиля и убедились, что никаких переломов-ран у нас нет, а есть всего-то несколько ссадин и пара выбитых зубов, Иван Никифорович проникновенно произнес:

— Я решил, что настал мой смертный час. Извините, Татьяна, за мой французский. Восхищен вашим мужеством. В отличие от меня, агент Сергеева совершенно не испугалась, сохранила спокойствие, не кричала, была сосредоточенна. Мне у вас учиться надо.

Нет бы в тот момент честно признаться:

— Я чуть рассудка от страха не лишилась, вспотела, едва не описалась. Просто у меня от животного ужаса всегда пропадает голос, и я цепенею, как ящерица.

Но я промолчала и снискала славу отважного воина.

Вот и сейчас я хотела завопить: «Спасите! Здесь монстр!» Однако голосовые связки отказались мне подчиниться. Зато у не успевшего удрать Мози они работали прекрасно. Отчаянно воя, бульдожка прополз между мною и стеной и забился под мою юбку. Лапы ошалевшего от ужаса пса больно царапали мне бедра, но я не могла ничего ему сказать. К тому же была неспособна пошевелить рукой, ладонь которой лежала на странном существе. Похоже, пучеглазый зверек тоже основательно струсил, потому что мелко-мелко задрожал.

Дверцы наконец снова открылись. Жора всунулся внутрь со словами:

— Простите, Танюша, больше не закроется, выходите. И...

Жора притих, потом, завопив:

— Аааа! — захлопнул створки.

Неведомая зверушка очень жалобно запищала. Я поняла: она напугана донельзя, и прошептала:

— Все хорошо. Сейчас выберемся, не бойся, я тебя не обижу.

Внутри шкафа опять стало светло.

— Жора утверждает, что здесь живет дюдюка, — захихикала Рина. — Здоровенная, вся волосатая, зубы три метра, глаза, как бочки с соляркой. Но я только тебя вижу. Может, Жорик заболел? Вроде у тебя нет длинных клыков.

— А то, что твоя невестка, по описанию мастера, здоровенная, волосатая и с глазами, как бочки с солялькой, тебя не смутило? — спросила я, выползая на четвереньках из шкафа.

— Ой! Кто это такой миленький? — всплеснула руками Ирина Леонидовна. — Кого ты в руке тащишь?

Я разжала пальцы. Мохнатое пучеглазое существо одним прыжком влетело в квартиру и исчезло из вида. Из холла раздался вопль. Жора выбежал на лестницу.

— Видели, да? Видели? Дюдюка! Мне про нее бабушка в детстве рассказывала. Думал, она врет, чтобы я в буфет за вареньем не лазил. А нет, видел ее! Целием! Живьем!

Я рассмеялась.

— Всего-то слишком большая и толстая мышь.

— Нет, — возразил мастер, — у них ухи не квадратные. Отлично ужас рассмотрел.

— Мыши прекрасно слышат, — возразила Рина.

— Но ухи у них не квадратные, — повторил Жора. — И размером она с собаку.

— Ой, прекрати! — велела Ирина Леонидовна. — Лучше подумай, как мойку удобной сделать. Таня права, некомфортно полоскать собачьи лапы, сидя на карачках в шкафу.

Жора сделал глубокий вдох, потом резко выдохнул и хлопнул себя ладонью по лбу.

— Есть вопрос, имеется ответ.

Мастер подошел к шкафу, взял с пола какую-то железную изогнутую штуку, подцепил верхнюю панель, снял ее и предложил:

— Ирина Леонидовна, наклонитесь и откройте душ.

Свекровь послушно перегнулась в талии.

— Не достаю. Руки короткие.

— Это легко поправимо, — обрадовался Жора, быстро сбегал по ступенькам вниз, принес два кирпича и отдал новое распоряжение: — Забирайтесь на камушки. Теперь как?

— Спокойно душем управляю, — прокряхтела Рина, вися на передней стенке шкафа.

— Кирпичи заменю на красивые ступеньки, — фонтанировал идеями Жора, — крышку превращу в откидную. Классно получится! Ирина Леонидовна, как вам?

— Так удобнее, чем внутри корчиться, — согласилась мать Ивана. — И...

И в ту же секунду упала внутрь шкафа. Я лишь успела увидеть взметнувшиеся перед моим лицом две стройные ноги в джинсах. Со ступней слетели домашние тапочки в виде кошек и шлепнулись на плитку.

— Ирина Леонидовна, вы живы? — заорал Жора.

На мой взгляд, этот вопрос родной брат того, что задают по телефону люди, разбудившие вас в три утра: «Ты спишь?» И что на него ответить? «Да, храплю»?

— Жива, — прокряхтела Рина, выползая из мойки через дверцы. — Только, думаю, на макушке шишка вскочит. Жора, тебе надо еще раз продумать концепт шкафа. В нем есть маленькие недочеты.

В последней фразе — характер свекрови как на ладони. Странное сооружение, использовать которое можно либо скрючившись в три погибели и промокнув до нитки, либо спланировав в поддон вниз головой, она деликатно именует «шкафом с маленькими недочетами».

Жора и Рина повернулись ко мне. Мастер ойкнул и закрыл глаза рукой. Я насторожилась. Что случилось? Сомнительно, что Жора ослеплен моей неземной красотой.

Ирина Леонидовна округлила глаза, показала пальцем на мои ноги и прошептала:

— Ничего не вижу, ничего не заметила, но кто-то что-то потерял.

Я посмотрела вниз. На моих ступнях лежал разорванный пояс с резинками, на щиколотках висели свернутые бубликами чулки. Оставалось удивляться, каким образом я ухитрилась разодрать плотный пояс, и почему чулочки неожиданно потеряли свою фантастическую прочность.

Глава 28

— Вы переезжаете? — спросила я у Валентины, увидев в комнате штабель картонных коробок с надписями: «Посуда», «Белье», «Кухня».

— Перетаскиваюсь, — радостно пояснила Юферева. — От бабули досталась приличная двушка на краю света, а эта квартира хоть и не в самом дурном районе, но общей площадью двадцать один квадратный метр. Вместо кухни ниша.

— Немного тесно, — сказала я.

— Вы очень интеллигентно высказались, — засмеялась Валентина. — Жаль, санузел не видели — в него надо входить спиной, а выходить лицом вперед, повернуться почти невозможно, стены боками полируешь. Такую конуру продать шансов практически нет, но мне повезло, нашелся один желающий. И на бабушкино жилье тоже покупатель есть. Теперь я обладаю хоромами — восемьдесят метров! И это только комнаты. Плюс кухня пятнадцать. И лоджии. Две штуки. Вид на парк. Причем не на окраине.

Юферева некоторое время вещала о своих новых апартаментах, которые выменяла на две не слишком удобные квартирки.

— Хотите кофе? Чая нет. Завтра уезжаю, не хочу никаких продуктов с собой тащить.

— С удовольствием, — соврала я.

Валентина ушла, а я огляделась по сторонам. Интерьер не вызывал ни интереса, ни удивления. Обычная комната, обстановка которой свидетельствовала: ее хозяйка не очень обеспечена. Книг не было, на диване валялось несколько гламурных журналов, зато на стене висел большой плоский новый телевизор.

— Сливок нет, молока и сахара тоже, — сообщила Валентина, входя в комнату с двумя керамическими кружками в руках, — но кофе вкусный. Угощайтесь. Зачем я вам нужна?

— Адвокат Каравайкин сказал, что вы близко дружили с Мартиной Столовой, — начала я, — она покончила с собой.

— Жуть, — выдохнула Валя. — Читала иногда в Интернете про то, как человек с десятого этажа сбросился, и оставалась равнодушной. Считала себя бесчувственной, даже ругала, ну вот почему я не переживаю? А когда Марта погибла...

Юферева всхлипнула.

— Вот тогда я поняла, что на самом деле очень нервная, эмоциональная. Рыдала сутки. Неделю не спала. Кошмар! Ужас! Анфису теперь в детдом запихнут, каково там ребенку придется...

Я решила использовать момент и оседлала нужную тему.

— Возможно, отец дочь заберет. Вроде он обеспеченный человек.

Валя сделала глоток из кружки.

— Вы про кого? Кто богатый?

— Отец Анфисы, — пояснила я.

— Правда? — удивилась Юферева.

— Вы с ним не знакомы? — уточнила я.

— Нет, — вздохнула Валентина.

— Адвокат Каравайкин сказал, что вы лучшая подруга Столовой, — продолжила я.

Валя втянула ноги на кресло.

— Мы ходили в одну школу. Потом я отправилась в медицинское училище, Мартина тоже куда-то подалась. Тогда мы с ней не контачили. У меня была своя компания, приличная, а вокруг Столовой одни придурки крутились. Про нее говорили, что она чуть не с десяти лет деньги на улице зарабатывает. Даже если это и так, то все понятно — мать у Марты алкоголичка, отца нет, жрать нечего... Но я этим слухам не верила. Чтобы мужика зацепить, надо прилично выглядеть, одеться соответственно, а Мартина в фигне бабкиной щеголяла. Один раз я мимо самого дешевого секонд-хенда шла и ее выходящей оттуда видела. Знаете такие? Там мешок шмотья за пятьсот рублей отдают. Берешь втемную, дома открываешь и смотришь, что попалось. Может круто повезти, найдешь шикарное платье, юбку или кофту, а бывает, обнаружишь фартук кухонный прожженный да занавески гнилые. В эти магазины даже московские нищие не ходят, только гастарбайтеры. У Марты совсем денег не было, раз она там паслась. Я с ней после окончания школы не встречалась. Училась, в больнице год работала. Потом уволилась, надоело там. Клиника скоропомощная, народ грязный привозят, врачи злые, средний медперсонал хуже собак лает, сумку в сестринской оставить нельзя — сопрут, зарплата смешная, нагрузка большая... Ну ее на фиг, такую работу.

Валентина потянулась к кружке.

— Окончила курсы, стала заниматься ногтевым дизайном, и неплохо получается, у меня в клиентах много знаменитостей. Лена Фатько, например, певица. Один раз в салон беременная клиентка пришла. Смотрю — вроде лицо знакомое. Я у нее спросила:

«Вы уже приходили ко мне?» Она засмеялась: «Валя, мы с тобой учились когда-то в одном классе. Я Мартина Столова». Вот с того дня мы дружить и начали. Через пару месяцев после нашей встречи Марта девочку родила. Я один раз полюбопытствовала, от кого ребенок, а она отшутилась: «Ветром надуло, само принесло». Я понятливая, сообразила, что ее любовник женат и богат, поэтому больше вопросов не задавала.

— Но почему вы решили, что у подруги именно такой кавалер? — поинтересовалась я.

— То, что он несвободен, ясно сразу было. Когда мужик у тебя со средствами, ты всегда о нем расскажешь, в телефоне фотки с ним покажешь, похвастаешься подарками со словами: «Мой купил». И дома какие-то следы его пребывания найдутся: пена для бритья и лишняя зубная щетка в ванной, тапки большого размера в прихожей, майка где-то валяется... Я к Мартине постоянно забегала. У меня-то, как видите, и одной тесно, в эту халупу гостей не позовешь, а у Столовой квартира была очень неплохая. Только ничего мужского там не было. К дочке Марта относилась как няня к воспитаннице, — кормила, одевала, в садик водила, но ни разу я не видела, чтобы она девочку обнимала-целовала. Она как бы выполняла свои обязанности, причем хорошо, но материнской любви я в ней не замечала.

Я молча слушала Валентину. Некоторые люди путают сильное светлое чувство с истеричной экзальтацией и демонстративным поведением. Иная женщина бросается целовать малыша, говорит: «Люблю, люблю, люблю», но кормит его гамбургерами, разрешает часами смотреть телевизор, собирает дома курящую компанию. А другая не подвержена истерическим приступам обожания, зато ребенок ее питается тем, что мама сама приготовила из свежих продуктов, слушает сказки, которые она ему читает, табачным дымом в том доме не пахнет, потому что хозяйка своим друзьям объяснила: с сигаретой к себе не пущу, в доме малыш. Смачные лобзания и вопли типа «жизнь отдам за свою кровиночку» не всегда являются признаком настоящей любви.

— И вот еще помню, — тараторила Валентина. — Один раз Анфиска заболела ветрянкой. Девочка вообще-то не хилая, даже насморк у нее редко бывает, но вот подцепила заразу. Я инфекцию в детстве перенесла, поэтому спокойно к Мартине в гости поехала — мы с ней до того, как Фиса с температурой свалилась, договорились посидеть, кофейку попить. Подружка дверь открыла, а я вдруг чихнула. Марта начала меня выгонять, а я ее успокаиваю: «Не волнуйся, я не заражусь, два раза ветрянкой не болеют, давай тортик уговорим». И коробку показываю, не поленилась по дороге в фирменную кондитерку зайти. Марта губы скривила: «Не за тебя, за девочку волнуюсь. Вдруг ты ей еще и грипп принесла? Расчихалась тут...» Я и подумала, что зря считала, будто Марта Фиску не любит, вон как она сейчас испереживалась. Ну и стала ей объяснять, что сама я вовсе не больна, а ветряная оспа почти у всех детей бывает, смертельных случаев от нее мало. Столова слушала, слушала и взвизгнула: «Хорошо тебе рассуждать! Если от ребенка пользы нет, то плевать, чем он болен. А от Анфисы все мои деньги зависят. Помрет девчонка, и я — нищая, алименты получать перестану. И на что жить? На зарплату?»

Юферева залпом выпила кофе.

— Тогда у меня пазл и сошелся: подруженция родила от богатого женатика. Мужик с законной женой разводиться не собирается и Фиску на себя не записал. Ну да, на фига ему еще одна наследница? Но купил Марте приличную квартиру и дает на ребенка хорошие деньги. Столова за счет алиментов безбедно существует. И вот еще что вам скажу. Я не верю, будто она с собой покончила. Ее Егор убил.

— Старший брат? — уточнила я.

Валентина вскочила.

— Он самый. Страшный человек! Почему вы кофе не пьете? Невкусно?

Ну не отвечать же честно: попробовала и с большим трудом справилась с желанием тут же выплюнуть пойло...

Я навесила на лицо улыбку.

— Восхитительный кофе, но врач запретил мне любые кофеиносодержащие напитки. Не могу совсем от них отказаться, поэтому хоть один глоток да сделаю. Думала, что у Марты с Егором хорошие отношения, он ее в свой институт на службу пристроил.

— Нет, это просто совпадение, — возразила собеседница. — Можете документы посмотреть, тогда поймете. Марта в НИИ устроилась давно, лаборанткой простой. Образования у нее нет, она там техническую работу выполняла. Потом забеременела, в декрет ушла, вернулась через два года. И уж после этого, спустя еще какое-то время, встретилась там с братом. То-то она удивилась! До того момента понятия не имела, что Егор ее сослуживец.

— Странно, что родственники друг о друге не знали, — удивилась я.

Валентина пошла к шкафу.

— Егор давно от матери уехал, та ведь алкоголичка конченая. Марта тогда еще в школу бегала. Позже-то она сама из родного дома удрала. И ни с кем из членов семьи связь не поддерживала.

Но я продолжала недоумевать.

— Они ходили по одним коридорам, сидели на собраниях, обедали в одной столовой, гуляли на корпоративах и так и не столкнулись в течение нескольких лет?

Валентина взяла с полки папку.

— В НИИ несколько филиалов, институт ведь одновременно и учебное заведение, и наукой занимается. Егор работал в центральном корпусе, как раз там студентам лекции читают, а Марта трудилась в филиале, где проводят исследования. А потом, в связи с тем, что финансирование снизили, их отделение значительно сократили, Столова в главном офисе очутилась. Увидела в холле объявление «Кружок каллиграфии возобновит работу через месяц» и записалась на занятия. Мартина постоянно чем-то увлекалась, то шотландскими танцами, то рисованием, то разведением кактусов. Могла одновременно в трех-четырех клубах по интересам состоять. Писать она и впрямь очень здорово научилась. Я так даже близко не умею.

— Думала, вы тоже увлекаетесь каллиграфией, — заметила я, — видела на подоконнике поднос с чернильницей и особой ручкой, альбомы...

Валентина, держа папку, села в кресло.

— Мартина все хотела меня в свой кружок завлечь. На день рождения приволокла этот набор и давай агитировать: «Это такой кайф! Настоящее расслабление! Попробуй...» Я, дурочка, поверила, посетила пару занятий, но быстро бросила. Нудно очень одну букву целый час выводить, меня это не успокаивало, а злило. И к тому же я знала, зачем Марта меня так в кружок заманивала, даже оплатила мои уроки. Не об отдыхе моем она пеклась. Хотела из денежного фонтана нахлебаться. Не понимаете?

— Нет, — ответила я.

Валентина положила на диван папку.

— Вот. Можете взять с собой, все равно я не знаю, куда деть эти документы. Мне они точно не нужны.

Я открыла скоросшиватель.

— Что это?

Глава 29

— Великий план Мартины, — хмыкнула Валентина. — Она всегда мечтала о деньгах. И надо сказать, в хитрости ей не откажешь. Да и в уме тоже. Образование-то у нее ерундовое было, вот пела подружка хорошо. И стихи читала замечательно. В школе Столова занималась в театральном кружке, которым руководил какой-то актер, внушавший ей: «Поступай в театральный, точно попадешь, ты внешне симпатичная и явный талант от Бога получила». На личико Марта ничего так была, но простовата, этакая хорошенькая крестьянка. У нее хватило мозгов, чтобы понять: в театральных и киношных вузах учатся сотни, а звездами становятся единицы. Остальные молчаливых горничных в затрапезных постановках изображают, ни денег, ни славы не имеют. Мартина другим путем пошла. Она родила Анфиску и огребла квартиру с алиментами. Но с замужеством не вышло. Конечно, деньги на жизнь были, однако не столько, сколько ей хотелось. Любовник давал на Фису ровно по счету, да еще требовал отчета. Один раз я к Мартине прибежала, а та за девочкой в садик идти собралась. На улице мороз трещал, она мне сказала: «Посиди в квартире, почисти картошки на ужин, через полчасика вернусь». Я живо с заданием справилась, телик включила, а там нудятина. Решила журналы посмотреть — большая стопка на подоконнике лежала, Столова весь гламур скупала. Порылась я в изданиях и среди них наткнулась на общую тетрадку. Открыла ее без задней мысли, не подумала, что в чужие дела нос сую. И что, вы думаете, там оказалось? На страницах чеки наклеены и под каждым подпись типа: «Супермаркет: два йогурта Фисе, апельсин, сыр, хлеб» и число стоит. И еще настоящая бухгалтерия за каждый месяц: «Оплата коммуналки... детский сад... поликлиника... визит к логопеду, занятия английским, музыкой... Подарки воспитателям на Восьмое марта...» Итоговая сумма немаленькая получалась. В общем, отец Анфисы оплачивал расходы только на девочку, ее мать его не волновала. Хорошо, что полную коммуналку платил, мог ведь и половину отсчитывать. Зануда, похоже, еще тот.

Валентина ухмыльнулась.

— Еще мне сразу ясно стало, что Мартина спонсора обманывала. Презент воспитателю и нянечке за сорок тысяч? Ой, держите меня семеро! Наверняка им по коробочке конфет за двести рубликов отволокла.

— Кассовые документы подделать трудно, — возразила я, — просто так без оплаты их не пробьют. А если все же сделать такой финт, у сотрудника магазина, который за аппаратом сидел, масса проблем может возникнуть. А вариант взять у кого-то чек и отксерить не пройдет, мужчина поймет, что ему копию подсовывают, раз уж он столь дотошный.

Юферева сделала брови домиком.

— Вы меня удивляете! Да в любом магазине можно у касс тьму выброшенных покупателями чеков найти, мусорные корзинки ими набиты. Если там порыться, на любую сумму чек откопаешь. Мартина всегда ну очень денег хотела, а они ей в руки не шли. Поэтому я уверена, что Анфису она родила, чтобы получить квартиру. Но хотелось-то кусок пожирнее! И тут ей повезло.

Валентина показала пальцем на первый лист в открытой папке.

— Обратите внимание сюда. Что это?

— Заявка Егора на участие в конкурсе для получения гранта от фонда американского миллиардера Алекса Джонса, — ответила я, изучив документ. Мне было известно, что Столов грант выиграл и теперь получает каждый месяц немалую сумму. Может спокойно заниматься своей работой, а не мотаться читать лекции по углам и закоулкам России.

— Я ничего не понимаю в науке, — махнула рукой Юферева, — и Мартина не разбиралась в ученых делах, но голова у нее четко работала. Прибежала она как-то сюда, вручила мне эту папку и попросила: «Спрячь у себя». Просьба показалась мне странной. Я начала расспрашивать подругу, а та вдруг говорит: «Хочешь заработать? Сто тысяч дам, если узнаешь то, что мне надо». Я опешила. Сумма-то очень для меня большая. Что ж такое выяснить требуется? Мартина открыла правду.

Я молча слушала подробный рассказ Юферевой, пропуская рассуждения собеседницы о морали и нравственности. Вкратце ситуация выглядела так.

Вскоре после того, как филиал НИИ, сократив штат, перевели в головное здание, Столова наткнулась в холле на объявление о работе кружка каллиграфии. Записавшись в него, стала посещать уроки.

Валя удивилась, что подруга решила заняться каллиграфией.

— Неужели это тебе интересно? Да и дорого, наверное.

Марта улыбнулась.

— Бесплатно.

Легкое удивление Юферевой переросло в изумление.

— Ничего платить не надо?

Подруга кивнула.

— Невероятно, — поразилась Валя. — Прямо как в нашем детстве — дармовой кружок.

Мартина улыбнулась.

— Владелец нашего института японец по национальности. Отец и мать его из Токио, свободно говорили по-русски, по-немецки, по-английски. Как они оказались в Москве, никто не знает. Сын их родился здесь, отзывается на имя Петр Алексеевич, обожает все японское. Некоторые сотрудницы, чтобы к шефу подлизаться, даже ходят на службе в кимоно, и босс им за это много чего хорошего делает. А тем, кто посещает уроки каллиграфии, можно на работу приходить на час позже. Еще им лишние дни к отпуску дают и премии выписывают.

— Небось, все твои коллеги каллиграфией увлекаются, — предположила Валентина.

— Вовсе нет, — ответила Столова. — Трудно это очень, монотонно. Урок длится три часа, отойти нельзя. Но мне ужасно хочется всякие привилегии получить.

Через две недели Марта стала зазывать и Валю на занятия, сказав:

— Для тех, кто у нас не работает, посещения платные. Но я за тебя внесу плату.

Услышав последнюю фразу, Юферева сразу сообразила: дело нечисто. И налетела на Мартину с вопросами. Та сначала не хотела ничего объяснять, но наконец сказала:

— Ладно, слушай, что я придумала. Знаешь, кто преподаватель науки о красивом письме? Егор, мой старший брат. Мы с ним давно не виделись, и никаких родственно-близких отношений у нас с ним, когда я у матери жила, не было. Он мрачный был, общаться не хотел. Если о чем его попросишь, всегда в ответ услышишь: «Занят я. Уроки делаю». Егор золотую медаль по окончании школы получил, в институт поступил и ушел из дома. Уж сколько лет с той поры прошло. Я ничего про него не знала. И вот оказалось, что мы в одном **НИИ** трудимся. Могли и не встретиться, потому что он преподавал в центральном здании, а филиал, где я работала, в другом месте находится. Наверное, это судьба нас столкнула, теперь мне повезет...

Валентина прервала рассказ, усмехнулась.

— Понимаете? Марта брата узнала, а он ее нет. И немудрено. Когда парень в вуз поступал, сестренка малышкой была, у них разница в возрасте большая. Крошка в девушку выросла, изменилась, да еще волосы покрасила, стрижку сделала... Короче, ничего у Егора при встрече с ней в сердце не торкнуло.

— А имя? — удивилась я. — Ладно бы Маша, Таня, Оля. Но сочетание «Мартина Столова» напомнило бы ему о сестре. Девушка записалась на занятия, значит, представилась педагогу.

— Помните, что уроки были бесплатные? — засмеялась Юферева. — Там не было определенного дня начала курса. Человек приходит, говорит: «Здрассти, я Катя, Вася, Даша, хочу красиво писать». Егор усадит новенького за стол и начинает азы объяснять. Остальные выводят свои задания, все на разных уровнях владения пером. Двенадцать-пятнадцать человек в группе стабильно присутствовало. А паспортные данные педагог не спрашивал. Но! Пятнадцатого октября в день рождения директора в холле у зала совещаний устраивали выставку. Петр Алексеевич, этот японец с русским именем, выбирал лучшую работу, награждал автора. Вот в момент торжества полное имя победителя звучало. А до того — кто как представился, так его и называли. Мартина свое имя со школы терпеть не могла. Знаете, мы в младших классах читали сказку про Нильса с дикими гусями, а там вожака стаи звали Ма́ртином. Услышав это, дети стали Столову дразнить: «Ты жена гуся! Га-га-га!» Ну и так далее. Марта ужасно злилась, дралась с теми, кто ее гусыней обзывал. Все поняли, что девочке обидно, и изгалялись над ней еще сильнее. Первое, что мне Марта сказала, когда ногти делать села: «Я Тина». И в кружке так же назвалась, и на службе. Мартиной она никому не представлялась, нигде. В кадрах, конечно, знали, что в паспорте у нее написано, но ведь человек может имя сократить, как ему нравится. Фамилию новой ученицы Егор не спрашивал, она могла понадобиться лишь в случае победы на выставке, но надежд на то, что Столова от директора Гран-при получит, было мало.

— Понятно, — кивнула я. — А чего подруга от вас хотела? Зачем к занятиям упорно привлекала?

Валентина скорчила гримасу.

— Тот же вопрос и я Марте задала и услышала: «Тебе надо скорешиться с Егором, напроситься к нему в гости, на ночь остаться, исхитриться сделать фото, когда он чай с вареньем пьет, белый хлеб кусками жрет. Принесешь мне снимки и получишь сто тысяч рублей».

— Интересно... — протянула я. — И как вы отреагировали?

Юферева поджала губы.

— Объяснила ей, что не собираюсь спать с мужчиной за деньги. Тогда Марта изменила предложение: сто двадцать тысяч. Потом еще набавила, а в конце концов сказала, что готова давать мне десять процентов от всей прибыли. Я потребовала объяснить, в чем дело. Ну ей и пришлось весь свой план выложить.

Валентина понизила голос.

— Один раз Мартина зачем-то пришла в секретариат — ее за какими-то справками послали, — а тетка, у которой их взять требовалось, сказала: «Некогда мне, отксериваю документы тех, кто на грант от американца заявление подал. Не могу твоим делом заняться». Мартина и предложила: «Копии шлепать особого ума не надо. Давайте я их сделаю, а вы для нашего завкафедрой документы подготовите». Секретарша согласилась. Мартина принялась листы копировать, глядь — набор документов от Егора Столова. Она бы не обратила внимания на них, многие сотрудники и преподаватели какой-нибудь грант получить хотят. Но справки, которые она держала в руках, собирались для фонда Алекса Джонса. Американец самую жирную помощь оказывал, ее каждый заграбастать хотел, но средства адресовались только диабетикам, об этом в институте все знали, и кое-кто очень больным завидовал, что они на такие деньги претендовать могут. То, что Егор в числе диабетиков, Мартину удивило, и она стала просматривать бумаги брата. А там полно справок, анализы, выписка из истории болезни, исходя из которой выходило, что Столов болен с пеленок, сидит на большом количестве препаратов с рождения, лечился с младенчества во всяких клиниках, имеет массу сопутствующих болячек. Короче, дезертир с кладбища, а не ученый.

Валентина постучала пальцем по папке.

— Марта подсуетилась и с каждого листочка копию сняла. Сестра распрекрасно знала, что сахарной болезни у брата в детстве и в помине не было, значит, он соврал, сделал фальшивые справки, чтобы грант заполучить, и решила она Егора шантажировать. Собралась объявить ему: «Даешь мне семьдесят пять процентов ежемесячной выплаты, и никто не узнает про диабет. Вернее, про его отсутствие у тебя. Если откажешься, я разрушу твою аферу. И вместе с ней научную карьеру». Но сначала нужно было компромат на мошенника надыбать. Отксеренные бумажки просто бумажки до тех пор, пока у Мартины нет ничего, кроме слов: «В детстве Егор ничем не болел». У афериста история болезни заготовлена, он же может сказать: «В моих документах четко написано: «диабет». Я из дома ушел, когда сестра еще начальную школу посещала и понятия не имела, чем я страдаю». И как доказать, что Егор здоров, как конь? У него анализы, справки. А у Марты что?

Юферева засмеялась.

— Подружка моя очень упертая была, если что задумала, непременно своего добивалась. Столова вычитала в Интернете, что диабетикам категорически нельзя употреблять сладкие газированные напитки, сдобную выпечку, сахар, и решила поймать Егора с поличным — сделать фото, как братец пирожное трескает или колу пьет. Но тот был до невозможности осторожен: в столовой брал только овощи, белый хлеб не ел, к выпечке не прикасался, по полной программе изображал недужного. Хорошо к афере подготовился, специальную литературу почитал, диету выучил. Не поскупился и на гонорар врачу, который ему нужные медицинские справки составил. Геморрой, конечно, напряжно себя постоянно контролировать, но и награда — лучше нет. Ради того, чтобы много лет получать ежемесячно деньги, которые позволяют жить припеваючи, можно и постараться.

Валентина замолчала.

Глава 30

— Зачем вы-то Мартине понадобились? — все еще не понимала я.

Хозяйка крохотной квартиры положила ногу на ногу.

— Столовой стало ясно, что на работе Егора не подловить. Они на разных кафедрах работали, практически не пересекались. Марта стала за братом следить, заведующая некоторое время на лаборантку, часто отлучавшуюся, косо посматривала, а потом строгое замечание сделала и прямым текстом заявила: «Если вы, уважаемая, продолжите не пойми чем в служебное время заниматься, то вон вылетите, потому что не мое царское дело на телефонные звонки отвечать и самой всякую техническую работу исполнять, пока вы незнамо где носитесь». Мартина испугалась, что места лишится, и была вынуждена перестать шпионить за Егором. Встречалась теперь с ним только на занятиях каллиграфией, а те всего раз в неделю проходили. Или изредка в столовой сталкивалась. Столов себя в институте как хороший шпион вел — ни одного промаха. А времени на долгие поиски компромата не было, ведь конкурс на грант уже шел. Если Столов получит его, у него деньги не отнимут даже в случае выяснения правды об отсутствии заболевания. Такие в фонде порядки. Мартина начала тайком за братом после работы ездить. Оказалось, что у того хорошая квартира есть. И откуда, интересно, хоромы у бедного препода? Наверное, он и раньше мошенничал. Марта надеялась, что у Столова есть любовница, и решила: парочка вечером в ресторан потопает, она брата подловит, когда тот колу или шампанское будет пить да десерт жрать, и фотку сделает. Но нет, никакой подружки не наблюдалось! Егор после службы спешил в книжные магазины или антикварные лавки, где к разному барахлу приценивался, потом рулил домой. Один. Мартина во дворе за машинами пряталась, видела, как брат входил в подъезд. А через пять минут зажигался свет в ранее темных окнах его квартиры. То есть, похоже, там до прихода хозяина никого не было. Через некоторое время ей ясно стало: Егор живет один, друзей не имеет, девушками не интересуется. Может, он по вечерам колу литрами и глушит, булки-пироги лопает, но никто не видит, как диабетик диету нарушает. Понимаете?

Я оперлась о подлокотник.

— Миссия невыполнима.

— Только не для Мартины! — усмехнулась Юферева. — Она прямо голову потеряла. Все подсчитывала, как распрекрасно жить станет, когда деньги Егора откусит. Не получается брата с вареньем сфоткать? Так она решила найти человека, который Столова хорошо знал, любовницу его бывшую. Ясно, да?

Я ответила:

— Конечно. Если пара разошлась со скандалом, то обиженная женщина может мстить и с радостью сообщит, что бывший сожитель такой же диабетик, как она китайская императрица.

— Вот-вот, — кивнула Юферева. — Но как бабу отыскать, не зная ни имени, ни фамилии, ни вообще, была ли подружка у брата? Может, он всю жизнь бирюком провел, вместо секса у него поход по книжным и антикварным лавкам. Друзей-то у мужика нет. Сколько Мартина за ним ни ходила, ни разу ни с каким приятелем не видела. Ни на службе, ни вне ее. И тут...

Валентина сделала театральную паузу.

— И тут Марте повезло. Рабочий день закончился, Егор из института вышел, на автобусную остановку направился. Марта за ним. И расстроилась: ну вот, опять братец в свой любимый книжный магазин «Молодая гвардия» на Полянке собрался. Там литература на любой вкус, а цены низкие, проторчит Столов у стеллажей до закрытия. Снова день пройдет впустую, не узнает она ничего интересного. Вдруг к Егору подбежала женщина и схватила его за руку. Марта пряталась за ларьком с газетами и приблизиться побоялась, поэтому разговор не слышала, но видела, что беседа была напряженной. Тетка руками размахивала, Егор что-то ей отвечал. Подошел автобус, Столов тетку оттолкнул, та упала на тротуар, заплакала, а преподаватель уехал. Мартина к бабе подскочила, помогла ей подняться, предложила: «Вон там кафе, давайте угощу вас пирожным. Знаете того, кто вас сейчас обидел? На него можно заявление в полицию написать». Тетка снова разрыдалась. А сидя за столиком, рассказала, что у нее была подруга очень близкая, прямо роднее сестры. На свою беду девушка встретилась с Егором, полюбила его, а тот к наркотикам ее приучил и заставил принадлежавшую ей трехкомнатную квартиру на двушку и однушку поделить, в двухкомнатной он прописался, а однокомнатную оставил обожавшей его молодой женщине. А потом Егор и вовсе любовницу отравил, сам же ухитрился безнаказанным остаться. И вот теперь эта женщина в годовщину смерти подруги всегда подходит к Егору и спрашивает: «Как тебе живется, подонок, счастливо? Не мешают спать воспоминания о...»

Валентина на секунду замолкла, потом продолжила:

— Мартина мне имя-фамилию сказала, но они из головы моей выскочили. Вроде Бабочкина или Комарова... Как-то так.

— Полина Мотылькова? — подсказала я.

— Точно! Так вы эту историю знаете? — удивилась собеседница. — Мартина, помню, обрадовалась — Егор, оказывается, убийца, уголовное преступление еще круче, чем диабет. Сказала, что и за молчание об этом можно требовать с брата деньги, надо только получше выяснить, что и как там было с той девушкой. Фонд Джонса никогда грант преступнику не даст, пусть тот хоть сто раз сам диабетик, с диабетиком живет и от диабетика родился.

Юферева дернула шеей.

— Но ничего у нее не получилось. Марта хотела, чтобы та женщина ей все на бумаге написала, свои данные там указала и ей отдала. Но во время разговора в кафе вбежал парень и давай шуметь: «Мама, ты опять глупость затеяла? Снова из дома убежала! Хорошо, что я тебя через телефон отследить могу». Мартине юноша объяснил: «У матери очень с нервами плохо. Если она вам рассказала про мерзавца, который ее подругу жизни лишил, то это правда. Девушка действительно умерла, а любовника не наказали, не посадили. Мама из-за той истории заболела, лечится теперь у психиатра. Спасибо, что потратили на нее время, благодаря вашей доброте я сегодня за ней по всему городу не бегал». Столовой стало ясно, что рассказом не совсем нормальной тетки Егора не напугать. Если его за преступление не привлекли, то на все ее угрозы брат скажет: «Сумасшедшая еще не то заявит, например, что я пешком до Луны ходил». Марта расстроилась: ну везде облом, хоть плачь! С диабетом, с убийством Полины... И тут ее осенило. Надо Егору любовницу подсунуть, чтобы та фото, как он булки жрет, сделала. А еще лучше будет, если брат попытается ее отравить, как ту девушку. Вона чего Мартине от жадности в голову взбрело! И решила она роль подсадной утки поручить своей подруге. Мне, то есть.

Юферева повертела пальцем у виска.

— Совсем с ума съехала. У меня от негодования голос пропал, а Марта без умолку чушь несла. Она, мол, все придумала: купит мне абонемент на занятия каллиграфией, я должна понравиться Егору, замутить с ним роман... Выслушала я сценарий пьесы, который

Мартина вдохновенно сочинила, и твердо ответила: «Никогда». Уж она меня упрашивала, уламывала, большой процент от выручки пообещала. Но я же не дура! Что если мошенник и правда меня, как эту Полину, отравит? Мне тогда деньги уже не понадобятся. Мартина обиделась и ушла. Но на следующий день вернулась, извинилась: «Прости, Валюша, не следовало тебя втягивать, я сама справлюсь. Только спрячь пока у себя папку с ксерокопиями документов на грант. Домой к себе Егора приглашу, вдруг случайно материалы, на него собранные, увидит». Я забеспокоилась: «Что еще ты придумала?» Марта засмеялась: «Сама с Егором шурики-мурики затею. Уж я-то из него веревки совью. Он или на жрачке запрещенной спалится, или мое убийство затеет».

Юферева потянулась к телефону.

— Татьяна, есть хотите?

Я покосилась на чашку, в которой хозяйка квартиры принесла мне противный кофе.

— Спасибо, я не голодна.

Моя визави принялась стучать пальцем по экрану айфона последней модели.

— Уверены? Холодильник в связи с переездом я уже отключила, дома еды никакой. Пиццу закажу. Может, присоединитесь? Я в одном итальянском кафе пасусь, тут неподалеку. У них вкусно и недорого.

— Благодарю вас, но нет, — снова вежливо отказалась я.

— Алло, — заговорила в трубку Валентина, — примите заказ. Моя фамилия Юферева, я ваша постоянная клиентка. Как всегда, большую «Четыре сыра». И пусть доставщик пошевелится — я переезжаю, вещи сложены, СВЧ-печка упакована, разогреть пиццу негде.

— Мартина собралась стать любовницей брата? — уточнила я.

Валентина отложила телефон.

— Жуть, да? На работе все ее Тиной звали, Егор понятия не имел, что Тина, которая у него калиграфией занимается, его сестра. Крутая задумка! Мало кому в голову такое придет. Я обомлела, когда услышала, попыталась ее отговорить, сказала: «Инцест отвратителен. Не все можно из-за денег делать». Она рассмеялась: «В койку я не лягу. Подинамлю дурака пару месяцев, спою песню, что обет невинности дала, мол, до брака ни-ни. Он тогда озвереет и меня отравить решит». Я прямо обомлела, спросила: «Про Анфису ты подумала?» Она в ответ: «Что за проблема? Определю ее в городской санаторий, туда детей можно на три месяца бесплатно отправить. Я так уже делала. За девяносто дней много чего успею».

Валентина встала и задернула занавески.

— Совсем у Марты крышу снесло. Спорить с ней бесполезно было, моих доводов она не воспринимала, будто вовсе не слышала. Меня ее план покоробил... В общем, омерзительная задумка. Егор ведь мог рано или поздно догадаться, что перед ним родная сестра. И я уверена, слова про обет невинности она придумала, чтобы сгладить впечатление, которое на меня ее идея произвела. Мартина ради денег без колебаний бы с братом в койку легла. Я ее несколько часов убеждала отказаться от этой затеи. Нет, не получилось. Она уехала и долго мне не звонила. В конце концов я сама набрала ее номер. Считаю, если люди поссорились, то первый шаг навстречу должен делать тот, кто умнее. Но Мартина трубку не взяла, эсэмэску прислала: «Завтра приду, расскажу. Полная удача. Получилось шикарно. Анфиска в городском санатории, Егор ко мне в гости часто ходит». Мне очень тревожно стало. И противно. Значит, план Столовой удался, она подловила Егора в момент поедания булок. Или Марта захомутала его, спит с братом. Жуть! Я даже пожалела, что отношения с ней наладить решила. Вот совсем расхотелось с ней беседовать! И на следующий день я телефон выключила, решила им не пользоваться. К трем приехала на работу, а там телик, как всегда, орет. Делаю клиентке ногти, она на экран пялится. Начались криминальные новости. Слышу голос диктора: «Очередное самоубийство в столице. Мартина Столова, лаборантка...» Я голову повернула, вижу — знакомый двор, подъезд, из него выносят носилки с черным мешком... Мне на голову словно кастрюлю надели и бейсбольной битой по ней треснули. Буу-ум! — и занавес, ничего больше не помню. Очнулась от мерзкого запаха — кто-то под нос нашатырь сунул. Клиентка на ресепшен бесится: «Мастер мне руку поранила!» Ей говорят: «Извините, Вале плохо стало, сейчас вас другой мастер за счет заведения обслужит». А баба ногами топает: «Хочу, чтобы мне за моральный и физический ущерб заплатили!» Царапина у скандалистки ерундовая, и я же не нарочно. Но из-за крикливой дуры меня уволили, теперь новое место ищу. Значит, права я оказалась, Егор Мартину убил и преступление под суицид замаскировал. Один раз ему это сошло с рук, и во второй раз прокатит. Ой, ну когда же поесть принесут...

Завершив беседу с Валентиной, я пошла к машине и столкнулась в подъезде с щуплым невысоким парнем, одетым в ярко-красный комбинезон. На нем белел слоган: «Пицца, просто пицца». Увидев меня, юноша посторонился и прижался к стене. На голове у него была бейсболка, козырек которой парень опустил почти до носа. Скорее всего, это был студент-первокурсник, вынужденный зарабатывать себе на пропитание. На ногах у разносчика пиццы были ботинки на высокой платформе. Не самая подходящая обувь для теплого июня, но пареньку, похоже, хочется стать выше ростом, поэтому он и приобрел такие. А еще парнишка явно хочет выглядеть постарше и ради этого отрастил жидкую бороденку с такими же усиками.

— Проходите, — улыбнулась я, тоже отходя к стене, — у вас груз. Я вас пропускаю.

Юноша шмыгнул к лифту, а я чихнула — доставщик слишком обильно надушился одеколоном с сильным ароматом специй.

Глава 31

— Вступить в сексуальный контакт со своим братом и поймать его в момент поедания пирожных или при попытке отравить себя, чтобы потом шантажировать из-за гранта, который может получить только диабетик? — спросил Иван, откладывая вилку. — Чего только люди ради денег не придумают. Ей не пришло в голову, что Столов эту креативную девушку на самом деле может убить?

— Справедливости ради отмечу, что Егор Мартине родной наполовину, отцы у них разные, — добавила я.

— Зато мать одна, — заметила Рина, взяв салфетку. — Танюша, как тебе рыба?

— Э... э... — пробормотала я, полагавшая, что ем ростбиф.

— Не нравится? — расстроилась Ирина Леонидовна. Я спохватилась.

— Наоборот. Искала слова, которые могут выразить мой восторг.

Мать Ивана расплылась в улыбке.

— А я уж испугалась, что невкусно получилось.

— У тебя не бывает кулинарного Ватерлоо, — галантно заметил сын.

Я решила порадовать свекровь.

— Можно добавку?

Ирина Леонидовна вскочила и ринулась в кухонную зону, говоря на ходу:

— Конечно, можно! Тебе только тельяпетелли положить или сантини тоже?

— И то, и другое, — ответила я, понятия не имея, что означают оба слова.

— Мне показалось, что мама приготовила курицу, — удивленно шепнул Иван, когда Рина загремела кастрюлями.

— А я решила, что ем мясо, — хихикнула я. — Никто не угадал.

— Тельяпетелли это что? — недоумевал муж. — Или надо сказать — кто?

Я посмотрела в тарелку.

— Смахивает на название макарон, но спагетти не видно. Наверное, это рыба.

— Слово «сантини» больше для обитателя моря подходит, — возразил Иван.

— Танюша, ты очень хочешь добавки? — спросила из кухни свекровь.

— Да, — ответила я, — чем больше, тем лучше.

Рина вернулась к столу с растерянным видом:

— Простите, но кастрюлька пуста.

— Тогда ничего не надо, — сказала я. — Вообще-то мне нужно поменьше есть, в особенности на ночь.

Иван потянулся за солью.

— Почему? Если проснулся аппетит, его надо забросать вкуснятиной.

— Мой аппетит никогда не спит, — вздохнула я, — из-за его бессонницы у попы большие проблемы.

— Какие? — не понял супруг.

— Филейная часть моего организма становится шире Каменного моста, — объяснила я. — Рина, ужин, как всегда, невозможно вкусный, но хорошо, что добавки нет. Я хочу сесть на диету.

— Глупости, — отрезал Иван. — Дорогая, ты прекрасно выглядишь. Никогда не встречал женщин с такой роскошной фигурой, как у тебя. Мне повезло: мама гениально готовит, супруга красавица, и обе мои обожаемые женщины умны...

— Перестань сыпать комплиментами, — перебив сына, засмеялась Рина, — а то мы подумаем, что ты натворил гадостей. Ума не приложу, куда делась еда из кастрюли?

— Если поразмыслить над проблемой, то в голову придет логичный вывод: ее съели, — с совершенно серьезным видом ответил Иван. — Иных версий пока нет.

— Кто? — задала вопрос Ирина Леонидовна. — Танюша?

Я взяла в руки чайник с заваркой и стала оправдываться:

— Нет. Я недавно вернулась с работы, успела только руки помыть и сразу за стол села. Зачем мне лопать из кастрюли, зная, что сейчас поем из тарелки?

Взгляд Рины переместился на сына. Тот поднял руки.

— Виновен — намедни был замечен ночью у открытого холодильника с куском колбасы в руке. Но сегодня я пришел после Тани и присоединился к честной компании, когда вы с ней уже начали есть.

— Действительно, — согласилась Ирина Леонидовна. — Кто ж тогда обжора? Надя!

— Бегу, — донеслось из коридора.

Спустя пару секунд в столовой появилась домработница в роскошном красном атласном халате с черными воротником и манжетами.

— Простите, собралась спать, поэтому в дезабилье.

— Альберт Кузьмич спит в пижаме? — развеселилась я, глядя на кота, который вальяжно вышагивал за хозяйкой. — У него шикарный ночной костюм, похоже шелковый. Не хватает только колпака на голове, стеганых пантофлей и чашки с успокаивающим напитком из трав в лапе.

— Надя, ты ужинала? — поинтересовалась Рина.

— Да, — удивилась вопросу домработница. И пояснила на всякий случай: — Творог ела.

— А рыбу, которую я приготовила, пробовала? — не отставала Ирина Леонидовна.

Надежда Михайловна закатила глаза.

— Вообще-то я не отказалась бы, уж очень вкусно у вас все получается. Но когда я в свою комнату ушла, рыба еще сырой на мойке лежала. Вы в восемь начали готовить, а я за пятнадцать минут до вашего появления ушла к себе сериал смотреть. К тому же стараюсь на ночь не обжорствовать.

— Кто же слопал почти весь ужин? — не успокаивалась Рина.

Меня удивило поведение Ирины Леонидовны. На свекровь совсем не похоже переживать из-за пустой кастрюли. Она знатная кулинарка, любительница экзотических рецептов. Я рада, что она обожает колдовать у плиты, потому что сама научилась готовить лишь одно блюдо. Какое? Я гениально кипячу воду в чайнике. Все остальное у меня получается на редкость плохо. Я способна почистить картошку, но клубни при варке развалятся в лохмотья. Как-то раз я в порыве вдохновения придумала превратить картофельные развалины в пюре, но оно получилось скользким и серым. Известна мне и теория приготовления омлета, но на практике на сковородке оказывается подгорелый желтый блин. Однажды курица, которую я варила три часа, непостижимым образом стала похожа на резиновую игрушку, откусить даже от ножки оказалось невозможно. Представляете, как бы мы вкусно ели, попадись мне в свекрови такая же кулинарная идиотка, как я? Но мне немыслимо повезло — Рина не только гениальная повариха, она еще и по-настоящему добрый человек, обожает всех кормить. Слова типа: «Кто съел все котлеты? Я их на три дня нажарила!» Ирина Леонидовна никогда не произносит. Что же случилось сегодня?

— Кастрюля пуста, — трагическим голосом повторила Рина. — И меня сей факт очень пугает.

Брови Ивана поползли вверх.

— Мама, успокойся. Сегодня семья сыта, завтра утром, как обычно, обойдемся йогуртом и геркулесовой кашей. А днем ты что-нибудь приготовишь. Вылизанная дочиста кастрюля не должна вызывать у тебя волнение, а тем паче страх.

Ирина Леонидовна осмотрелась по сторонам и, прошептав:

— Идите за мной! — побежала в коридор.

Мы с Иваном переглянулись и поспешили за ней. Рина шмыгнула в свою спальню, прижала палец к губам, встала на колени, заглянула под кровать, отдернула занавески, засунула нос в шкаф и разочарованно выдохнула:

— Пусто...

— Кого ты ожидала увидеть? — растерялась я. — Собак? Кота?

— Васю, — одними губами ответила свекровь. — Я совершенно уверена: он переселился сюда и начал войну с Трофимом.

Вот тут мне стало не по себе. Ирина Леонидовна выглядит намного моложе своего возраста, она активна, весела, ни за что не скажет: «Я уже старая, поэтому не куплю себе кожаную юбку». Рина непременно приобретет не только эту одежду, но еще и замшевые джинсы, а к ним розовые сапоги-казаки в придачу. У нее начисто отсутствует болезненная предусмотрительность, боязливость, обидчивость, свойственные людям пенсионного возраста. Ирина не задумывается о здоровом образе жизни, не покупает пачками витамины для резкого омоложения. Зачем ей БАДы в ее двадцать пять, на которые она себя ощущает? Она не ноет, не жалуется на плохое самочувствие, а когда ухитрилась сломать разом обе ноги, воскликнула:

— Ерунда! Заживет, как на кошке.

Душа у Рины совсем юная, чего не скажешь о теле. И сейчас стряслась беда — свекровь слегка тронулась умом, поэтому ведет себя странно. Куда бежать? К какому врачу обращаться? К психиатру? Невропатологу? Отвезти Ирину Леонидовну срочно на компьютерное исследование головы и всего тела в придачу?

Глава 32

— Мама! — фальшиво весело воскликнул Иван. — Кто такие Трофим и Вася? Впервые слышу эти имена. У нас в доме тайно живут незнакомые мне родственники из деревни?

— Рина, — защебетала я, — ты наверняка устала. Ложись скорей в постельку. Сейчас взобью одеяльце, подушечку, принесу замечательный антистрессовый чай. Завтра проснешься, и все будет хорошо. Погода меняется, наверное, гроза идет, вот ты и нервничаешь.

— Так... — протянула Ирина Леонидовна. — Решили, что я сумасшедшая?

— Конечно нет! — слишком быстро и громко ответила я.

Свекровь опустилась на кровать и заговорила:

— Много лет назад, когда мы въехали в эти хоромы, начались странности. По ночам сами открывались шкафы...

Мой муж устроился рядом на пуфике и пояснил:

— У старых комодов плохо выдвигаются ящики, а у гардеробов распахиваются створки. Дерево рассыхается, только и всего!

Ирина Леонидовна не обратила внимания на слова сына.

— Потом кто-то стал рвать занавески, портить вещи, бить посуду. Вечером наведу порядок, сварю кашу на завтрак, лягу спать. Утром войду на кухню — мамочки! Полотенце в клочья, кастрюля в холодильнике пустая!.. Я пребывала в полнейшей растерянности, но Софья Павловна, моя близкая и уже, к сожалению, покойная подруга, объяснила: «В квартире живет домовой, который недоволен новыми хозяевами. Пригласи биоэнергетика Фолкина, он поможет». И дала мне телефон.

Рина вскочила с кровати, продолжая говорить:

— Фолкин провел обряд, велел соблюдать некие правила, и все, наступили полнейшая тишина и спокойствие. Трофим мне даже помогать стал. Он милый.

— Понятно... — протянул Иван. — Ты полагаешь, что леший...

— Домовой! — поправила его Рина. — Говори тише, он обидеться может. Лешие живут в лесу, они вступают в брак с кикиморами.

— Ага, — засмеялся Иван, — подтвердились мои подозрения. Всегда считал, что Гриша Невзоров леший, но думал, вдруг я ошибаюсь, а теперь нет никаких сомнений, поскольку его жена Ляля типичная кикимора.

Я подошла к Рине и обняла ее.

— Трофим успокоился, полюбил вас. Почему он вдруг принялся за старое?

— Это не он, — горестно вздохнула Ирина Леонидовна. — Это Вася зажигает.

— И кто у нас Вася? — заинтересовался Иван.

Свекровь всплеснула руками:

— Фолкин, уходя, предупредил меня: «Вы купите квартиру, расположенную ниже этажом. Не сейчас. Спустя долгое время. Возникнет желание объединить жилье. Прежде чем начинать ремонт, позовите меня. В приобретенном помещении обитает Василий, а у него на редкость сварливый нрав. А двум домовым непросто подружиться. Я сделаю так, что конфликт не разгорится».

Ирина Леонидовна показала пальцем на сына.

— Помнишь, что я тебе сказала, когда зашла речь о покупке апартаментов?

Иван смутился.

— Ну... ты очень много всякого говорила. Мы беседовали о цене, стоимости ремонта, обсуждали...

— Не о том, — топнула ногой Рина. — Танюша при нашем разговоре не присутствовала, я опасалась, что она меня сумасшедшей сочтет. Но теперь я знаю: Таня никогда так про меня не подумает.

Мне стало неудобно. Хорошо, что мы не умеем читать мысли друг друга, Ирина Леонидовна никогда не узнает, что пару минут назад ее невестка судорожно размышляла, где найти для нее хорошего психиатра.

Рина уперла руки в боки и начала наступать на Ивана.

— Я рассказала тогда тебе про Фолкина, предложила вызвать его сразу после составления договора купли-продажи жилья. И что услышала в ответ? Помнишь?

— Нет, — признался сын.

Свекровь повернулась ко мне:

— Иван спросил: «Мама, хочешь позвать только укротителя домовых? На мой взгляд, этого мало. Давай еще позовем дрессировщика тараканов, воспитателя моли, изгнателя клопов и ловца комаров. Если затевать шаманские пляски, то уж по полной программе».

— Я это предложил? — испугался мой супруг.

— Да! — отрезала Рина. — Фолкин к нам не пришел, и вот сейчас мы получили полный компот. Вчера вечером кто-то выдавил в моей ванной зубную пасту из тюбика. Утром в гардеробной обнаружилось гнездо, свитое из свитеров. Сейчас опустела кастрюля. Пока мы сидели в столовой, Вася сожрал рыбу!

Иван Никифорович откашлялся.

— Давай включим логику. Вася нематериальная сущность. Как он может съесть рыбу? По-моему, зубную пасту схомячили Мози и Роки, кастрюлю опустошил Альберт Кузьмич. Все просто.

Ирина Леонидовна подбежала к двери санузла и распахнула ее.

— Смотри! Стакан с щетками и тюбиком прикреплен к стене. Бульдожкам надо иметь лапы с присосками, чтобы подняться до него по кафелю. А кастрюля чугунная, крышка у нее тяжеленная, коту с ней не справиться.

— Но... — начал Иван.

Я наступила мужу на ногу.

— Рина, я совершенно с тобой согласна. Необходимо провести как можно скорее мирные переговоры с Васей. Сейчас еще не поздно пригласить Фолкина? С ним можно связаться?

— Да! — обрадовалась Рина. — Он живет на прежнем месте, телефон старый. Ничего не изменилось, кроме того, что биоэнергетик теперь доктор наук.

— Каких? — уточнил Иван.

— Биоэнергетических, естественно, — ответила свекровь.

Муж открыл рот, но я схватила его за руку и потащила к двери, говоря по дороге:

— Прямо сейчас звоните ему!

— В полночь? Не поздно ли? — засомневалась Ирина Леонидовна.

— Самое биоэнергетическое время, ведьмы как раз седлают метлы, — успел сказать Иван, прежде чем я выпихнула его в коридор.

— Не ожидал от мамы такого поведения, — возмущался муж, шагая по направлению к нашей спальне. — Умная женщина, трезво мыслит и... домовые.

Я открыла дверь комнаты.

— У тебя на письменном столе лежит булыжник с дыркой. Да?

— А, куриный бог, — засмеялся супруг. — Камень так называют, не спрашивай почему, не знаю. Нашел его в детстве на пляже, когда с родителями ездил на море. Находку надо повесить на шнурок и носить на шее, но я просто его возле пресс-папье держу.

— Зачем? — поинтересовалась я.

— Как память о детстве, — ответил муж. — И он мне удачу приносит.

— Смешно считать, что галька с отверстием или еще какая-нибудь подобная ерунда может помогать человеку, — фыркнула я. — И тем не менее у многих людей есть амулеты. Тебе греет душу камушек, а Рина мечтает подружиться с домовым. Если ей от визита Фолкина, доктора несуществующих биоэнергетических наук, станет лучше, в чем проблема? Шаман побегает по квартире, постучит в бубен, пройдет по углам с зажженной свечкой, окропит все компотом из слив, и до свидания. Нам с тобой при ритуале присутствовать не надо, Ирина Леонидовна сама справится.

В помещение с пультом управления бригадами она чужого не впустит, дверь закрыта на кодовый замок. В целях безопасности можешь вызвать группу наших парней, подразделение «А», пусть тут подежурят.

— Но как мама может верить в такую чушь? — не успокаивался Иван.

Я села в кресло.

— Есть важные дела, а есть пустяковые. В первом случае, на мой взгляд, нужно насмерть биться за свое мнение. А во втором не стоит ломать копья. Предположим, Рина заболела и вместо того, чтобы пойти к хорошему врачу, решила отправиться к знахарю, собралась пить керосин с содой. Вот тут надо ее хватать, затыкать ей рот полотенцем и тащить в больницу. А в случае с биоэнергетиком... Ну и пусть он здесь свою кукарачу пляшет. Если Ирине Леонидовне спокойнее станет, я только «за».

— Ладно, — сдался Иван. — Но по логике...

Я засмеялась и вынула из кармана телефон.

— Милый! У женщин своя логика. Даже самому умному мужчине ее не понять. На вот, посмотри, Димон мне утром переслал свою переписку с женой.

— «Зайка, в какой день календаря наступает весна?» — прочитал вслух Иван. — Это вопрос Лапули. «Календарная первого марта, метеорологическая, как правило, позднее, двадцать седьмого-восьмого. В зависимости от погоды». А это вполне разумный ответ Димона.

— Дальше читай, — хихикнула я, — переписка завершается сообщением жены.

— «Не хочу с тобой больше беседовать! Ты злой дундук!» — продекламировал Иван. — Кто такой дундук?

— Тебя только это заинтересовало? — развеселилась я. — Димон впал в недоумение, спрашивал у меня: «Что я не так написал? Почему Лапуля обиделась?»

— И правда, почему? — пробормотал муж. — Нормальный ответ на заданный вопрос.

— Нет, — вздохнула я, — нормальный ответ на заданный вопрос в этом случае вообще не нужен. Димону не стоило умничать. Метеорологическая весна, календарная... Ему нужно было написать: «Любимая Лапуля, для меня всегда весна, когда ты рядом!» И все.

— Разве это ответ? — удивился супруг. — Димон поступил правильно — сообщил информацию.

Я закатила глаза.

— Вот поэтому даже умному мужчине не дано понять женщину. Нам не нужна информация! Нам хочется слышать слова любви и комплименты.

Глава 33

— Все знакомы с Евгенией? — спросила я, усаживаясь за стол.

— Да, — хором ответили Эдита, Аня, Люба и Александр Викторович.

— Валерий переведен в другое подразделение, — сообщила я собравшимся. И продолжила: — Иван Никифорович решил взять на испытательный срок Женю. Мы слышали, на что она способна, посмотрим, сможем ли с ней сработаться. Самостоятельно выполнять задания Евгения пока не может. Она будет ездить или со мной, или с Аней. Не исключаю, Александр Викторович, и того, что наш новый сотрудник на какое-то время окажется в паре с вами.

— Всегда рад совместной работе с красивой женщиной, — галантно ответил Ватагин. — Значит, я теперь один падишах среди прекрасных дам? Буду за вами ухаживать. Кому чай? Кофе? Пряники-конфеты?

— Может, пиццу закажем? — предложила Аня. — Около моего дома недавно открыли кафе «Пицца, просто пицца», там очень вкусно готовят.

— Это сеть, — пояснила Дита, — точки по всей Москве. У них фишка: красивые доставщики. К женщинам они отправляют парней, а к мужикам девиц-блондинок.

— В мини-юбках? — усмехнулся Ватагин. — В ботфортах и обтягивающих майках? А если семейный заказ? Дома жена, теща, дети? Ох, боюсь, у красотки-разносчицы лепешку с сыром возьмут и в голову ей швырнут.

— Еще они всегда уточняют: вам один набор приборов? — улыбнулась Эдита. — И спрашивают: «Детские сувениры класть?» Сотрудники у них в бордовых комбинезонах, наглухо застегнутых.

— Это еще эротичнее, чем голое тело, — пояснил психолог. — Откровенная обнаженка быстро приедается, а вот то, что скрыто под одеждой, будирует мужское любопытство.

— Пицца не нужна, — остановила я пустой разговор, — чай-кофе тоже. День только начался, давайте работать. Что имеем на данный момент?

— Ничего хорошего, — угрюмо ответила Эдита.

— Да уж... — мрачно согласилась я. — Через час к нам приедет Егор Столов, зададим ему вопрос про диабет и грант. Валентина Юферева уверена, что он убил сестру из-за того, что та его шантажировала.

— Даже если это так, — включилась в разговор Аня, — и Егор в конце концов признается в содеянном, как нам это поможет найти общего отца Анфисы, дочки Мартины, и мальчиков Беатрисы Георгиус?

— Вдруг Марта ему про любовника рассказала? — вздохнула я. — Напоминаю: Юферева училась вместе со Столовой, но в школьные годы они не дружили...

Эдита начала бегать пальцами по клавишам.

Я же продолжала:

— Встретившись случайно во взрослом возрасте, молодые женщины потянулись друг к другу, стали тесно общаться. Знакомство возобновилось, когда Столова была беременной. Имени ее любовника Валентина не знает, но предполагает, что он богат и женат. По ее словам, он купил любовнице квартиру, а потом оплачивал расходы на ребенка, но только их. Денег без счета не давал, требовал показать чеки. У матери Анфисы была тетрадка, куда Мартина вклеивала кассовые документы и записывала расходы.

— Жадному перцу не пришло в голову, что в магазине можно подобрать у мусорных корзин кучу чеков? — засмеялась Аня.

Я сделала вид, будто не слышу Попову.

— Леся тоже ничего о личной жизни своей тети не сообщила. Мартина Столова умела держать язык за зубами. И что же мы выяснили в итоге? Нам надо найти богатого женатого мужчину.

— Здорово! — восхитилась Аня. — Сколько таких в Москве?

— Полно, — хмыкнул Ватагин. — Танюша, почему ты решила ограничиться столицей? Есть еще Питер, Екатеринбург, масса других городов. Может, отец детей иногородний, прилетал на пару дней в командировку и встречался с Мартиной.

— Вычислить его невозможно, — пригорюнилась Аня. — Дита, что там с документами на квартиру Столовой? Кто ее купил?

— Она сама, — ответило наше компьютерное чудо. — Деньги за сделку притащила наличкой, их заложили в ячейку. Стандартная процедура.

— Мда, — буркнул Ватагин.

— Надо опросить соседей, — затараторила Аня, — а еще воспитательницу детского сада и родителей ребятишек. Возможно, кто-то видел Мартину с мужчиной. Или отец приходил на праздник, умилялся-восторгался девочкой в костюме снежинки.

— Последнее вряд ли, — покачала головой Эдита. — Вы когда-нибудь на новогодней елке в садике присутствовали? В зале мамы, бабушки, редкие дедушки. Пап совсем не видно. Даже законные мужья и хорошие отцы такие мероприятия терпеть не могут.

— Аня уже опрашивала живущих с Мартиной в одном доме, — напомнила я собравшимся, — правда, мы не слышали ее отчета.

— Так сообщать нечего, — развела руками Попова. — Дом огромный, жильцов тьма. На лестничной клетке, кроме квартиры Мартины, еще две. Обе сдаются иностранцам из ближнего зарубежья. Справа живут очень милые азербайджанцы. Муж держит несколько продуктовых палаток на рынках, торгует фруктами-овощами, хорошо говорит по-русски. Извинялся, что помочь не может, ничего не видел, не знает. Это потому, что уезжает в четыре утра на базу за товаром, потом мечется между лавками, а в восемь вечера уже спать укладывается, так как устает очень. Некоторым людям кажется, что те, кто на рынках точки имеет, ничего не делают, а деньги лопатой гребут. Но даром ничего не дается, Гейдар как вол трудится. Он мне сказал: «Утром укатываю, дом спит, вечером возвращаюсь, с ног валюсь. Даже если слона у лифта увижу, не замечу». Жена его беременна первым ребенком, по-русски через пень-колоду изъясняется, в Москву ее муж недавно перевез. При разговоре с ней Гейдар переводил. Итог беседы: Фарида редко выходит из дома — не очень хорошо себя чувствует и боится потеряться в незнакомом городе. Соседей никогда не видела.

— Очень информативно, — хмыкнула Эдита.

— Со второй квартирой получилось лучше, — продолжила Аня, — там белорусы, Наташа и Паша. Состоятельные, купили в Москве апартаменты. Сейчас делают ремонт, и чтобы следить за рабочими, сняли жилье поблизости, поэтому временно соседствуют со Столовой. У них девочка пяти лет, она ходит в тот же садик, что и Анфиса. Более того, они в одной группе. Сейчас расскажу подробнее.

...Когда Наташа поняла, что Фиса их соседка, то очень обрадовалась. Как-то вечером она позвонила в дверь Мартины и сказала ей:

— Наши дети подружились в садике, пусть Фисочка к нам заходит, у Ленуси игрушек много.

— Ладно, — согласилась Мартина. — И если вы иногда сможете взять из садика мою девочку, буду вам очень благодарна. Я от работы до метро на автобусе еду, он часто опаздывает.

Наташа стала забирать ребенка соседки. Но вскоре поняла, что ее дочурке дружить с малышкой Столовой не стоит — Анфиса оказалась вредной, злой, могла толкнуть Леночку, ударить, сказать грубость. Еще девочка постоянно выпрашивала подарки, говорила: «У Лены много платьев, а у меня только два. У Лены полно кукол, а у меня только одна. У Лены сто конфет, а у меня никаких». Добрая Леночка охотно делилась с новой подружкой и своими вещами, и игрушками-сладостями, и одеждой.

Наташа быстро поняла, что происходит, и сказала Мартине:

— Извини, более не смогу забирать Фису, мы переходим в другой садик.

— Не беда, — пожала плечами Мартина, — она сама домой прибежит, тут идти полминуты.

— Ты разрешишь малышке идти одной по улице? — поразилась Наталья.

— А что такого? — удивилась вопросу Столова. — Я с четырех лет одна носилась, и ничего. Это развивает самостоятельность.

Наташа замялась, не зная, что и сказать в ответ, но повторила:

— Извини, у девочек уже не получится играть вместе.

Соседка должна была понять: Анфисе отказано от дома. Наталья полагала, что она вежливо, но твердо, безо всяких экивоков, объяснила Мартине нежелательность визитов к ней в дом Фисы. Но на следующий же день в половине седьмого вечера раздался звонок в дверь. Наташа глянула на домофон и оторопела — на лестничной клетке маячила Фиса. Наталья решила не реагировать на появление ребенка, но девочка оказалась настырной и упорно не убирала палец с кнопки. Потом принялась бить в дверь ногами и орать:

— Тетя Наташа!

Делать было нечего, пришлось открыть.

— Чего вы меня не пускаете? — сердито спросила нахалка.

— Лена кашляет, — соврала Наташа, — тебе лучше домой пойти.

— Мамы нет, — ответила девочка, — дверь заперта. Я у вас останусь. Есть хочу!

Когда Мартина наконец-то вернулась, Наташа строго ей сказала:

— Подобное недопустимо. Я более видеть у себя Анфису не желаю!

— Понаехали тут всякие! — заорала Мартина. — Хамка нищая, накормить чужого ребенка ей жалко!

Возможно, одним криком Столовой дело бы не завершилось, но тут из комнаты вышел Павел, и противная баба, схватив Фису, убралась восвояси.

Супруги приняли решение поменять садик, а заодно снять другую квартиру. Но, увы, все это оказалось непросто сделать. Наташа опасалась, что Анфиса продолжит к ним ходить, однако девочка более на ее пороге не появлялась. И в садике тоже. Воспитательница объяснила, что Столова отправлена в городской детский санаторий. А спустя некоторое время Наталья, возвращаясь к себе, увидела распахнутую настежь дверь соседки и каких-то мужчин в ее квартире. Один из них сердито сказал Наталье:

— Незачем тут стоять!

— Я живу рядом, — пояснила она. — Что случилось?

— Самоубийство, — ответил мужик. — Вы хорошо Столову знали?

Наташа вмиг сообразила: если расскажет, что одно время поощряла общение Анфисы и Лены, а потом разорвала отношения, то этот полицейский в штатском не отстанет, потащит ее в отделение, да еще, не дай бог, решит, что Мартина лишила себя жизни из-за ссоры с соседкой. Поэтому, стараясь выглядеть спокойной, обронила:

— Раз или два видела ее у лифта, но мы не разговаривали, мне некогда лясы точить...

Аня на секунду замолчала, потом продолжила:

— В общем, мне удалось вызвать Наталью на откровенность, только ничего полезного я не узнала. По словам соседки, Мартина была плохой матерью, но никаких мужчин к себе не водила. Или Наталья не заметила любовника.

— Это странно, — удивилась я. — Валентина сообщила, что Мартина сумела понравиться Егору, он стал к ней захаживать.

Люба Буль отодвинула лист бумаги, на котором чертила каракули.

— Сомневаюсь, что Наташа проводила дни и ночи, подсматривая за соседкой. Егор мог посещать Столову поздно вечером. Можно я изложу свою версию событий?

— Слушаем, — согласилась я.

Эксперт заговорила:

— Мартина пыталась сделать фотографии, поймать Егора, когда тот лакомится десертом или пьет колу, специально все это на стол выставляла. А тот сообразил, что дело нечисто, и отравил ее. И вот еще что меня смутило. По словам Валентины, Марта очень перепугалась, когда девочка заболела ветрянкой. Юферева даже подумала тогда, что подруга обожает дочь, просто не демонстрирует чувств. Но Столова объяснила, что ее Фиса, так сказать, курица, несущая золотые яйца: если девочка умрет от какого-нибудь недуга, ее отец вмиг перестанет давать Столовой деньги. Наташа сообщила, что мать со спокойным сердцем разрешала дочке одной идти домой вечером из садика. Очень странно подвергать свою «курицу» опасности — мало ли какой злой человек встретится ребенку на пути, или, не дай бог, малышка попадет под машину.

— Кто-то из женщин соврал, — предположил Ватагин, — либо Валентина, либо Наталья. Полагаю, лжива первая.

Глава 34

— Почему вы так считаете? — поинтересовалась я.

— Не вижу ни малейшего смысла Наталье врать, — пояснил профайлер. — Что она выигрывает, очерняя соседку, которая, вполне возможно, является прекрасной матерью?

— Таковой ее назвать трудно, — заметила Аня. — Я заглянула в садик, и воспитательница, поохав о самоубийстве Мартины, сказав, что о мертвых можно говорить только хорошее, вылила на нее ведро помоев. Анфиса приходила в сад в несвежей одежде, мать забывала давать ей чистую пижаму, и ребенок укладывался спать после обеда в костюмчике, не стиранном месяцами. Грязные волосы, нестриженые ногти, нечищеные ботинки... На праздники воспитаннице Столовой мать никогда не шила карнавальный костюм. Фиса рыдала у елки, глядя на веселых снежинок, и, чтобы утешить девочку, нянечка мастерила ей какой-нибудь наряд из подручных материалов. На прошлый Новый год это была старая штора, которую нянька обернула вокруг малышки, нарисовала ей на лбу красную точку и сказала: ты индийская волшебница, приехала в гости к Снегурочке. Кроме того, воспитатели постоянно жаловались заведующей, что мать вечером опаздывает, Анфиса остается в группе одна, из-за нее приходится задерживаться. Когда время подкатывало к девяти, сотрудница убегала домой, а Фиса сидела со сторожем. В конце концов Мартину предупредили: или она будет заботиться о дочери, или о ее наплевательском отношении к ребенку сообщат в органы опеки. Столова закатила скандал, орала, что среди ее знакомых есть очень известный адвокат, который администрацию садика в пыль превратит. Но все же Анфиса стала приходить в группу с чистыми волосами и руками и даже в платье, по которому местами прошлись утюгом. Потом в садике появилась Леночка, и ее мама Наташа стала забирать обеих девочек около пяти вечера. А затем Фиса отправилась в санаторий.

— Валентина солгала, — вдруг заявила Эдита. — Только что я посмотрела медкарту девочки — та никогда не болела ветрянкой. Но зачем Юферевой врать?

Ватагин взял телефон.

— Некоторые люди придумывают небылицы просто так, из любви к искусству. Или хотят показать свою значимость, дескать, они располагают полной информацией по какому-либо вопросу.

— Кто соврал и почему, не так уж интересно, — отрезала Аня.

— Не согласна, — возразила Булочкина. — Я вот сейчас в разных документах копаюсь... Таня, мы все слушали запись твоей беседы с Юферевой. Вначале она там говорит, что получила в наследство двушку, которую продала, и что на ее старую квартиру-маломерку тоже покупатель нашелся. Валентина сложила деньги и приобрела просторное жилье. Так?

— Да. Но почему тебя заинтересовал ее жилищный вопрос? — удивилась я.

Дита показала пальцем на экран ноутбука.

— Я привыкла все проверять и автоматически влезла в сделку купли-продажи Юферевой. Деньги за новое жилье она внесла наличкой, все оформилось в установленный законом срок. Но! Валентина получила в собственность не приличную квартиру с видом на парк площадью восемьдесят квадратных метров, а роскошные апартаменты в десяти километрах от Москвы. Правда, по непрестижному направлению. Два этажа, сто восемьдесят квадратных метров, недавний ремонт, оборудованная кухня, ванная плюс обстановка. Одновременно ею приобретена бюджетная иномарка, трехдверка. Сумма за нее тоже вносилась наличными. И вот самое интересное: во-первых, я нигде не могу найти упоминания о получении Юферевой наследства, а во-вторых, маломерка, в которой она напоила Таню мерзким кофе, не продана, ее владелицей до сих пор числится Валентина. Предвидя ваш вопрос о кредите, скажу: сумма, которую маникюрша потратила на таунхаус и машину, весьма велика. Никакой банк не даст такую женщине со скромной зарплатой. Я порылась в крупных банках — Юферова ни в одном ссуду не просила. Возникает закономерный вопрос: откуда деньги?

— Дал любовник, продала семейные ценности, — начала перечислять Аня. — Помните дело Насти Калинкиной? Она тоже всем врала, что приобрела загородный коттедж, продав квартиру на Патриарших прудах, которая ей в лапки от умершего дедушки упала. А потом выяснилось, что Калинкиной подарил картину любовник и на аукционе Сотбис покупатель большие деньги за нее дал. Анастасия приобрела хоромы, оставшиеся доллары в ячейке спрятала, и стала врать про наследство. У них с любовником договор был: он ей в качестве последнего подарка перед расставанием дарит пейзаж, а она молчит, с кем спала.

— Где бы мне олигарха найти? — вздохнула Аня. — Почему многим делают роскошные подарки, а мне никогда?

Молчавшая до сих пор Женя по-детски подняла руку.

— Можно кое-чем поинтересоваться? Или тем, кто на испытательном сроке, нельзя ничего говорить?

— Высказывать свое мнение нужно, — ответила я.

— Всего один вопросик, — уточнила Евгения. — Перед началом совещания, пока вы, Татьяна, отсутствовали, Аня рассказала мне суть дела. Надо найти, кто сделал детей Беатрисе, жене Потапа, невестке Маргариты Персакис. Мы знаем, что этот же мужчина отец Анфисы, дочери Мартины. Поэтому вы сейчас упорно роетесь в биографии последней.

— Вы прекрасно разобрались в сути вопроса, — похвалил практикантку Ватагин, возвращаясь на свое место.

— Анфисе шесть лет, — продолжала Женя.

— Пять и несколько месяцев, — поправила Эдита.

— Вы анализ ДНК брали?

— У кого? — не сообразила я.

— Да у всех, — уточнила практикантка. — У Беатрисы, детей и до кучи у Потапа.

— Зачем нам это исследование? — тоже не поняла Люба.

Евгения прищурилась.

— Вас не смутило странное поведение сына Маргариты? Жена ему рога в макушку воткнула, а он не наподдал бабе со всем христианским милосердием, не врезал ей от души, не выгнал из дома... Люди, мужики так себя не ведут! Правда, Александр Викторович?

— Мужчины разные бывают, — возразил профайлер, — не надо стричь нас всех под одну гребенку. Потап психологически зависим от матери, Маргарита его полностью себе подчинила. Беатрису я не видел, но думаю, что свекровь и ее в бараний рог скрутила. Известие о бесплодности единственного сына больно ударило госпожу Персакис-старшую. Она мечтает о династии, семье, как у Рокфеллеров, ей нужны продолжатели рода. Где они? Если бы неспособной к зачатию оказалась Беатриса, проблем не возникло бы. Потап оформил бы развод и женился на другой. Но бесплодным оказался сын. Значит, надо молчать, что мальчики появились от прелюбодеяния, воспитывать их как родных внуков. К нам Маргарита обратилась только из-за опасения скандала с родным отцом детей. Ей нужно о нем побольше узнать, чтобы понять, как себя вести, ежели биологический родитель свару затеет. Маргариту успокоит известие о том, что этот человек богат, успешен, женат, имеет законнорожденных детей. Такой никогда не захочет общаться с бастардами и пытаться отнять их у матери. А вот если папаша нищий и ленивый, тогда жди неприятностей. Такой тип может шантажировать Персакисов, требовать: «Платите мне каждый месяц деньги, иначе всем расскажу, что ваша невестка шлюха».

— Ни мать, ни сын ничего не сказали Беатрисе, — подхватила Аня, — не спросили у нее, от кого мальчики. Это очень странно.

Ватагин открыл рот, но его опередила Женя:

— Наоборот, ничего странного. Ведь если они это сделают, тогда проблемы и начнутся. Попробуйте думать, как Беатриса. Представьте, что каким-то путем вы прознали, что ваш муж не способен зачать ребенка. И вы завели любовника, чтобы родить детей. Не о деньгах думали — о наследниках, очень хотели стать матерью. Афера благополучно состоялась, никто ничего не заподозрил, потому что вы, хитрюга, нашли любовника, который внешне похож на супруга. Живете счастливо, обожаете мальчиков. И в семье покой и благоденствие, «отец» детей и бабушка тоже счастливы. Но вдруг свекровь и муж объявляют: «Дорогая, мы знаем про твой поход налево. Не волнуйся, мы не сердимся, одобряем твое решение. Только скажи, от кого сыновья?» Ваша реакция? Только честно!

Аня начала кусать губы.

— Ну... я возьму ребят и уйду. Стыдно будет жить в семье.

— И я могла бы так поступить, — сказала Люба.

— Сама Маргарита Потаповна, наверное, тоже в данной ситуации разрушила бы свой брак, — кивнул Александр Викторович. — Поэтому свекровь и не хочет ничего говорить Беатрисе. Евгения, вы учились на психолога?

— Нет, — улыбнулась девушка, — сама дошла до простой мысли: хочешь понять человека, поставь себя на его место, думай, как он.

— Сложная задача, — отметил Ватагин, — ведь не каждый чужую шкуру на себя натянуть может.

Евгения кивнула.

— Если тренироваться, то со временем получится, уж вы-то знаете. Давайте возьмем ДНК у Персакисов и их детей. У меня вот какая мысль возникла. Я бы, оказавшись на месте Беатрисы, стала искать дальнего родственника мужа, о котором он сам не знает, исподтишка поглядела бы на него. Очень часто всякие троюродные-пятиюродные братья похожими оказываются. А жена Потапа совсем не дура. Вдруг она так же поступила? Если мы увидим в анализах общие аллели, то поиск упростится. Нароем всех родичей Персакисов и выясним, кто счастливый папенька.

Эдита начала водить «мышкой» по коврику.

— Анализы Персакиса и мальчиков есть в архиве клиники, куда Потап обратился, когда Мартина решила с него деньги потребовать. А вот Беатриса...

— По условиям договора с клиентом мы не имеем права сообщать женщине про то, что о ее прелюбодеянии известно, — напомнила я. — Если брать материал на анализ, то тайком.

— Задача проще некуда — подобрать окурок, взять пустой стакан, из которого она воду пила, — отмахнулась Женя. — Я сумею. Беатриса случайно не посещает фитнес?

— Секундос, — бормотнула Дита. — Да. Клуб «Лев» рядом с домом, где живут Персакисы.

Евгения обрадовалась.

— Отлично! В зале все воду пьют, кто из кулера, кто из своей бутылки, пустую тару и стаканы швыряют в мусор. Вытащить их труда не составит. Оплачу абонемент на неделю, и вперед.

— Не надо, — остановила практикантку Эдита, — я найду ДНК Беатрисы в архиве клиники «Орса».

— Хорошее заведение, — кивнула Люба, — отлично тамошнего главврача знаю. Прости, Дита, перебила тебя.

Наша мисс компьютерная гениальность продолжила:

— Я влезла в ее Фейсбук, в общение с друзьями. Думала, вдруг любовник там в контактах, хотела всех мужчин проверить. Но у Беатрисы в личке одни женщины, они, в основном, о детях своих болтают, еще о косметике, моде, кулинарии. Типичный бабский треп. Сразу стало понятно, что Беатриса примерная жена, любит мужа и детей. А вот про свекровь у нее нет ни слова.

— Хорошего написать нечего, а плохое кропать ей воспитание и менталитет не позволяют, — заметила Евгения. — Если человек льет в Интернете помои на кого-то, то это характеризует не объект нападок, а того, кто гадость настрочил.

— О! В Фейсбуке я наткнулась на снимок двухлетней давности, — продолжала Дита. — Беатриса на кушетке в одноразовой пижаме и подпись: «Пожелайте нам с Норой удачи». Там же и рассказ. Оказывается, Беатрису нашел Эдуард, сын двоюродного брата ее покойной матери. Связь с ним была давно потеряна. Беатриса знала о существовании родственника, помнила встречи с ним в детстве, но потом отношения сошли на нет. И вот теперь Эдуард ее разыскал и умолял о помощи. Дело в том, что его маленькой дочке Норе требовалась пересадка костного мозга. Ни отец, ни мать в качестве донора не подошли. Других близких по крови людей у семьи нет. Нора стоит в очереди на пересадку от постороннего лица, но ей никак не могут подобрать нужный материал. И тут Эдуард вспомнил о Беатрисе. Шансов на то, что дальняя родственница спасет Нору, было ничтожно мало, и тем не менее жена Потапа оказалась идеальным донором.

— У нее брали массу анализов, — встрепенулась Люба, — в том числе и ДНК.

— Дайте мне час, — попросила Эдита, — сходите поесть, а когда вернетесь, я вам все покажу.

— Да, есть уже очень хочется, — жалобно пропела Аня. — Пойдемте в «Пицца, просто пицца», а?

— Я угощаю! — воскликнула Евгения. — Новичок всегда проставляется.

Глава 35

— Тут уютно, — удивилась я, усаживаясь за столик. — Снаружи помещение не ахти выглядит, а внутри мило.

— Скатерти в красно-белую клетку, плетеная корзиночка для хлеба... — улыбнулась Евгения. — Пахнет вкусно. Словно у бабушки в гостях сидишь.

— Добрый день, меня зовут Георгий, — представился официант, подбежавший к нашей компании, — вот меню.

— Ничего себе! — присвистнул Ватагин. — Гигантский выбор.

— Я считала себя профессионалом в спорте «съешь пиццу», — засмеялась Женя, — но и половины наименований не слышала. Что такое «Папа Карло»?

— Названа в честь книги «Буратино»... — начал произносить заученный текст Георгий.

— И сделана из дерева, — засмеялась Люба.

— Нет, конечно, — с самым серьезным видом возразил официант, — основа из особого теста, кабачки, баклажаны, селедка, макароны и помидоры, сверху сыр. Это рецепт нашего повара.

— Звучит как-то не очень, — поморщилась я, — сочетание соленой рыбы и спагетти кажется странным.

— Ну почему? — заспорила Аня. — Паста с лососем — классический рецепт.

— Посоветуйте нам самое вкусное, — попросил Ватагин.

— Возьмите «Болоньезе», — оживился официант, — она всем нравится. Или набор маленьких пицц. Каждому принесут тарелку с шестью мини-вариантами. И можно взять разные комплекты, попробуете друг у друга.

— Отлично! — обрадовалась Евгения. — Тащите. У вас обслуживающий персонал как на подбор — и юноши, и девушки стройные, загорелые, темноволосые, высокие, все очень симпатичные.

Георгий заулыбался.

— Сейчас в столице работает двадцать четыре наших ресторана. Каждый имеет свое оформление. Мы не сетевая харчевня на вокзале с пластиковыми столами-стульями. Наше заведение именуется «Сицилийская деревня». Поэтому интерьер выдержан в сельском духе. А в меню есть рецепты, характерные для деревенской местности Италии.

— У меня около дома расположен «Отдых в Бразилии», — перебила Аня, — там в меню нет «Папы Карло», зато есть «Дона Флор», названная в честь книги бразильского писателя Жоржи Амаду «Дона Флор и два ее мужа».

— Наш хозяин большой любитель литературы, — пояснил официант. — И тех, кто обслуживает гостей, подбирают тематически. Итальянцы смуглые, в основном темноволосые, черноглазые. И мы такие. А вот в ресторане «Голландская рапсодия» работают, наоборот, блондины. Только в отношении роста стандарт — мужчины в зале должны быть не менее метра восьмидесяти двух, женщины — метр семьдесят.

— А в районе Саратовской улицы какая точка? — спросила я.

Георгий вынул из кармана телефон.

— Момент... Саратовская, дом двенадцать. «Сказки Андерсена». Одно из самых прикольных мест. В зале установлен макет замка. Персонал блондины, одетые в наряды героев произведений датского писателя. Дети очень любят туда ходить.

— Заказы тоже Дюймовочка и иже с ней развозят? — уточнила я.

— Нет, у доставщиков комбинезоны, для всех ресторанов одинаковые, бордовые со слоганом, и бейсболки, — возразил Георгий.

— Шоферов тоже по размеру подбирают? — не успокаивалась я.

— Мы все работаем по очереди, — терпеливо растолковал Георгий, — есть график. Через неделю я надену комбез и буду рулить по району. Мой рост при мне останется.

— Наверное, в кафе «Сказки Андерсена» все мужчины с бородой и усами, — продолжила я.

— Почему? — удивилась Аня.

— В разных волшебных историях полно бородачей, — нашла я подходящий ответ.

— Растительность на лице у нас под строгим запретом, — сообщил Георгий. — И на кухне никто волосами не трясет, все повара, помощники, уборщицы в специальных колпаках или шапочках, в зависимости от статуса. Кстати, еще нам не разрешается пользоваться парфюмерией. Есть другие вопросы? Тогда разрешите выполнить ваш заказ.

— Конечно, голубчик, — кивнул Александр Викторович. Подождал, пока парень удалится, и повернулся ко мне: — Танюша, почему ты устроила юноше допрос?

Я взяла из корзиночки кусок хлеба.

— Когда я сидела у Юферевой, она заказала на дом пиццу. Уходя, я столкнулась с доставщиком — невысоким щуплым парнем в бордовом комбинезоне, который был ему явно велик. Лица разносчика как следует я не разглядела, он бейсболку чуть ли не до носа натянул, но заметила небольшую бородку и усики. И еще от него пахло одеколоном с ароматом специй. Вы думаете о том же, о чем и я?

— Это не доставщик! — выпалила Люба. — Георгий только что сказал, что владелец принимает в штат исключительно статных людей.

— Меня тощенький паренек совсем не смутил, — продолжала я, — решила, что он студент, который вынужден работать. И одежда с подвернутыми внутрь брюками и рукавами не насторожила. Работа курьера не самая престижная, на этой должности обычно большая текучка, небось фирма специально шьет одежонку на высокий рост, которую вполне могут надеть и коротышки. Не шить же костюм для каждого временного служащего.

— Доставкой заказов на дом в этой компании, как мы только что слышали, занимаются исключительно мужчины, — подчеркнула Люба. — Выходит, некий человек как-то узнал, что Валентина хочет слопать лепешку с сыром, перехватил настоящего разносчика, заплатил ему, взял его форму...

— А зачем кому-то все это проделывать? — спросила Аня.

Повисла тишина. Потом я схватилась за телефон и через минуту воскликнула:

— Абонент недоступен!

— Может, в метро едет, по подземному переходу идет? — предположила Буля. — В Москве связь рваная.

— У Юферевой теперь есть машина, она недавно получила права, — пробормотала я, снова взяв трубку. — Эдита! Проверь больницы. Не поступала ли куда вчера или сегодня Валентина Юферева с отравлением. Жду.

— Ваш заказ, — торжественно объявил Георгий, водружая на стол перед Аней тарелку с набором крохотных пицц. — Сейчас остальным раздам.

Я молча смотрела, как официант берет с каталки блюда и ставит их перед каждым членом нашей компании.

— У меня что-то аппетит пропал, — пожаловалась Любочка, когда молодой человек удалился. — Почему ты решила, что Валентину могли отравить?

— Элементарно, Ватсон! За каким фигом прикидываться разносчиком? — хмыкнула Евгения. — Чтобы оказаться поближе к жратве. И, уж наверное, не затем, чтобы положить в нее золотой червонец.

— Теперь и мне есть пиццу расхотелось, — призналась Аня.

— Я не столь эмоционален, — усмехнулся Ватагин, взяв крошечную лепешку и откусывая от нее. — О, советую попробовать. Ну очень хороша!

— У меня такая есть, — обрадовалась я и вонзила зубы в пиццу. — М-м-м... Объедение!

В ту же секунду зазвонил мой телефон, я схватила трубку.

— Эдя? Ну... так... ага... Что? Ты уверена? Посмотри еще раз. Там могли напутать! Ясно...

Сотрудники уставились на меня и напряженно ждали, когда я закончу общаться с Булочкиной. Наконец я положила айфон на стол.

— Говори! — потребовала Буля.

Я отодвинула от себя тарелку с недоеденным обедом.

— Юферева в больнице на Раскатной улице. Доставили ее вчера, спустя час после моего ухода. Об отравлении речи нет — авария. В протоколе ДПС записано: неопытная водительница, всего месяц сидящая за рулем, не справилась с управлением, вылетела на встречную полосу, по которой ехал минивэн. К счастью, за его рулем находился очень опытный шофер, он успел увернуться и избежать лобового столкновения. Но все равно крошечная машинка Валентины влетела в дерево, в результате столкновения у Юферевой сотрясение мозга. Но — ни одного перелома. Повезло. Это раз. И два: женщина могла погибнуть на месте, потому что ее тарантайка загорелась. На счастье, мимо ехал сотрудник МЧС на своем автомобиле. Он среагировал профессионально, прибежал с огнетушителем и погасил пламя, помог пострадавшей выбраться. У Юферевой мощный ангел-хранитель: авария серьезная, а у Вали только сотрясение; она могла заживо сгореть, но рядом оказался хорошо обученный мужчина со всем необходимым.

— Вот и ответ, зачем было менять доставщика, — заметила Буль. — В пиццу, которую Юферевой принесли, подлили-подсыпали что-то типа не сразу действующего снотворного. Есть такие препараты: принял определенную дозу и минут сорок бодрый, активный, а потом — бац! — мгновенно заснул, словно поленом тебя по макушке огрели.

— Преступник подождал с полчаса после доставки пиццы, — включилась в разговор Евгения, — потом позвонил Валентине и под каким-то предлогом заставил ее сесть за руль, прекрасно понимая, что она заснет на дороге. Надо найти остатки пиццы и мобильный Юферевой.

— Трубку могла забрать полиция, — предположила Люба. — Или, если телефон находился в кармане пострадавшей, то он сейчас где-то в больнице. Хотя мог и сгореть, если в момент аварии был в держателе на торпеде.

— Остатки пиццы, наверное, лежат в мусорном ведре на кухне Валентины. Хотя возможно, что она все без остатка слопала, — подскочила Женя. — Давайте я съезжу и осмотрю ее квартиру. Прямо сейчас!

— Только если Татьяна разрешит, — осадила девушку Анна. — И вам пока нельзя одной выполнять задания.

Я налила в стакан минеральной воды.

— Телефон поищет Эдита — обзвонит кого надо и узнает, где трубка. Она же будет поддерживать связь с медиками. Аня и Женя пусть и правда проверят, сохранилось ли что от пиццы. Но сначала я расскажу, что Дита нарыла по анализам ДНК, которые нашлись в архивах. Булочкина мне только что отчиталась.

Через десять минут, узнав от меня новость, сотрудники пришли в недоумение.

— Ну, вообще... — обронила Попова.

— Мда. Компот с фрикадельками... — протянула Люба.

— Наверное, кто-то ошибся... — предположила Женя. — В лаборатории могли пробирки перепутать.

— Случается такое, — согласилась Буль. — Кстати, от всей души не советую никому сдавать кровь в местах с вывеской: «Все исследования за десять минут». Но у клиники, где Беатриса стала донором, очень хорошая репутация, я их главного врача знаю, мы на одном курсе учились. Не тот Семен человек, чтобы у себя дураков, лентяев и пофигистов держать. Уверена, у него там все четко и аккуратно.

— Тогда просто обалдеть, — выдохнула Аня.

Глава 36

Через три дня вся бригада, включая Евгению и примкнувшего к нам Ивана, сидела в переговорной. Вместе со всеми там находился Потап, который сильно нервничал.

— Зачем вы меня вызвали? — спрашивал он. — Почему просили ничего не сообщать маме? Какая-то очень плохая новость?

— Скорее, странная, — ответила я. — Помните, ваша жена совершила благородный поступок — стала донором костного мозга для девочки, дальней своей родственницы?

— Да, помню. И что? — удивился Потап. — Беатриса сострадательный человек. Я сначала возражал против операции, но супруга меня уговорила.

— Малышка жива? — поинтересовалась Буля.

— Да, — кивнул Потап.

— Встречаетесь с ней? — подхватила разговор Люба.

— Семья живет в Новосибирске, лететь туда далеко, — уточнил Потап, — иногда получаем сообщения, Нора здорова.

— Вы боялись за жену, когда у нее костный мозг забирали? — спросил Ватагин.

— Переживал, — кивнул Потап.

— И поэтому сдали кровь? — наседал профайлер. Персакис поморщился.

— Нет. То есть да, я стал донором, но не из-за Беатрисы, она прекрасно перенесла процедуру. Меня поставили в идиотское положение. Загнали в угол.

Я привез супругу, сопроводил в палату, где подготовка к операции началась. Появились две дамы, давление измерили, из вены кровь на анализ взяли, что-то еще делали, уже не помню, чем занимались. Вдруг одна и говорит: «Потап Александрович, у вас какая группа крови?» Я удивился, но ответил: «Первая. С положительным резусом». Докторица обрадовалась: «Чудесно! Поучаствуйте в нашей акции «Всем надо жить». Вот ваша жена герой, спасает Нору, может, и вы кому-то поможете». Такую речь толкнула! Мол, в России доноров мало, особенно трудно детям костный мозг подобрать. А если я сдам анализ крови, они ее по всем аппаратам прогонят, результаты сохранят, вдруг появится больной, для которого я донором стать смогу... Вдвоем на два голоса так и пели! Все твердили: «Спасете чью-то жизнь».

Потап почесал щеку со шрамом.

— Оно мне надо — идти на операцию ради чужого ребенка? Нет уж, увольте. Но как отказать? Медички прямо прилипли ко мне, как два куска скотча. И Беатрису в пример то и дело ставили: «Ваша супруга совершает сейчас подвиг, дарит Норе жизнь!» А я, значит, получаюсь негодяй и трус. Ну я и сказал им в конце концов: «Ладно, ведите в кабинет».

— Вы молодец! — похвалила Потапа Любочка. — С донорством в России действительно не очень хорошо. Правда, в последние годы ситуация налаживается.

— Да я бы никогда не согласился на донорство, — сердито воскликнул клиент. — Тогда подумал: скорей всего, я никому не подойду, но если все же будет совпадение, то ведь мне сначала позвонят, а по телефону легко отказаться. Вот в присутствии Беатрисы здесь, в палате перед операцией, мне слабо́ «нет» сказать.

— Спустя некоторое время вы попали в аварию? — задал вопрос Ватагин.

— Да, не повезло, — вздохнул Персакис. — Но я сам виноват, не справился с управлением. Был на дне рождения, выпил бокал сангрии — этот напиток почти как лимонад, подумал, ничего плохого не будет, ведь не водка же, не коньяк, — и сел за руль. Очнулся в реанимации. Хорошо, что въехал в дерево, никого не убил, не ранил. С того дня дал зарок — никогда не управлять машиной, даже если просто понюхал рюмку.

— Жена не пострадала, — дополнила Эдита. — Так? Это я запись в вашей истории болезни, которую в клинике сделали, зачитываю.

— Слава богу, нет, — поежился Потап. — Она спала на заднем сиденье, мигрень у Беатрисы на празднике началась. Я супругу уложил, подушку ей под голову сунул, в несколько пледов закутал. Би всегда озноб при приступе бьет.

— Что-то не нахожу полицейского отчета о происшествии, — призналась Дита. — Видимо, теряю квалификацию.

— Патруль мы не вызывали, — после небольшой паузы пояснил собеседник. — Ведь никто, кроме меня, не поранился. Машину, правда, я капитально разбил, но на нее наплевать. На получение страховки я не претендовал, тачку на металлолом сдал, потом новое авто купил. Понимаете, если бы прикатила ДПС, началось бы разбирательство и выяснилось, что я принял алкоголь, я бы надолго лишился прав. Кабы еще кто увечье получил, тогда бы точно в ГИБДД обратился.

— Как же вы в больницу попали? — спросила Аня.

— Беатриса по мобильному «Скорую» вызвала, дала медикам денег, чтобы никому про ДТП не сообщали, и велела везти в клинику, где у нас контракт куплен, — признался Потап. — Да, она нарушила закон, но кому от этого плохо? Я жену целиком и полностью одобрил. Мне нельзя без прав остаться.

— Вы потом месяц лежали в коме? — уточнила Люба.

Персакис скрестил руки на груди.

— Сорок один день. Хирурги провели несколько операций. У меня были сломаны подбородок, нос, скула. От удара подушкой безопасности повредился глаз, теперь я ношу очки с затемнением. Ну и шрамы остались.

— Они красят мужчину, — улыбнулся Ватагин. — Некоторые специально их делают, чтобы героями выглядеть.

Потап кашлянул.

— Я не прочь вернуть себе прежнюю внешность, но не получится. Мама мне сказала: «Дорогой, ты слегка изменился, но моя любовь к тебе от этого не уменьшилась, я уже привыкла к тому, как ты выглядишь сейчас».

— Провалы в памяти сохранились? — деловито осведомилась Люба. — Кома ведь бесследно не проходит, всегда «хвост» оставит. Даже суточная. А у вас сорок один день, серьезная вещь.

— К сожалению, да, — кивнул Потап. — Иногда приду в комнату и стою в растерянности, вспоминая, что мне тут надо. Или элементарного не помню. Недавно старший сын попросил: «Папа, сделай лягушку оригами». Я прямо завис — это что? Детям мы про аварию не рассказывали, они малы еще для таких историй. Мама сообразила, в чем дело, внуков отвлекла. Я в поисковик полез, прочитал про искусство складывать фигурки из бумаги. Неужели я их делал? Ну ничего не помню! Пришлось заново науку осваивать.

— Мозг пока для врачей terra incognita, — вздохнула Люба, — чем больше о нем выясняем, тем яснее понимаем, что ничего не знаем. Вам повезло, что так быстро реабилитировались. В какой клинике лежали?

Потап взял со стола бутылку минералки и открутил пробку.

— «Знахариус». Название глупое, но центр очень хороший.

— Маленький, — добавила Дита, глядя в компьютер, — стационар на двадцать коек.

— Врачи прекрасные, оборудование новейшее, — принялся нахваливать больницу Потап. — Что еще надо?

— Забудем временно про аварию, вернемся в наши дни, — нежно пропела Эдита. — Мартина Столова обвинила вас в изнасиловании, потребовала алименты на дочь Анфису. Вы, чтобы доказать свою полнейшую невиновность, сдали биологический материал на анализ ДНК. И... словно сосулька на голову, свалилась весть о вашем бесплодии.

Потап сделал быстрое движение рукой.

— Один раз я уже объяснял здесь, как отреагировал на новость. Не вижу смысла в повторении. А теперь прошу объяснить, по какой причине вы настоятельно просили меня явиться в полном одиночестве?

— Внимание на экран, — попросила Эдита. — Вот результаты ваших анализов. Первый сделан в клинике «Орса», где слишком активные врачи вынудили вас сдать кровь на ДНК. Второй бланк мы получили здесь, в кабинете, от вашей матушки. Она демонстрировала нам результаты исследования, которое затеяла, чтобы доказать: ее сын не мог быть отцом ребенка Мартины Столовой. Маргарита Потаповна обстоятельный человек, она хотела исключить любые подозрения, поэтому приказала вам сдать не только кровь, но и семенную жидкость.

— Распространенная ошибка тех, кто не разбирается в медицине, — подхватила Люба. — Люди считают, что мазок из полости рта менее информативен, чем анализ крови. Но на самом деле ДНК можно выделить отовсюду, и она не меняется от того, что взята, допустим, из зуба или из слюны.

— И ваш анализ показал азооспермию[1], — довершила Эдита. — Но давайте теперь сравним исследование клиники «Орса» с тем, что сделали по желанию Маргариты Потаповны. Забудем про сперму, сравним кровь.

— Там что-то не так? — насторожился Потап. — Нашли у меня какую-то страшную болезнь? Онкологию? Говорите откровенно, я не истерик.

— Нет, ничего такого. Это просто анализы разных людей, — объявила Буль. И добавила: — Но — дальних родственников. Тот, кто был вынужден сдать пробу в «Орса», и тот, кто по приказу госпожи Персакис пошел на анализ, чтобы доказать, что он не насиловал Мартину, имеют кровные узы. Не прямые. Мужчины не родные братья, не отец и сын, не дед и внук, просто члены одной семьи.

— Глупость какая-то, — пожал плечами Потап, — в лаборатории перепутали квитки.

— Нет, — отрезала Эдита. — И не советую сейчас, хлопая дверью, убегать. Во время нашего первого разговора ваша матушка упомянула вскользь, что у нее есть очень красивая коробочка из оникса, в которой она хранит молочные зубки Потапа. Для вас, наверное, будет удивлением узнать, что из них можно выделить ДНК.

— Они же старые, — пробормотал Потап, — не один год в шкатулке валяются.

---

[1] А з о о с п е р м и я — полное отсутствие сперматозоидов в семенной жидкости.

Глава 37

Буль постучала карандашом по столу.

— Вспоминаю дело об убийстве Ирины Кольцовой. Тело женщины не нашли, супруг утверждал, что она сбежала с любовником, а мать уверяла следователя: это зять лишил жизни ее дочь. Но! Как говорят, нет тела, нет дела. Спустя сорок лет при строительстве коттеджного поселка в Подмосковье выкопали скелет женщины, у которого не было пары нижних ребер, явно удаленных хирургическим путем. Желтая пресса написала о находке, и в полицию примчалась дама, которая заявила, что останки, скорее всего, принадлежат ее сестре Ирине Кольцовой. Та поступала в театральный вуз, но ее не приняли, в основном из-за излишней полноты. Не поступившая абитуриентка кинулась улучшать свою внешность, что в советские времена было непросто, сильно похудела и даже уговорила какого-то врача убрать ей два ребра, чтобы получилась на изумление тонкая талия. У скелета сохранились зубы, а у покойной уже матери Ирины была шкатулка с молочными зубками младшей дочки, которую, к счастью, сестра пропавшей сохранила. Провели анализы ДНК и в результате получили полное совпадение. Вывод: труп действительно Ирины Кольцовой. Жаль, ее муж к тому времени уже скончался и под земной суд не попал. Но на божьем ему предстоит ответить. Сорок лет зубы находились в земле, шел дождь, снег — ДНК сохранилась. А у вашей матушки они хранятся в шкатулке, в комфортных условиях. Что вы будете делать, когда выяснится, что молочные зубы Потапа к вам никакого отношения не имеют? А, Герман Маркович?

Клиент вздрогнул.

— Вы знаете!

Дверь кабинета открылась, в комнату вошла симпатичная молодая женщина. Мужчина вскочил.

— Беатриса! Ты тут откуда?

Жена Потапа показала рукой на стену.

— Оттуда.

— Я им ничего не сказал, — начал оправдываться Герман, — они сами как-то выяснили...

Беатриса села рядом с Ватагиным.

— Знаю. Я нахожусь тут с утра. Слушай меня внимательно: Татьяна и ее люди не хотят причинить нам зла.

— Именно так, — подтвердила я, — мы просто работали по вашему делу. Беатриса нам много интересного сообщила. Теперь ваша очередь, Герман Маркович. Выслушаем обе стороны, подумаем, как лучше поступить. Сейчас вы все — Беатриса, Потап, Герман, дети — оказались в сложном положении. Наша помощь вам не помешает.

Герман посмотрел на Беатрису, та кивнула, и он принял решение:

— Хорошо. Мы ничего дурного не совершили, просто хотим немного счастья. Нам казалось, что мы все предусмотрели, рассчитали, и действительно, все прямо как по маслу катилось.

— Но Потап сделал ошибку, — добавила Беатриса, — не рассказал нам про Мартину. Решил, что я буду ревновать его к прошлому, расстроюсь из-за его прежней связи. Мы с супругом очень любим друг друга. Но Маргарита Потаповна... Собственно, вы же ее видели, говорили с ней.

— Авторитарная женщина, — плеснул бензина в огонь Ватагин.

— Слабо сказано, — поморщился Герман, — рабовладелица. Не понимаю, как Потап ума не лишился, живя с такой матерью.

— Но лучше все по порядку рассказать, — остановила лжемужа Беатриса. — Я начну, а вы меня перебивайте, если вопросы появятся. Гера тоже подключится.

— Отлично, — согласилась я, — мы все внимание.

Беатриса прижала к груди кулачки и заговорила.

...Никакой любви между ней и женихом до свадьбы не было.

Госпожа Персакис сама нашла сыну невесту, полагая, что «мальчик» не способен подобрать себе супругу, поскольку слишком наивен, мягок и интеллигентен. К тому же имеет богатую родительницу. Понятное дело, такую добычу легко захватит какая-нибудь неподходящая девица. А Маргарита Потаповна хотела, чтобы у ее внуков, наследников и продолжателей бизнеса, была достойная мать. В идеале — этническая гречанка.

Госпожу Персакис подчиненные за глаза называют «Королева Марго». Ее боятся, но уважают за уникальную работоспособность и честность. Самодержица не устраивает подковерных игр, она говорит людям правду и требует такого же отношения к себе. На рабочем совещании ей можно высказать все, хозяйка не обидится, не обозлится, она способна принимать критику, делать правильные выводы и меняться. Самыми отвратительными пороками королева соусов считает лень и ложь. К остальным человеческим недостаткам относится с пониманием. Но это ее позиция в бизнесе.

В личной жизни Маргарита Потаповна не терпит возражений. Она считает свое мнение истиной в последней инстанции, лучше сына знает, что ему надо.

Потап с пеленок понял: с мамой спорить не только бесполезно, но и опасно. Если честно сказать ей: «Ненавижу омлет, не стану его есть!», а потом бросить тарелку с ненавистной едой на пол, ничего хорошего этот демарш не принесет. Мать спокойно сделает новую болтушку и начнет читать нудную лекцию о витаминах и микроэлементах, о пользе желтка... Поэтому лучше одним махом проглотить гадость и пойти играть. А потом мальчик сообразил: надо что-нибудь придумать, чтобы мама на короткое время вышла из комнаты, и быстро отдать завтрак псу Жоржику. Собака толстела, но Маргарита Потаповна не обращала внимания на дворняжку, вот так ребенку стало ясно, что мамочку можно водить за нос.

К моменту, когда мадам Персакис озаботилась поисками невесты для своего «малыша», Потапу перевалило за тридцать, он имел высшее экономическое образование, отлично управлял финансами фирмы и выработал оптимальную политику общения с матушкой. Сын никогда с ней не спорил, соглашался по всем вопросам быта — безропотно носил купленную ему одежду, катался на выбранном ею автомобиле, ходил с родительницей в гости к нужным ей людям, на концерты, был ласков, нежен, делал милые подарки, дарил цветы... Просто идеальный сын, обожающий мамочку. Потап всегда говорил ей только правду. Например, Маргарита Потаповна спрашивала:

— Дорогой, тебе понравилась рубашка, которую я купила?

И «малыш» мог честно ответить:

— Категорически нет. Не мой цвет. К тому же форма воротника неподходящая.

— Тебе идет зеленый, — возражала мать, — не спорь.

— Не буду, — тут же кивал сыночек и безропотно натягивал обновку.

И по стратегическим вопросам Потап всегда был согласен с мамулей. Маргарита Потаповна велела ему поступать на экономический факультет? Вчерашний школьник послушно подал туда документы. Мамочка не разрешила сыну ехать вместе с сокурсниками на каникулы в Питер? Велела держаться подальше от сомнительных компаний одногодков, где распивают дешевый алкоголь и спят с неразборчивыми в половых связях девушками? Молодой человек остался в Москве и ни разу не заикнулся, что пойдет в гости к кому-то из одногруппников. «Да, мама», «конечно, мама», «как хочешь, мама», «ты права, мама» — вот самые частые фразы, слетавшие с языка взрослого сына.

Окружающие считали Потапа мягким, добрым, наивным человеком, полностью находящимся под пятой родительницы. Подчиненные уважали начальника за ум, патологическую работоспособность, вежливость, неумение нецензурно браниться и желание помогать тем, кто попал в беду. Потап выписывал материальную помощь на похороны, свадьбы, никогда не забывал поздравить сослуживцев с днем рождения, дарил милые пустячки.

Причем кружка с изображением кошечки доставалась женщине, чья любовь к муркам зашкалила за все пределы, а обожательнице собак преподносилась статуэтка псины любимой ею породы. Согласитесь, это ведь не обезличенная коробка конфет. Хотя во многих конторах подчиненному от босса и пакетика дешевых леденцов на юбилей не дождаться.

Потапа любили и жалели. «Жить нашему шефу холостяком, — вздыхали тетушки из финансового отдела. — Маргарита всякую бабу изведет, ни с кем сыном делиться не станет». А госпожа Персакис искренне полагала, что Потап без нее в быту пропадет. Он умелый бизнесмен, прекрасный специалист, редкой души человек, но совершенно беспомощен при решении разных, не связанных со службой вопросов. Даже носки себе купить не способен. А если и приобретет пару, то не того размера, цвета, качества.

Но как же все ошибались! У Потапа бурлила тайная жизнь, о которой ни один человек не то что не знал, а даже и не подозревал. «Мальчик» имел квартиру в многоэтажном доме и частенько водил туда девушек, при виде которых мать могла бы получить инфаркт. Как сын оправдывал свои отлучки, объяснял, где провел пару часов? Три раза в неделю Маргарита Потаповна посещает фитнес-клуб, с шести до семи вечера у нее тренировка, потом сорок минут бассейн, после плавания она отправляется в спа-салон при спортзале, идет на массаж, через час к косметологу, следом на маникюр, завершается вечер отдыха ужином в местном ресторане. Домой госпожа Персакис прибывает в районе полуночи и видит Потапа в пижаме и тапочках. Сын сидит в библиотеке, мирно читает книгу. То, что он явился в квартиру незадолго до нее, матери ни разу не пришло в голову. Зато пока она расслабляется, «мальчик» идет в ресторан или в кино, знакомится там с одинокой девушкой...

Потап очень осторожен, представляется временным партнершам Мишей Ивановым, клерком банка, специально для гулянок купил дешевую иномарку. Стандартный свободный вечер «ребеночка» выглядел так: Потап переодевался в демократичную одежду, оставлял «Мерседес» на подземной парковке дома, шел пешком к супермаркету, что расположен неподалеку, садился в стоявшую на тамошней парковке свою вторую, неприметную и простенькую машину и — вперед. Все его девушки были одноразовыми, никаких проблем не случалось. А потом Потап нашел свою женщину.

Глава 38

Страстный роман начался обычно. В небольшом кафе Потап встретил Мартину, угостил ее ужином, пригласил к себе, уложил в постель и понял, что получил потрясающую партнершу. Мартина оказалась гораздой на выдумки. И она после того, как отдышалась, сказала Потапу: «Вау! Ты небось второй раз с бабами, которых в ресторанах цепляешь, не встречаешься? Я тоже не люблю отношения с мужиками завязывать. Но давай нарушим правила? Мне от тебя подарков не надо, хотя не отказалась бы от материальной помощи, окажись на моем пути богатый папик. Я ведь не из обеспеченных, а много чего хочется. Но ты, судя по квартире-машине, беднее меня. Зато секс с тобой улетный. Давай, Миша, устраивать себе праздники?»

Честность Мартины его подкупила. Все девицы, которых Потап до сих пор укладывал в койку, вылезая из нее, начинали ныть:

— На улице холодно, а шубки нет... Пальчик без колечка тоскует...

А Мартина, прямо заявив о своем желании состричь денег с богатого старичка, предложила продолжить отношения, сразу отказавшись от даров. Нового знакомого она считала бедным, зато нашла фееричным в постели. Мужчина может достичь полнейшего финансового благополучия, стать академиком, генералом, видным политиком, обзавестись личным самолетом, собирать стадионы фанатов, то есть оказаться богатым-знаменитым и крепко битым жизнью, поэтому никому не доверяющим человеком, но слова женщины: «Дорогой, ты гениален в постели» — он всегда примет за правду...

— Значит, история, которая в этом кабинете рассказывалась в присутствии Маргариты Потаповны, ложь? — уточнила я, перебив рассказчицу. — Красивая сказка о начальнике, который, будучи интеллигентным, подвез до дома сотрудницу, чью машину эвакуировали?

— Ну не мог же он матери правду рассказать! — воскликнула Беатриса. — Мне продолжать?

— Сделайте одолжение, — попросила я.

...Страстный роман продлился несколько месяцев. Про девушек Потап забыл. Потом он улетел на пару недель в Сибирь, там фирма в нескольких крупных городах создавала филиалы и строила склады, но вскрылось воровство прорабов. Разобравшись с теми, кто запустил липкие руки в карман заказчика, Потап вернулся в Москву. Прямо из аэропорта он позвонил Мартине, поспешил в свое тайное убежище и удивился виду любовницы.

— Я потолстела, да? — кокетливо улыбнулась Мартина. — Зато посмотри, какая у меня грудь роскошная стала.

Потап взглянул на красиво округлившиеся формы любовницы, и несколько часов пара провела в свое удовольствие.

— Мне сесть на диету? — проворковала Мартина, одеваясь. — Или тебе нравится?

— Выглядишь прекрасно, — заверил партнер.

— Тогда я спокойно лакомлюсь пирожными, — обрадовалась девушка.

У Мартины проснулся дикий аппетит, она продолжала полнеть, и в конце концов Потап сказал ей:

— У тебя вырос большой живот. Может, лучше отказаться от сладкого?

— Скоро само пройдет, — отмахнулась Мартина.

— Ты пухнешь как на дрожжах, — заметил любовник. — Скажу правду: твоя фигура теряет красоту.

Столова расхохоталась, по ее щекам текли слезы. Утирая их ладонями, молодая женщина простонала:

— Ну такого просто не бывает... Я знала, что ты тюфяк, но чтобы такой... Маргарита тебе весь мозг выклевала? Потап, я же беременна! Мне рожать скоро!

Что больше ошеломило мужчину: известие о том, что он вот-вот станет отцом, или то, что любовница знает, кто он на самом деле?

Перестав рыдать от смеха, Марта разоткровенничалась. Познакомившись с Потапом, девушка не строила никаких планов, просто решила порезвиться. Скромная обстановка квартиры нового знакомого, его машина — все вроде говорило о небольшом достатке случайного партнера. Мартина подумала, что у нее очередное однодневное постельное развлечение. Но потом ее взгляд зацепился за бумажник партнера, из которого тот в ресторане вынул самую простую, отнюдь не платиновую, кредитку. Аксессуар был из натуральной крокодиловой кожи, имел явно золотую застежку и, похоже, стоил дороже машины хозяина.

Столова насторожилась. Она слышала об очень богатых парнях, которые, изображая из себя малообеспеченных людей, подыскивают себе временных женщин. Когда «Миша» после постельных упражнений пошел в душ, Марта залезла в его сумку, вынула портмоне, нашла там в центральном отделении простую кредитку на имя Михаила Иванова, а в другом отсеке, скрытом от случайных глаз, лежала черная карточка, на которой стояло имя Потап Персакис. Оба платежных средства были выданы банком «ОМО». Сын Маргариты Потаповны старательно спрятал свою настоящую личность, но эксклюзивный бумажник, подаренный любимой мамой пару дней назад, он сменить на кошелек из клеенки не сообразил.

Нужно ли объяснять, как развивались события далее? В эпоху Интернета и повального увлечения соцсетями раздобыть информацию о человеке легко. Если он сам не имеет аккаунтов, то они есть у его друзей, родственников, коллег, подчиненных... За короткий срок Мартина выяснила о «Мише» все и придумала хитрый план: она забеременеет и, не сообщая ничего любовнику, постарается дотянуть до большого срока, когда аборт уже невозможен. И что получилось? Рассчитывала молчать до четвертого месяца, но, к ее изумлению, любовник начал критиковать полноту партнерши, когда та была уже на шестом...

Когда подружка замолчала, глубоко задетый Потап воскликнул:

— Не надейся, что я женюсь на тебе!

Мартина опять расхохоталась.

— Жить с твоей на весь мозг долбанутой мамашей? Только за миллион баксов в неделю! Значит, так. Первое. Ты покупаешь мне квартиру. Второе. Даешь деньги на роды и на все расходы в дальнейшем. Если откажешься, я расскажу всем, что ты двуличная тварь, прикидываешься белым кроликом, а в свободное время меняешь внешний вид и насилуешь бедных девушек. Меня, например. Станешь говорить, что секс по согласию был? А я заявлю: Персакис превратил меня в свою рабыню, обещал убить в случае отказа спать с ним. Твое слово просто бла-бла, а у меня доказательства есть.

— Какие? — оторопел Потап. — Нельзя обладать свидетельством того, чего не было в действительности.

Любовница вынула телефон.

— Слушай.

— «Убью тебя, тварь, — донесся до Потапа его собственный голос. — Отказываешь мне? Ах ты... Получи за это!» — «А-а-а-а! — закричала Марта. — Больно! Нет! А-а-а!» — «Сейчас еще вмажу... — продолжал мужской голос. — Делай, что велю, переворачивайся». — «А-а-а-а...»

Столова выключила запись. И вдруг протянула мобильный Потапу.

— Ну как? У меня такого полно. Если хочешь, разбей трубку. Копии твоих речей сохранены и спрятаны в надежном месте.

— Это же наши игры! — закричал бизнесмен. — Ты постоянно повторяла, что любишь жесткий секс. Все крики это...

— На записи твой голос, произносящий угрозы, и мой плач, — перебила его Мартина. — Судье понравится. И твоей мамаше тоже. В твои слова об играх не поверят, а вот в моих не усомнятся...

Беатриса замолчала и потянулась к бутылке с водой.

— Однако Столова хорошо подготовилась, — заметил Ватагин, — ушлая девица.

— Профессиональная шантажистка, — добавила Аня.

Беатриса опустошила стакан.

— Потап перестал общаться с Мартиной, но оплачивал счета, связанные с беременностью. И желание ездить по трактирам, искать там любовниц на пару месяцев у него как отрезало. Именно в это время Маргарите Потаповне пришла в голову идея женить сына, и мать начала осторожно искать подходящую кандидатуру по знакомым. Так и набрела на меня. Никаких чувств у нас с Потапом в начале знакомства не было. Я хотела устроить свою судьбу, мечтала о большом доме, детях, а он понимал, что фирме нужны наследники. Мы некоторое время вели себя как дети, — гуляли в парке, ходили в кино, в кафе. Никакого интима. Но благодаря этим прогулкам мы подружились, а потом появилась и любовь.

Беатриса улыбнулась.

— Мы с мужем не являемся импульсивными людьми, у нас в первую очередь включается разум и лишь потом появляются эмоции. Мы осознали, что идеально совпадаем по базовым ценностям, образно говоря, смотрим в одну сторону. Однако в браке есть и секс. Следовало понять, как у нас в интимном плане сложится. Хотя на момент принятия решения перевести наши отношения на другой уровень, мы оба, и я, и Потап, понимали: даже если наши темпераменты не сойдутся, мы навряд ли разбежимся. Но оказалось, что и в постели у нас царит гармония. Потап для наших встреч снял квартиру в своем доме. И он на самом деле каждый вечер бегал подавать какао Маргарите.

Беатриса рассмеялась.

— Я не собиралась конфликтовать со свекровью. А лучший способ подружиться с Марго, это сделать вид, будто подчиняешься ей.

Дита подняла руку.

— Простите, когда сын и мать Персакис пришли к нам, в процессе разговора выяснилось, что Потап рассказывал матери о своей сексуальной жизни и жаловался ей на вашу неуемность в постели. Маргарита Потаповна заявила, что провела с невесткой беседу. Но то, что вы сейчас говорите, идет вразрез с ее словами.

Невестка госпожи Персакис усмехнулась.

— Да нет, все верно. До свадьбы мы уже жили вместе, но, несмотря на это, у нас был очень бурный медовый месяц. К тому же мы ели в основном овощи-фрукты, постоянно ходили-ездили на экскурсии. В результате Потап похудел на семь кило, да и я парочку сбросила. Маргарита Потаповна нас увидела и округлила глаза. Мне она ничего не сказала, а на сына налетела: «Нельзя себя изводить сексом. Скажи Беатрисе, чтобы она к тебе часто не приставала. Впрочем, лучше я сама с ней поговорю». Мне свекровь заявила: «Дорогая, Потап жалуется, что ты ему спокойно спать не даешь». Муж ничего подобного матери не говорил, она сама проблему из ничего создала. И довольно часто так делает, то есть от лица сына высказывается. А тот не спорит с ней, зная, что это бесполезно. Я пообещала умерить пыл, и конец истории. Моя свекровь умный, жесткий человек, когда дело касается интересов фирмы, в бизнесе она ошибок не совершает. А вот в личных отношениях ей, наоборот, свойственно видеть ситуацию в кривом зеркале, тут же делать неверный вывод и начинать активные действия. Мы с мужем прекрасно знаем об этой черте ее характера и старательно закругляем углы. Хочется Марго, которая решила, что я заездила ее сына в постели, прочитать мне лекцию о правильной половой жизни? Да на здоровье! Мир в семье дороже, чем время, потраченное на выслушивание нотаций.

Беатриса ненадолго замолчала, затем продолжила:

— Наши отношения с Потапом очень доверительные, я знала о том, что в молодости он встречался с «одноразовыми» девушками, была в курсе его связи с Мартиной. А вот Маргарита ни о чем не подозревала. Муж тщательно контролировал все траты Марты на Анфису, девочку он никогда не видел и не испытывал к ней ни малейших светлых эмоций. Потап может простить многое, но обман со стороны близкого человека ни в коем случае. Открытие, что подружка его откровенно использовала, начисто убило в нем все добрые чувства к Столовой. Да еще та постоянно требовала денег. Вроде подкопаться не к чему — сообщает: «Анфисе поставили брекеты» — и прикладывает счет на безумные деньги, а потом выясняется, что у ребенка аллергия на металл, из которого приспособление сделано, его надо снимать, навинчивать другое. В результате новый прайс, еще больше. Потап не жадный, но каждый раз, получая отчеты Мартины о потраченных суммах, трясся от злости.

Беатриса снова минутку помолчала.

— Помните историю, как я костным мозгом с Норой поделилась? После операции меня в клинике на неделю задержали. Потап велел врачам полное обследование мне сделать, беспокоился о моем здоровье. А я себя хорошо чувствовала и скукой маялась. Однажды пошла на обед в местный ресторанчик и вижу... муж сидит у стены. Я так удивилась! Окликнула его по имени, а супруг не отреагировал, продолжал ковырять в тарелке вилкой. Я к нему вплотную приблизилась со словами: «Думала, ты давно ушел...» Мужчина поднял голову. Я застыла. Это был не Потап, просто оченьочень похожий на него человек.

— Вы меня с кем-то перепутали, — сказал он.

Я начала извиняться.

— Простите, обозналась. Что неудивительно — вы просто двойник моего супруга. Прямо жуть берет, как похожи.

— А его случайно не Потап Персакис зовут? — осведомился незнакомец...

Беатриса посмотрела на Германа. Тот перестал рисовать на бумаге чертиков и подхватил нить повествования:

— У Маргариты Потаповны есть старшая сестра Ариадна. У них четырнадцать лет разницы в возрасте. История, которую я собираюсь рассказать сейчас, произошла, когда Ари исполнилось восемнадцать. Она встретила и полюбила некоего Марка Фейгенберга, а потом собралась за него замуж. К сожалению, ее отец был лютый антисемит. Узнав, кого выбрала себе в женихи дочка, отец жестко велел ей: «Или немедленно посылаешь своего еврея куда подальше, или уходи вон из дома». Ариадна любила и отца, и Марка, она попыталась вразумить родителя, призналась, что беременна. «Ничего, аборт сделаешь, — отрезал непримиримый отец. — Или я навсегда вычеркну тебя из моей жизни». Ариадна выбрала Марка, отношения с родителями разорвала. Потап запретил своей жене упоминать имя Ариадны и проклял непокорную дщерь. Наверное, первое время Маргарита спрашивала, где Ари, но потом забыла о сестре. Когда Марго исполнилось шесть, ее мать умерла, а через год вдовец привел новую жену, и память об Ариадне исчезла навсегда. Потап скончался в глубокой старости, он чрезвычайно гордился Маргаритой, тем, как его дочь умело управляет фирмой соусов. Имя Ариадны в доме никогда не упоминалось, и внук Потапа, сын Маргариты, понятия не имел, что у него есть тетя и двоюродный брат. А вот мне моя мама правду рассказала. Она пыталась с отцом отношения возобновить, когда узнала, что ее мать умерла, позвонила ему, а тот снова старшую дочку по известному адресу послал.

Герман посмотрел на Ватагина.

— Можно мне чашечку кофе?

Глава 39

Александр Викторович встал.

— С превеликим удовольствием сейчас сделаю.

— Мы с мужем начали с Германом общаться, — заговорила опять Беатриса. — Потап спросил у матери: «У нас есть какие-нибудь родственники?» — «Нет, спокойно ответила та, — я один ребенок в семье. И твой отец тоже был единственным у своих родителей». Так мы поняли, что Марго про Ари начисто позабыла. И тогда... Понимаете, для нас настало трудное время. Мы с Потапом устали жить под командованием Маргариты, которая год от года делалась все авторитарнее, неуступчивее, требовала полнейшего подчинения и старалась не отпускать сына от своей юбки. Свекровь решила нас с мужем полностью подмять — начала ездить с нами в отпуск, руководить воспитанием детей, право голоса мы вообще потеряли. Нет, Маргарита не хамила, не скандалила, не кричала, вела себя ласково... Утром стучала в дверь нашей спальни: «Вставать пора». Далее завтрак по ее вкусу, одежда по ее выбору. Потом она детей в машину провожает, говорит им: «Слушайте всегда, что я говорю, бабушка плохого не посоветует». Вдвоем мы с Потапом оставались только ночью. И последней каплей, переполнившей чашу терпения, явилось решение Маргариты расселить нас по разным спальням. Она заявила: «Вы уже не первый год вместе, лучше ночевать в отдельных комнатах, иначе страсть пропадет. Привычка ежедневно спать под одним одеялом убивает любовь». Вот тут мы с Потапом поняли: пора бежать. Но как? Куда? Маргарита нас никогда не отпустит. Она буквально питается нашими эмоциями, точит нашу жизнь, как червяк яблоко.

Беатриса опустила голову. Герман погладил ее по плечу.

— А у меня на момент нашей с Би встречи была маленькая фирма, я торговал медоборудованием. Семьи не было, отец давно скончался, а тут еще и мать меня оставила... После похорон я на нервной почве получил нейродермит, давление зашкалило, и мой лучший друг Рома Розенберг положил меня в свою клинику, чтобы реабилитировать. Там в кафе меня увидела Беатриса, мы поговорили, а вскоре опять встретились уже втроем, с Потапом...

Герман стал пить поданный ему профайлером кофе, Беатриса молчала.

— Потом у вас сложился план, в принципе, простой, как кирпич, — нарушила тишину Евгения. — Вы решили использовать внешнее сходство двух братьев. Авария выдумана?

— Да, — признался Герман. — Но все далеко не так просто, как вы думаете. Мы долго готовились. Потап вводил меня в курс дел фирмы, я отлично подготовился. Не сочтите за бахвальство, но я не идиот, наоборот, весьма умен и так же, как двоюродный брат, получил экономическое и финансовое образование. Мне не пришлось осваивать дело с нуля, базовые знания имелись. Кроме Би, Потапа и меня, в деле участвовал Рома Розенберг, в его клинике есть прекрасный пластический хирург. Дальше события развивались так...

Потап купил дом в другой стране, перевел в зарубежные банки свои личные деньги. Потом заплатил фонду «Деловая красота» солидную сумму, чтобы Маргариту признали победительницей их конкурса «Леди бизнес». Госпожа Персакис, узнав о своем успехе, обрадовалась и полетела на церемонию в Екатеринбург. Отправилась она туда в понедельник, торжественное вручение намечалось на вторник вечером. Потап и Беатриса должны были прилететь в день праздника. Вместе с Марго они отправиться не могли, так как у старшего мальчика был отчетный концерт в музыкальной школе, и родители хотели поддержать ребенка.

Заговорщики все рассчитали с аптекарской точностью. Церемония чествования Маргариты начиналась в шесть вечера. В пять Потапу и Беатрисе вменялось в обязанность войти в гостиницу, где поселили Маргариту, и вместе с ней отправиться на торжество. Но в семнадцать десять Беатриса позвонила и сказала:

— Мама, мы пока в Перми. В нашем самолете стало плохо пассажирке, и он совершил незапланированную посадку. Но уже скоро вылетаем в Екатеринбург. Не волнуйся, мы просто немного опоздаем.

В восемь вечера невестка опять побеспокоила свекровь.

— Вы где? — воскликнула Маргарита.

— Тебе вручили приз? — спросила Беатриса. — Как все прошло?

— Прекрасно, — ответила мадам Персакис, — здесь много СМИ, все напишут про нашу фирму. Самолет задержали?

— Да, — грустно подтвердила невестка. — Теперь он сломался, что-то с шасси. Ты там веселись, рано или поздно мы прилетим.

В полночь Маргарита сама соединилась с Беатрисой:

— Что случилось? Почему вас до сих пор нет?

И вот тут Беатриса рассказала ей об аварии, в которой пострадал Потап, объяснила, что не хотела портить праздник, все равно ведь Маргарита ничем помочь в создавшейся ситуации не может...

Отправиться назад в столицу госпожа Персакис смогла только на следующий день. Когда она примчалась в клинику, ей не разрешили войти в палату, лишь позволили через окошко в двери взглянуть на сына. Роман уже сделал все, что нужно, — хирург подправил Герману подбородок, скулы, нос, нанес специально шрамы на лицо...

— Еще для него приготовили очки с затемненными стеклами! — не выдержала я. — А кома, в которую якобы погрузился Потап, оправдывала то, что он не все помнит. И рядом со лжемужем постоянно находилась Беатриса. Она обращалась с ним как с Потапом, и у Маргариты не возникло сомнений.

— В общем, да, — кивнула молодая женщина. — Я постоянно подсказывала Герману, что надо говорить, как действовать. Потап же тем временем потихоньку выводил деньги за рубеж. Сделать это сразу было опасно, средства уходили мелкими партиями. У нас все получилось. Муж перебрался на новое место жительства. Но я с ним из дома общаться по скайпу боялась, звонила супругу из разных интернет-салонов, свой телефон или ноутбук для этой цели не использовала.

— Прямо агенты под прикрытием, — хмыкнула Аня.

— Идеальный план придумали, — вздохнула Беатриса. — Но как иначе можно было сделать так, чтобы «Потап» остался в Москве при матери, а я, взяв детей, сбежала из дома?

— Почему вы просто не уехали всей семьей? Зачем вообще затеяли всю эту многоходовую аферу? — спросила я.

Беатриса поморщилась.

— Тот, кто задает подобный вопрос, не знает Маргариту. Едва бы свекровь узнала, что ее подопечные смылись, она немедленно кинулась бы в погоню, наняв для этого сыщиков, причем лучших из лучших, вас например. Да, мы бы постарались замести следы. Но даже при смене документов останется след — человек, который нам паспорта делал. А у Маргариты деньги и адская целеустремленность, сына она и на Марсе достала бы. И уж поверьте, сумела бы его, ну и меня вместе с детьми заодно на поводке назад притащить. А если «мальчик» останется с мамой, то проблем будет в разы меньше.

На лице Беатрисы появилась кривая ухмылка.

— Конечно, она разозлилась бы, что внуков лишилась, но Герман, исполняя роль Потапа, должен был ей сказать, что мое бегство ему даже на руку, он давно не любит супругу, тяготится ею, лучше другую спутницу жизни найти. И вообще, у него есть сомнения по поводу своего отцовства, так как я развратная особа. Марго утешится, меня искать не станет, ведь главное, что сыночек с нею. И снова женит его... Собственно, свекровь подсказала нам эту идею. Когда мы после медового месяца домой вернулись, она сочла меня сродни Мессалине, вот мы и решили это использовать, испортить мою репутацию. Но какую причину для моего бегства из дома найти? Думали-думали и решили использовать в своих целях Мартину. Целый спектакль разыграли. Сели вечером в гостиной телик смотреть. Потап спросил: «Мама, ты не против фильм «Черная любовь» поглядеть? Все хвалят». В такой малости Марго еще на своем не настаивала, кивнула. Муж щелкнул пультом. Сюжет был о женщине, которая не простила мужу измену. Где-то в середине ленты Потап произнес: «Би, помнишь, как ты мне незадолго до свадьбы сказала: «Если узнаю о твоей неверности, с собой покончу»? Очень меня твои слова напугали, но мама успокоила, сказала, что все невесты так себя ведут. Правда, мамуля?»

Беатриса рассмеялась.

— Конечно, я никогда ничего подобного не говорила. Не принадлежу к породе людей, делающих программные заявления. Но это был спектакль, поэтому я сыграла свою роль, со всей страстью заявила: «Да, думала так раньше. Но теперь, когда стала матерью, изменила свое мнение: если ты заведешь любовницу и я об этом услышу, убегу от тебя, прихватив детей. И ты нас никогда не найдешь». Похоже, я хорошо справилась с задачей, потому что Марго испугалась, давай мне объяснять: «Деточка, так поступать опрометчиво, надо о наследниках думать». В общем, почва для того, чтобы мне с мальчиками уехать, когда Мартина, злая как собака, в наш дом явится и скандал устроит, была нами подготовлена. Дело в том, что Потап перестал давать бывшей любовнице деньги на расходы, и Столова ожидаемо взбесилась, начала его звонками терроризировать. Мы рассчитывали, что в конце концов она примчится к нам домой и устроит скандал. Я «узнаю» о незаконной дочери своего мужа, схвачу мальчиков в охапку и покину подлого изменщика. На самом же деле отправлюсь за границу к Потапу, а Герман останется с Марго.

— Но мы просчитались, — вступил в разговор Герман, — бабенка не пошла к Персакисам, а обвинила Потапа в изнасиловании и потребовала сделать анализ ДНК. Маргарита приказала «сыну» молчать. Сказала мне: «Беатрисе не следует ничего знать. Она излишне эмоциональна, еще натворит глупостей, начнет думать о самоубийстве или сбежит, забрав мальчиков».

— Мы решили, что история с анализом ДНК даже лучше, — снова подхватила нить разговора Беатриса. — Подтвердится, что Потап отец Анфисы, я узнаю правду и... далее по нашему сценарию. Однако исследование выявило непредвиденное.

— Мы ступили, — разозлился Герман, — все до мелочей учли, а с анализом допустили идиотскую оплошность. Не доперло до нас, что биоматериал возьмут у меня, а я-то не отец Анфисы. Зачем тогда Беатрисе уходить от Потапа? Получается, что Мартина его оболгала. Вот как мы могли так накосячить?

Люба улыбнулась.

— Да, чаще всего хорошо разработанную комбинацию портят мелкие детали, о которых не подумали. Вам следовало что-то иное придумать. Например, наняли бы какую-нибудь актрису, чтобы та домой к Персакисам приехала и устроила бучу, кричала, что является гражданской женой Потапа...

— Не хотели вовлекать в историю кого-то постороннего, — покраснел Герман. — Все, кто тебе что-то за деньги делает, могут тайну продать другому человеку, который более крупную сумму предложит. Аксиома.

— Нам показалось удачным использовать Анфису, она ведь на самом деле дочь Потапа, — добавила Беатриса. — Любая проверка это подтвердит. Меня наличие «левого» ребенка должно было взбесить. Но наша ошибка с анализом ДНК оказалась куда хуже — исследование не просто показало, что Анфиса не имеет отношения к Потапу (на самом-то деле к лже-Потапу), но еще и то, что он вообще не может иметь детей.

— Я понятия не имел о проблеме, — начал оправдываться Герман, — в голову не приходило делать исследование спермы. Зачем? С сексом у меня проблем не было, а детей я никогда не хотел. Ну начисто отсутствует во мне чадолюбие, что уж тут поделать.

— Короче, весь наш план пошел прахом, — тяжело вздохнула Беатриса. — Но мы решили не сдаваться. Скоро свекровь улетает в Карловы Вары, она раз в году ездит туда пить воду. Герман, продолжая играть роль ее сына, останется у руля фирмы. Как только Маргарита отбудет на курорт, я с детьми отправлюсь к Потапу. А газета «Скандал» опубликует мой рассказ, в котором я сообщу: «Мой муж узнал, что сыновья не от него, и врезал мне по носу. Понимаю, я виновата, заслужила наказание, но бить себя позволить не могу. Поэтому покидаю дом господина Персакиса. Развод и девичья фамилия».

— Думаете, Герман без вас, один, справится? — прищурилась Эдита.

— Прекрасным образом, — без малейших колебаний ответила Беатриса. — Маргарита ни разу ни в чем не усомнилась, ей даже в голову не пришло, что перед ней не родной сын.

— Я всегда думала, что мать сможет отличить своего любимого ребенка от остальных: запах, какие-то слова, привычки, — начала я и остановилась. Слово «запах» почему-то показалось мне очень важным. Но почему?

Ватагин развернул свой стул в мою сторону.

— Ключевые слова «любимого ребенка», а госпожа Персакис никогда не испытывала любви к Потапу.

— Здрасти вам! — подпрыгнула Аня. — Александр Викторович, вы не скумекали, из-за чего суп закипел? Мать же просто задушила сына своим обожанием!

— Удушение обожанием не есть любовь, — возразила ей Женя. — Это скорее свидетельство эгоизма, желания властвовать, быть главной, демонстрировать свою значимость. Любовь проявляется иначе. Скажи Маргарита Потаповна сыну и невесте: «Дети, я всегда буду рядом и помогу, чем могу, но в одной квартире нам не стоит сосуществовать. Стройте свою семью сами, мое вмешательство вам не нужно», — вот тогда это была бы любовь. И нельзя делать из сына или дочки комнатную собачку, тряпку. Если мать отпрысков чуть не до старости прямо-таки в зубах носит, самостоятельно вздохнуть им не дает, опекает-заботится, не разрешает самим даже носки-трусы себе приобрести, то это вовсе не любовь, тут клубок других чувств. Думаю, ничего Маргарита не заметит, потому что в ее когтях останется нужная добыча: лже-Потап. Госпожа Персакис вполне ею удовлетворится. Ведь так, Александр Викторович?

— Согласен, — произнес профайлер, с интересом разглядывая новенькую, — хороший психологический портрет.

— Я все поняла, когда анализы ДНК сравнила, — пояснила Эдита. — Дети не имели отношения к тому Потапу, у которого взяли на исследование сперму. Зато они являлись родными тому Потапу, который сдавал кровь в клинике, где его жена стала донором костного мозга для ребенка. Как это могло случиться? Напрашивался лишь один ответ: имеют место быть два Потапа. Понятно объяснила?

— Вполне, — кивнула я. — У меня последний вопрос. Внешность Германа подкорректировали, постоянное присутствие около лже-Потапа Беатрисы помогало ему избежать ошибок в поведении, у Маргариты не возникало сомнений, она пребывает в уверенности, что рядом с ней сын. Но его голос? Неужели она не удивилась, что тот вдруг стал другим?

— Тембр голоса у Германа и Потапа похож, — ответила на мой вопрос Беатриса. — Правда, первый слегка хрипит. Этот и некоторые другие отличительные признаки мы объяснили Маргарите просто: после аварии потребовалась операция на шее, искажение голоса — осложнение после нее.

— Моей бывшей свекрови когда-то удаляли щитовидку, — заметила Аня, — так она долгое время вообще говорить не могла, голос с трудом восстановился, но стал хриплым. Так что я знаю, хрипота после оперативного вмешательства часто возникает. И может остаться навсегда.

Глава 40

Проводив посетителей, я снова села к столу и подвела итог.

— К смерти Мартины ни Потап, ни Беатриса, ни Герман отношения не имеют, наоборот, она нужна была им живая, чтобы затеяла скандал. А после того, как Беатриса улетела бы с детьми к мужу, у лже-Потапа и Маргариты не должно было возникнуть неприятностей — анализ ДНК показал, что сын госпожи Персакис (во всяком случае, тот мужчина, которого мать считает своим сыном, хотя нам теперь известно, что это Герман) не является отцом дочери Столовой, следовательно, алименты ей не светили. Можно представить негодование жадной девицы, но кричи, не кричи, а с результатами исследования не поспоришь.

— А как же запись голоса любовника, которую ушлая красавица сделала в спальне? — напомнила Аня.

Поповой ответила Женя:

— Она могла бы быть доказательством жестокости Потапа по отношению к партнерше, но при чем тут его отцовство? Я тоже считаю, что у Беатрисы, Потапа и Германа не было повода лишать жизни Мартину.

— И кто же тогда ее убил? — спросил Иван, который просидел молча весь разговор.

— Не знаю, — ответила я. — Эдита, как состояние Юферевой?

Дита посмотрела на монитор.

— Сегодня утром ее из реанимации перевели в обычную палату. Значит, Валентине лучше. Однако долго ее в интенсивной терапии держали, несколько дней.

— Для сотрясения мозга это нормально, — возразила Буль, — наверное, гематому удаляли. Согласна, шантажировать бывшего любовника таким материалом трудно. Запись сделана шесть лет назад, все сроки давности небось прошли. И доказать насилие спустя столько времени невозможно. Суд работает только с прямыми доказательствами. Короче, запись — ерунда. Так, штришок к портрету.

— Что там с Юферевой делали, не могу сказать точно, — поморщилась Булочкина, — не клиника, а каменный век. Кое-что есть у них в электронном виде, например переводы из одного отделения в другое, это я вижу, а вот карты пациентов вне моего доступа. Они их до сих пор вручную заполняют, что ли? Анекдот! Пещера с динозаврами, а не больница!

— Для нас это плохо, а для соблюдения врачебной тайны хорошо. Раз Валентине лучше, надо поехать в лечебницу, надеюсь, сможем с ней переговорить, — вздохнула я, вздрогнула от резкого телефонного звонка и схватила трубку.

— Таня, — зашептал мне в ухо слабый женский голос, — приезжайте скорей... умираю... расскажу все...

— Кто вы? — не сообразила я. — Не узнаю ваш номер.

— С чужого мобильника звоню, — продолжался едва слышный лепет, — мой не знаю где... Таня, скорей... пицца отравлена... он туда... Валя Юферева это...

Повисла тишина.

Я быстро набрала определившийся на дисплее незнакомый номер и, едва раздался отклик, представилась:

— Вас беспокоит Татьяна Сергеева, добрый день. Мне только что звонила Валентина Юферева...

— Да, да, — быстро сказал девичий голос, — Юферева находится у нас в больнице на Раскатной. Она свою трубку потеряла, и я дала ей свою. Меня зовут Антонина, я медсестра.

— Как самочувствие больной? — спросила я. И услышала в ответ:

— По телефону сведения о пациентах не сообщаем даже ближайшим родственникам. Если хотите узнать о состоянии здоровья Юферевой, советую поговорить с доктором Софьей Мартыновной Прокофьевой. Она сегодня дежурит. И лучше побыстрей приехать, больная нервничает очень. Она все время бормотала:

«Найдите визитку у меня в кармане джинсов, найдите визитку... мне нужна Татьяна Сергеева...» Я нашла карточку и дала свою трубку пациентке, она только что вам звонила. Ой, доктор идет!

Разговор оборвался.

Я встала.

— Евгения, вы поедете со мной. Александр Викторович, подумайте, как нам лучше выйти из создавшегося щекотливого положения. Мы теперь знаем, кто отец дочери Мартины и мальчиков Беатрисы. Но как сообщить эту информацию Маргарите? И говорить ли ей вообще правду?

— Присваивать себе чужую личность преступление, — пробормотала Люба Буль, — но в нашем случае Герман действовал по просьбе и с согласия Потапа. Имеет место просто обман матери. Нехорошо, конечно, но преступлением это не является.

— Да, некрасиво лгать матери и подсовывать ей вместо себя другого человека, — подхватила Дита, — но проблема тут скорее моральная. Если госпожа Персакис-старшая узнает правду, она ни за что не побежит в полицию с заявлением на Германа. Ведь, обнародовав аферу сына, подорвет свой бизнес. Основной слоган фирмы: «Крепкие специи для крепкой семьи». Вся рекламная компания Персакисов так или иначе эксплуатирует образ надежного брака. Во всех интервью Маргарита Потаповна вещает о правильном воспитании детей, рассказывает, какие прекрасные у нее сын, невестка, внуки, сообщает: «Наши соусы и приправы определенно приносят человеку счастье». Бизнесвумен сумела внушить потребителям, что ее продукция волшебным образом цементирует брак. Боясь разрушить свой имидж и уронить прибыли, мадам Персакис готова даже воспитывать детей, которых ее невестка родила от любовника. Ее не беспокоит факт адюльтера, она переживает, как бы скандала не вышло. Только по этой причине она к нам и пришла. А теперь скажите, такая женщина поднимет шум, если узнает, что Потап подсунул ей свою копию для того, чтобы удрать вместе с женой и сыновьями куда подальше от авторитарной мамаши?

— Нет, конечно, — ответил на почти риторический вопрос Ватагин. — Полагаю, она промолчит, даже если выяснит, что около нее Герман, а не родной сын, не говоря уж о том, что невестка из дома ушла. Скорее всего, Маргарита Потаповна придумает такую версию: мальчики отправлены вместе с матерью за рубеж, в Америку, чтобы они хорошо выучили английский, а потом ее внуки там же в школу поступят, в колледж. Дети маленькие, об их обучении за границей можно еще лет двадцать говорить. А Германа она будет спокойно называть сыном.

— Потом к ней прикатят жить из провинции родственники, — засмеялась Женя, — скажем, племянница с мужем и с детьми. На самом деле таковой нет, но Маргарита ее, так сказать, придумает. И фирма Персакисов получит наследников.

— Разобьется ли ваше сердце, если я уеду на Восток? — вдруг спросил Ватагин.

— Зачем? — заморгала Эдита. — Вы правда собрались нас покинуть?

— Процитировал сейчас роман «Сага о Форсайтах» Джона Голсуорси, — пояснил Александр Викторович. — Думаю, сердце Маргариты Потаповны не разобьется, если она узнает правду. Но неприятные эмоции она определенно испытает. Езжай, Танюша, к Юферевой. Мы тут без тебя о ситуации подумаем.

— Надеюсь, не застрянем в пробках, — вздохнула я, — а то не люблю со спецсигналом мчаться, народ пугать.

— Попрошу ангела дороги расчистить тебе путь, — улыбнулась Люба.

Похоже, Буль действительно удалось договориться с тем, кто покровительствует путешественникам, до места мы с Женей добрались всего за пятнадцать минут.

— Правда, что вы родная жена Ивана Никифоровича? — неожиданно спросила меня новая сотрудница, когда я припарковала джип у медцентра.

Улыбнувшись, я открыла дверь и выпрыгнула из внедорожника.

— И да, и нет.

Евгения притихла. Следующий вопрос она задала, когда мы шли по коридору к кабинету врача Прокофьевой:

— Что значит: и да, и нет?

Я остановилась у двери кабинета и постучала.

— Да, мы в законном браке. Нет, я не родная жена. Жена не может быть родной, она не родственница, у нее с мужем нет общей крови.

— Войдите! — крикнули из кабинета.

Мы вошли в комнату, и я увидела за письменным столом стройную женщину в голубой хирургической пижаме. Она прищурилась.

— Присаживайтесь. В чем проблема?

Я вынула из сумочки рабочее удостоверение и раскрыла его.

— Добрый день. Меня зовут Татьяна Сергеева, со мной Евгения Морозко. Нам нужно поговорить с Валентиной Юферевой. Как ее самочувствие?

Доктор Прокофьева взяла со стола очки и аккуратно посадила их на нос.

— Вы не родственники. Сведения о больных являются врачебной тайной. Принесите бумагу от прокурора, тогда и поговорим. Я не принадлежу к породе медиков, которые приходят на телешоу и на весь мир рассказывают, кому какие пластические операции делали.

Я встала.

— Спасибо. Ваша позиция понятна. Мы пойдем к Юферевой. Она нам звонила, просила о помощи. В этом случае вы не имеете права перекрыть нам доступ в палату.

Софья Мартыновна сняла очки.

— Я не собиралась ничего перекрывать. Если пациентка Юферева разрешит сообщить вам правду о своем состоянии, я это сделаю. Она лежит в седьмой палате.

— Спасибо, — снова поблагодарила я, и мы с Женей снова очутились в коридоре.

— Вот коза! — сердито воскликнула Евгения. — Все доктора говорят, что с пациентом, а эта...

— Всем докторам надо брать с Прокофьевой пример, — остановила я девушку, — а то люди в белых халатах как-то уж слишком часто стали забывать о медицинской тайне. Надеюсь, Валентина в нормальном состоянии и мы сможем поговорить с ней.

Женя постучала в створку с номером семь и, не услышав никакого отклика, толкнула дверь.

Я увидела крохотное помещение, в котором едва уместились кровать и тумбочка. На постели дыбилось скомканное одеяло, подушка валялась на полу. Пациентка отсутствовала.

— Пусто! — удивилась Женя. — Ее куда-то увезли?

Я окинула взглядом палату, потом наклонилась, заглянула под койку и сказала:

— Валя, мы играем в прятки?

— Нет. Я испугалась, когда стук услышала, — всхлипнула Юферева. — Подумала... вдруг это он...

— Кто? — спросила я.

— Меня хотели убить, — прошептала подруга Мартины.

— Вылезайте, — попросила я, — в нашем присутствии ничего плохого не случится. И объясните — зачем кому-то покушаться на вашу жизнь?

Валентина, кряхтя, выбралась наружу.

— Я знаю правду.

— Какую? — поинтересовалась Женя.

— Правдивую, — всхлипнула Юферева. — Спрячьте меня. В американских кино показывают, как особо ценным свидетелям паспорта, адрес и внешность меняют.

Я бесцеремонно села на кровать.

— А вы особо ценный свидетель?

— Да! — с жаром подтвердила Валентина.

Евгения прислонилась к стене.

— Если вы увлекаетесь продукцией Голливуда, то должны знать, что под защиту человека берут лишь в том случае, когда он дал показания следователю и готов подтвердить их на суде. Ждем вашего рассказа, — продолжила я.

Валентина залезла на койку, оперлась спиной о подушку, подтянула колени к подбородку и заныла:

— Если узнаете все-все, не захотите мне помочь. Я обманула вас, Таня, и мне очень стыдно теперь. Но... Вы же видели мою квартиру? Там кошке и то жить тесно. Из-за такого тесного жилья я не могу семью построить.

Я решила ускорить процесс раскаяния.

— Вы не продавали свою маломерку и жилье в наследство не получали. Кто-то подарил вам апартаменты с мебелью и ремонтом. Кто? По какой причине?

Юферева закрыла лицо ладонями.

— Мне очень стыдно. И страшно! Пицца!

— Пицца? — повторила я.

И тут Валентина затараторила, информация полилась из нее, словно кран сорвало. Она говорила быстро, проглатывая окончания слов, пересыпая речь жалобами на бедность и одиночество. Но вычленить суть мне все-таки удалось.

...Юферева уже год заказывает лепешки в одной харчевне, и ей их доставляют на дом очень симпатичные высокие парни. Иногда появляются новые разносчики, но они всегда на три головы выше Вали. А тут вдруг приехал коротышка с бородой и усами, сунул Юферевой коробку в руки, не поздоровался, не улыбнулся, ни слова не сказал, очки от солнца не снял и сразу ушел. Юферева слегка удивилась. Обычно-то молодые люди ведут себя иначе — приветливо улыбаются, перебрасываются с заказчицей парой фраз. А этот оказался просто дундук. Да еще чуть выше табуретки. Может, кому и нравятся мужики карманного формата, но Валечка к числу этих людей не принадлежит.

Удивление ее было недолгим. Она заварила чай, слопала всю пиццу и решила оттащить на помойку мешки с мусором. Их собралось аж три штуки, так как при подготовке к переезду обнаружилась масса барахла, от которого не жалко было избавиться. Сколько времени ушло на все это? Ну, может, минут двадцать.

Когда Валя вернулась в квартиру, ей позвонил кто-то с очень хриплым голосом, не понять даже, женщина это или мужчина.

— Госпожа Юферева, я комендант вашего дома. Соседи сообщили, что из ваших апартаментов на них вода с потолка льется. Приезжайте скорей, пока весь стояк не залило.

Валентина перепугалась и бросилась к машине. Права она получила недавно, ездит медленно и очень аккуратно, плетется, как правило, в крайнем правом ряду за автобусами. Но перспектива отдать крупную сумму соседям за испорченное жилье придала ей смелости, и малоопытная водительница нажала на газ, впервые понеслась по шоссе на большой скорости. Последнее, что осталось в ее памяти: руки падают с руля, вернуть их на баранку нет сил...

Очнулась Юферева в больнице под капельницей. Тогда и узнала, что случилась авария, машина разбита, к тому же сгорела, а у нее сотрясение мозга. Хотя угрозы для жизни нет.

— Похоже, вы заснули за рулем, — сказала ей врач. — Когда выпишитесь, поставьте свечку в церкви, поблагодарите Бога, что спас вас от неминуемой гибели.

У Вали сильно кружилась голова, ей было плохо, но она взмолилась:

— Доктор, мне позвонил комендант дома, сказал, что в моей квартире потоп, вот я и помчалась туда. Но не доехала. Вода там, наверное, все еще льет, значит, придется отдать огромные деньги за ремонт соседям. Я в ужасе. Что делать?

Софья Мартыновна оказалась сострадательным человеком, пожалела Юфереву.

— Если дадите ключи моему сыну, он съездит в вашу квартиру и перекроет воду. Антон студент-медик, он сейчас в отделении. Он очень ответственный человек.

— Связка в кармане джинсов. Только где моя одежда, я не знаю, — прошептала Валя и... заснула.

На следующий день Прокофьева заглянула к ней в реанимацию и рассказала:

— В ваших апартаментах полный порядок, никаких протечек не было. Сын хотел спросить коменданта, который вам звонил, почему он вам сообщил о несуществующем потопе. Но того на месте не оказалось.

Тогда Антон отправился в администрацию и сказал начальнице: «Из-за звонка мужчины, который представился комендантом, госпожа Юферева попала в аварию. Почему ваши сотрудники позволяют себе столь глупые шутки?» А дама ответила: «Наш комендант не мужчина, а женщина, и позавчера она ушла в отпуск. Над жиличкой кто-то посмеялся. Или у нее после аварии в голове все перепуталось».

Валентина, услышав все это, пришла в изумление, поскольку прекрасно помнила, что человек, сообщивший о потопе, назвался комендантом.

Но эта странность не единственная. Сегодня утром, когда Юфереву перевели в обычную палату, Софья Мартыновна явилась к ней с сообщением, что готовы ее анализы. И из них ясно: Валентина приняла дозу снотворного, которое начинает действовать не сразу, причем не нагоняет сонливость постепенно, а «отключает» человека мгновенно, как наркоз.

— Лучше расскажите правду, — уговаривала больную Прокофьева. — Вы решили покончить жизнь самоубийством? Уж не знаю, где раздобыли препарат, который отпускается строго по рецептам, но вы явно не имели понятия, каковы особенности действия медикамента, и ждали, что начнете медленно засыпать. А потом решили, что таблетки не подействовали, сели в машину, выехали на дорогу... вот тут-то лекарство вас догнало и мгновенно вырубило.

Валентина попыталась разубедить доктора, говорила, что буквально на днях стала владелицей прекрасной двухэтажной квартиры, куда вот-вот переедет, у нее нет причин уходить из жизни. Но Софья Мартыновна не поверила, сказала, что пришлет к ней психолога.

Когда Прокофьева ушла, Валя начала размышлять о том, что услышала от врача. И вдруг пришло озарение — ее решили отравить! Вместо разносчика пиццы приходил убийца! Пиццу он начинил снотворным! И звонок с сообщением о потопе был не от коменданта, а от человека, который знал, что Валентина поедет в таунхаус, причем будет спешить, и где-то по дороге на скорости снотворное ее свалит.

Собрав в кулак всю свою волю, Валя попросила медсестру принести со склада свою одежду. И когда нашла мою визитку, в нашем офисе раздался звонок...

Валентина умолкла. Потом добавила:

— Все!

— Отлично, — кивнула я. — А теперь подробно изложите, кто и по какой причине хотел лишить вас жизни.

Валя молчала.

Я решила подъехать к ней с другой стороны.

— Что вы мне наврали во время нашей беседы?

— Все, — всхлипнула Валя. — Про Мартину. То есть не все, но... все. Вот!

— Мы не можем вам помочь и защитить от убийцы, если не узнаем правду, — вкрадчиво вставила реплику Женя.

Юферева прижала кулачки к груди.

— Да? Ладно, сейчас. Начинаю.

Я подвинулась на кровати, кивнув своей спутнице:

— Евгения, садитесь.

Глава 41

Некоторое время назад к Вале приехал мужчина. Некрасивый, невысокого роста, щуплый. Ей такие совсем не нравятся. Но он сделал предложение, от которого у нее захватило дух, — ей подарят роскошные апартаменты. А чтобы стать обладательницей шикарной квартиры, нужно сделать, в общем-то, сущую ерунду — выучить рассказ, текст которого ей дадут, и потом сообщить его тому, на кого укажут.

— Квартиру вперед, — потребовала Валя. — А то вдруг меня обманете.

— Хорошо, — согласился мужчина. — Но ты ведь тоже можешь меня надуть. Поэтому напишешь завещание на мое имя. Что, если тебя автобус собьет до того, как ты все выполнишь?

— И вы пошли на это? — не удержалась от вопроса Евгения.

Я строго посмотрела на практикантку, та смутилась.

— Ага, — призналась Юферева. — Ну очень хотела хорошую жилплощадь! Если у тебя шикарная квартира, то мужа найти легко.

Я пропустила глупые слова про супруга, который как мотылек на огонек прилетит к окнам ее новых апартаментов. Нужно посоветовать Валентине поставить на подоконник сковородку с котлетами и бутылку пива, вот тогда кандидаты в супруги начнут роем виться вокруг глупышки. Ну почему некоторые женщины считают мужчин животными, которым надо только мягко спать, вкусно есть и заниматься сексом? Может, поэтому эти особы и не могут найти себе спутника жизни?

Юферева тем временем продолжала каяться.

...Во время беседы со мной она лишь частично сказала правду.

Валя и Мартина на самом деле учились в одном классе, но потом их пути разошлись. Женщины случайно встретились в салоне — Столова села к Юферевой делать маникюр. Марта узнала Валю, и у них сложились отношения по принципу «клиент — мастер». Сначала Столова звонила Юферевой на мобильный, а та записывала бывшую однокашницу на удобное ей время. Потом они стали общаться теснее, и вскоре Валя поняла, что Мартина за деньги готова на все и постоянно находится в поиске, где бы нарыть бабок. Она умела ловко подделываться под человека, от которого ожидала профит. Однажды Валя стала свидетельницей того, как ее подруга, разговаривая с кем-то по телефону, сладострастно врала:

— Здоровое питание это для меня все!

Перестав воспевать полезность овсянки на воде без сахара и соли, Марта бросила трубку на стол и впилась зубами в бургер из сетевой харчевни. Валя засмеялась.

— Нельзя назвать наш обед диетическим.

Столова выругалась.

— Это тетка моя звонила. Гадина богатая! Муж миллионы гребет, дочки за границей, обе замужем, деньжищ — лом. А мне, своей единственной племяннице, ни копейки дать не хочет. Знаешь, как я старалась?

И Марта рассказала, что изображала перед тетей поборницу здорового питания и правильного образа жизни, постоянно говорила, как заботится о телесном и душевном состоянии, и в конце концов договорилась до того, что соврала, будто Анфису родила от донора. Мол, пошла на такой шаг потому, что ей сказали: отсутствие беременности может вызвать массу недугов.

— Ну это ты перегнула палку, — хихикнула Валентина на откровенность подруги. — Надо было честно сказать: «Я влюбилась, Анфиса плод страсти».

Мартина замахала руками.

— Не неси чушь! Я надеюсь, что тетка мне, такой хорошей и правильной, все-таки начнет деньжат подкидывать. Ее-то дочки ни в чем не нуждаются, по горло в шоколаде. Она все время хвастается, какие зятья у нее обеспеченные. Но я поняла: родные дети не очень мамашу видеть хотят, в свою заграницу ее не зовут, типа издалека любят. Зато я, такая замечательная, тут рядом. И я вовсе не похожа на мою мать, шлюху и пьяницу, шваль подзаборную. Я же не родила армию детей не пойми от кого. Я вообще с мужчиной без штампа в паспорте в постель не лягу, ни-ни. Просто о своем здоровье думаю, вот и обзавелась Анфисой.

— В это мало кто поверит, — развеселилась Валя.

А Мартина разозлилась.

— Как же мне тогда наличие девчонки было объяснить? Если я с мужиком сплю, то, по мнению Галины, это разврат. Я такая же, как маманька моя... Да только все равно эта старая карга пока не хочет раскошеливаться. Память у нее, как у слона-шизофреника! Представляешь, недавно заявила мне: «Уж больно ты хорошая стала, все для здоровья делаешь, прямо шоколадный торт со взбитыми сливками. Раньше-то иначе себя вела. Помнишь, как еще в школе в учителя физики влюбилась и к его жене домой заявилась, скандал затеяла — денег требовала за то, что больше не появишься? Маленькая была, а стерва. Или как у старшего брата Володи бабок выпросила — руку себе порезала с воплем: «Дай денег на пальто»? Это ты уже повзрослела, но стервой осталась. И сейчас я в твое исправление не верю, генетика у тебя Ленкина и того мужика, которого моя сестрица с улицы привела. А кто к шлюхам ходит? Уж не образцы добропорядочности». Я ей попыталась объяснить, что у меня тяжелое детство за спиной, голодное-холодное. «Согласна, все, что ты, тетя Галя, сейчас вспоминаешь, имело место, не спорю. Но я же школьницей была, теперь-то поняла свои ошибки!» А она в ответ: «Да, мы давно не общались, отношения недавно возобновили, но я хорошо знаю тебя: ты, Марта, всегда хотела денег, денег и только денег».

Валентина прервала рассказ, посмотрела на меня.

— Короче, раскусила Галина племянницу, хоть та и изображала из себя со всех сторон поумневшую да правильную, ни копейки Марте не обломилось. А я, в отличие от Столовой, не вру. Когда мужчина предложил мне написанную им роль выучить и вам рассказать про Мартину то, что он велел, я согласилась и выполнила договор. Мне квартиру предложили — я честно ее отработала. И можете обо мне что угодно думать.

— Вы очень убедительно сыграли свою роль, — отметила я. — Но кое-что придумали от себя, например, что Анфиса болела ветрянкой.

— Ну да, — пробормотала Юферева, — вдохновение напало.

Женя кашлянула и взглянула на меня, я кивнула.

— Есть вопрос, — заговорила Морозко. — Почему вы сейчас нам правду изложили?

— Так очень хотела квартиру получить, ради нее на все была готова, — повторила Юферева. — Но когда сообразила, что мужик собирался меня убить, вот тут ум на место и вернулся. Я же завещание написала — если меня не станет, жилье отойдет ему.

Валентина натянула на себя одеяло.

— Спрячете меня от этого человека? Да?

— Осталось лишь узнать его имя, — ответила я.

— Илья Каравайкин, — всхлипнула Юферева.

— Адвокат? — уточнила я.

— Вы его знаете? — изумилась Валентина. — Да. Мне кажется, что он сам мне пиццу и притащил. Рост совпадает, а еще пахло от доставщика похожим одеколоном, резким, со специями. Именно так от Каравайкина несло, когда мы с ним про квартиру договаривались. Лица разносчика я не разглядела, но чем больше думаю, тем яснее понимаю: точно, это Каравайкин приходил.

— Вы разрешите врачу рассказать нам о состоянии вашего здоровья? — спросила я.

— Зачем? — напряглась Юферева.

— Чтобы знать, поставить у палаты охрану или перевезти вас в безопасное место, — ответила я.

— Да, да, — закивала Валя, — пусть про меня все скажет.

— Женя, посиди пока здесь, — попросила я и отправилась к Прокофьевой.

Софья Мартыновна оказалась недоверчивой. Она сначала сбегала в палату к пациентке, услышала от нее: «Пожалуйста, сообщите Тане, что со мной случилось», и только потом объяснила:

— Сейчас состояние Юферевой стабильно, завтра-послезавтра ее можно отпустить домой. Лекарство, следы которого были обнаружены в ее крови, «Шлафенгут»[1], отпускается только по рецепту, хотя порой у аптекарей можно что угодно выпросить. Однако пациентка уверяет, что даже не слышала про этот препарат, не знает, как он у нее в крови оказался. Но...

Софья Мартыновна, оборвав себя на полуслове, замолчала.

— Но — что? — повторила я. — У вас есть какие-то сомнения?

— Мои размышлизмы вам неинтересны, — отрезала врач.

Я улыбнулась.

---

[1] Лекарства «Шлафенгут» не существует. Из этических соображений автор не дает названия популярного препарата от бессонницы.

— Наоборот, очень хочется узнать, что профессионал думает по этому поводу.

Прокофьева слегка смягчилась.

— Юферева далеко не старая женщина, да только молодость ее уже не первой свежести. В таком возрасте у большинства ее сверстниц уже есть муж, дети. А Валентина одинока. Наша медсестра хотела позвонить ее родственникам, но больная сказала: «У меня никого нет».

Прокофьева замолчала.

— Вы предполагаете суицид? — поторопила ее я.

Софья Мартыновна надела очки.

— Не имею права делать выводы без какой-либо доказательной базы. К нам иногда привозят молодых людей, которые, решив свести счеты с жизнью, наелись всяких лекарств. Наглотались таблеток, легли на кровать... а препараты-то не сразу начинают действовать, должно пройти время. Самоубийца продолжает размышлять о жизни, о смерти... И когда начинает дремать, вдруг понимает, что не хочет умирать. По статистике, семьдесят процентов тех, кто проглотил пилюли с желанием отправиться на тот свет, после того как их откачают в реанимации, называют себя идиотами. Говорят, что приняли страшное решение под влиянием минуты, поступили как дети. Мать в кино не пустила? Назло ей отравлюсь, то-то она поплачет... Большинство самоубийц можно остановить до того, как они выпрыгнут из окна или полезут в петлю, с ними надо просто поговорить. А некоторые пугаются, наевшись лекарств, и сами звонят в «Скорую». Сказать доктору правду о попытке уйти из жизни они боятся и выдумывают черт-те что. А в случае Юферевой я могла бы заподозрить манипуляцию...

— Что? — не поняла я.

Софья приподняла брови.

— Есть люди, которые, чтобы добиться чего-то от близкого человека, занимаются некрасивыми вещами, я их называю манипуляциями. Допустим, муж изменил жене. Последняя не хочет отдавать супруга сопернице, глотает снотворное, вызывает «Скорую» и оказывается у нас. Доза лекарства минимальная, о настоящем суициде «актриса» и не думала, но мужчины, как правило, пугаются. А я не могу уличить кривляк во лжи. Таблетки-то дамочка выпила, записку оставила, в попытке самоубийства доктору призналась. А то, что с количеством препарата просчиталась, ну так не токсиколог же она, думала, что и две таблетки ее в рай унесут. Подобные дамы, едва очутившись у нас, истерично кричат: «Позвоните скорей мужу! Немедленно!» А у Валентины мужа нет. Так что навряд ли Юферева пример манипуляторства, скорее просто вовремя опомнившаяся дурочка, которая сейчас привирает, что и не слышала про эти таблетки... У вас телефон звонит.

— Простите меня, я не отключила звук, — извинилась я.

— Отвечайте, мне больше нечего вам сказать, — кивнула Софья Мартыновна.

— Слушаю тебя, Эдита, — я приняла звонок.

— Нам принесли анонимное письмо, — отрапортовала Булочкина, — я отправила тебе фото.

— Спасибо, — поблагодарила я. И снова обратилась к Прокофьевой: — Можете еще что-то рассказать?

На стене кабинета вспыхнула красная лампа, врач вскочила.

— Все, бегу в реанимацию! Уходите, нет времени на болтовню...

Глава 42

— Кто прислал письмо? — спросила я, входя в кабинет Эдиты. — Можешь отследить адрес?

Булочкина отложила пряник, который держала в руке.

— Не-а.

— Почему? — удивилась я. — Обычно тебе не составляет труда выполнить столь простое задание.

— Так не электронный вариант, — уточнила компьютерщица, — просто листок в конверте. Текст короткий, но ясный: «Адвокат Илья Каравайкин убил Владимира, Ксению, Мартину Столовых. Утечка газа в деревне подстроена. Юрист обманом заставил Мартину выпить яд. Каравайкин защищал Егора Столова, поднимите дело Полины Мотыльковой. Валентину Юфереву наняли оболгать Егора, чтобы вы подумали, будто именно он отравил Марту. У Каравайкина давняя связь с Лесей. Адвокат ее соблазнил, она богатая наследница, он хочет заграбастать ее фирму, деньги, недвижимость. Леся ни при чем, она ему верит. Они только что поженились. Следующей Каравайкин убьет Лесю».

Эдита схватила пряник, откусила от него и дальше продолжала с набитым ртом:

— Я проверила информацию про брак. Это правда.

— Так... — протянула я. — И почему мне ничего о свадьбе неизвестно? Ты рассказала биографию девушки, но ни словом не обмолвилась, чья она жена. Неужели в твоем Интернете нет сообщения о бракосочетании?

— В моем Интернете много всякого, — обиженно ответила Дита, — но там нет и не может быть того, что еще не произошло. В загсе побывали и печати в паспорте Каравайкин и Леся получили в тот день, когда ты у них была. А я получила инфу о девочке и доложила ее тебе до этого момента, более о Лесе запросов не делала, ты не просила.

В моей голове ожило воспоминание. Я сижу в квартире Леси. Каравайкин объясняет, что он опекун девочки, поэтому обязан присутствовать при ее разговоре со мной. Я улыбаюсь: «Леся уже взрослая». — «Закон есть закон, — сурово отвечает адвокат. — Да, Олесе вот-вот стукнет восемнадцать. Но пока она несовершеннолетняя». Девушка отвечает на мои вопросы, потом приносят платье, и она бежит его мерить, причем выглядит невероятно счастливой. Илья, глядя ей вслед, по-отечески улыбается и говорит: «Девочки такие девочки. Лесю позвали на свадьбу подружкой невесты». Олеся очень радовалась, что ей сделают прическу, макияж...

— Платье! — воскликнула я.

— Ты о чем? — удивилась Дита.

— Илья обронил, что ему не показали наряд, который положен подружке невесты, — ответила я, — а когда адвокат, провожая меня, решил заглянуть в комнату, где у Леси шла примерка, она закричала: «Не смотри!» А еще в прихожей стояли белые туфли, очень красивые, украшенные то ли стразами, то ли жемчугом, сейчас уже не помню, и лежала сумочка в пару к ним.

Булочкина кивнула.

— Считается, что жениху нельзя до свадьбы видеть подвенечный наряд невесты. Но я никогда не слышала, что запрет распространяется на прикид ее подружки.

Я разозлилась еще сильней.

— Вот-вот! Олеся собиралась замуж. Про то, что ее пригласили стать подружкой невесты, адвокат соврал. Ох, мне следовало раньше сообразить: меня водят за нос!

— Зачем скрывать, что идешь расписываться? — удивилась Эдита.

— Повторяю слова адвоката, — нахмурилась я. — «Закон есть закон». На момент подачи заявления Столова была несовершеннолетней. А Каравайкину... Хм, не знаю, сколько ему.

— Сорок два года, — подсказала Булочкина. — Однако нефиговая разница в возрасте.

— И он опекун девочки! — вскипела я. — Некрасивая история. Небось дал тетке в загсе пухлый конвертик, объяснил, что невесте на время росписи до совершеннолетия остается пара деньков, вот и приняли у них заявление.

— Леся поменяла фамилию, теперь она Каравайкина, — заметила, глядя на экран, Дита. — Может, в присланном письме правда? Насчет совращения девочки в юном возрасте. Хотя... Вдруг у них настоящая любовь? Джульетте исполнилось тринадцать, и никто не осуждал Ромео за развратные действия.

— Ему стукнуло шестнадцать, а не сорок с гаком, — буркнула я.

— Когда Леся отметила тринадцатилетие, Илье было тридцать семь, — зачем-то уточнила Эдита.

Я сделала глубокий вдох.

— По-твоему, сей факт является оправданием для педофила?

— Ну... просто хочу сказать, что у них могло вспыхнуть светлое чувство, — пробормотала Булочкина. — Они нежно относились друг к другу, а как только появилась возможность, зарегистрировали брак.

— Вероятно, в письме правда. И это не отменяет совращения, — пробормотала я. — Ты изучила камеры нашей охраны? Кто принес послание?

Эдита показала на два рядом стоящих компьютера — на одном застыла фотография, а на втором что-то мелькало.

— Парень, лицо которого рассмотреть невозможно, — вздохнула я. — Ожидаемая ситуация. Включи запись.

Эдита нажала пальцем на клавишу, снимок ожил. Я увидела центральный вестибюль офиса и множество снующего туда-сюда народа. Из толпы вышел мужчина, одетый в черные джинсы и такого же цвета толстовку с капюшоном. Он приблизился к ресепшен, положил на стойку конверт и, не говоря ни слова, покинул здание.

— Мда... — вздохнула я.

— Письмо в лаборатории, — пояснила Дита. — На конверте всего три слова — «Татьяне Сергеевой лично», написанных с помощью трафарета. Его наложили на бумагу и обвели буквы ручкой. О почерке ничего в таком случае нельзя сказать. Но смотри...

Эдита подвигала «мышкой». Изображение замерло, я опять увидела парня, который направлялся к стойке дежурного. Дита нажимала на клавиши, одновременно говоря:

— Если сравнить рост его и остальных мужчин в холле, то становится понятно... ага, наш доставщик значительно ниже их. И еще... Вон там находится банкомат, видишь? Теперь сравним его высоту с ростом курьера... Что ж, могу с большой долей уверенности сказать: в таинственном незнакомце метр шестьдесят пять, ну, может, шесть.

— Отлично... — протянула я.

— Едем дальше, — быстрее заговорила Эдита. — Внимание на экран! Делаю стоп-кадр момента, когда конверт кладется на стойку... Что бросается в глаза?

— Рука у него без перчатки, — пробормотала я. — Либо посыльный о них забыл, либо знает, что его отпечатков нигде в базах нет, либо это совершенно посторонний человек, которому дали денег и велели доставить конверт. Постой... Форма кисти, пальцев явно женские!

— Я думала, ты об этом догадаешься, когда про рост услышишь, — протянула Булочкина.

— Встречаются невысокие мужчины, — поджала я губы. — Тот же Каравайкин, например. В нем не более метра семидесяти и...

Эдита уставилась на меня. Я замерла. Потом закончила фразу:

— И он субтильный, со спины легко сойдет за подростка.

— Тинейджеры такие лоси бывают, — возразила Эдита, — в тринадцать лет под два метра ростом.

— Наклеить бороду и усы легко, — продолжила я. — И запах!

— Запах? — повторила Эдита.

— Только сейчас я поняла, что меня насторожило, когда я столкнулась с разносчиком. Его одеколон! Эксклюзивный аромат: корица, ваниль и цитрусовые. Явно не массовое производство. У меня же нос — как у охотничьей собаки. Если выпрут из бригады, подамся в Шереметьево в наркоконтроль, стану чемоданы на предмет запрещенных препаратов обнюхивать. Любой псине фору дам! Легко узнаю запахи. Наш Ватагин пользуется туалетной водой «Моро», у тебя шампунь и мыло фирмы «Флер д'оранж».

— Ну и ну! — восхитилась Дита.

— Все массовые марки вычисляю, — похвасталась я. — Но одеколон разносчика второй раз в жизни унюхала. А в первый почуяла его в квартире Леси, когда с ней и Ильей беседовала. Каравайкин тогда сказал, что парфюм ему подопечная подарила. И Валентина Юферева то же самое говорила: мол, от адвоката несло специями, когда он с ней о квартире договаривался, потому она полагает, что пиццу ей принес именно он.

— Ты тоже считаешь, что это Каравайкин переоделся доставщиком? — прищурилась Дита.

— Бороду с усами наклеил, кепку на нос опустил, а про одеколон и не подумал, воспользовался им, — кивнула я.

— Странно, что он притаранил еду в тот момент, когда ты у Валентины находилась, — заметила Эдита.

— Адвокат же не знал, что я после встречи с ним и Лесей поеду к Юферевой, — возразила я. — И кто мог знать, когда Валя пиццу затребует? Думаю, Каравайкин попросил того, кто заказы по телефону принимает, сообщить ему о получении заказа от Юферевой, а сам в машине сидел. Интересно только, как он узнал, что его помощница в афере является постоянной клиенткой этой фирмы? Отправлю Аню в кафе, пусть найдет настоящего доставщика и потрясет его.

— Валентине во время беседы с адвокатом могли заказ из ресторана притащить, она сказала: «Я каждый день пиццу ем». Но письмо приносил не Каравайкин, — вернулась к прежней теме Эдита. — Понятно, что лапка женская.

Я опять принялась изучать застывшее на экране изображение.

— Самый модный маникюр — френч наоборот: не кончик ногтя с белой полоской, а лунка, — позавидовала Эдита. — Недавняя фенька. Может, попробовать найти мастерицу, сделавшую этот маникюр? Есть сайт, где женщины, занимающиеся ногтевым дизайном, толкутся, надо оставить там снимок и спросить, чья работа. Возможно, кто-то и подскажет.

— Ничего не надо, — протянула я.

— Почему? — удивилась Эдита. — Вероятно, незнакомка чья-то постоянная клиентка...

— Царапину на тыльной стороне кисти видишь? —
остановила я Булочкину.

— Конечно. Очень приметная — глубокая, длин-
ная. Но по ней модную красотку не вычислишь, — ответила Эдя. — Интересно, где она так поранилась?

— Задела рукой стеклянный столик, у которого
был отбит край, — объяснила я. — Это Леся Столова.
Вернее, теперь Каравайкина. Она при мне поранилась. И я узнаю ее маникюр.

Глава 43

— Я влюбилась в него! — воскликнула Леся, ло-
мая пальцы. — Родители у меня были... э... эконом-
ные очень. Деньги тратить не любили. Я знала, что
ничего мне не купят, и не просила. Но очень хотелось и платье новое, и конфет, и в кино пойти. А дядя
Илья лучший папин друг, всегда мне подарки приносил. Один раз сказал маме: «Ксюша, у меня клиент
в Пицунде, улечу туда на пару недель. Отпусти со
мной Леську, она моря никогда не видела. Денег ни
копейки не надо, будем жить у подзащитного дома на
всем готовом. Я в суд утром уйду, а девочка пойдет
на пляж». Мама обрадовалась. Она всегда в эйфорию
впадала, если задаром что-то получала. Вот тогда все
и случилось впервые... Я без Илюши жить не могла!
Но потом...

Олеся заплакала и продолжала сквозь слезы:

— Несколько лет мы тайком встречались. И я
почему-то дядю Илью меньше любить стала. Он иногда грубым может быть. К тому же все время о деньгах
говорит, очень их любит. Потом родители газом отравились, и я стала их наследницей. Дядя Илюша, когда

моим опекуном был назначен, сказал мне: «Скоро мы поженимся и уедем из России. Ты мне семь детей родишь! Деньги у нас есть и будут всегда. Фирма доход приносит».

Леся вытерла лицо руками.

— Я ему ответила, что пока не готова в брак вступить, еще очень молодая. И что о детях не думаю. И тут лицо у Каравайкина стало... нечеловеческое. Он меня схватил, сжал так крепко, что я дышать не могла, по щеке ударил и прошипел: «Ты маленькая ...» В общем, плохими словами меня обозвал. Повторять их не хочу, буду говорить «тра-ля-ля» вместо гадостей. Ладно?

...Дядя Илюша начал материться, побил меня сильно. Его прямо трясло от злости.

— Ах ты неблагодарная тра-ля-ля! — орал Каравайкин. — Я, именно я, тра-ля-ля, все сделал, чтобы мы жили счастливо вместе, деньги получили. Думаешь, Владимир с Ксенией случайно отравились? Это же я вечером, когда твои скупердяи захрапели, тайно шланг заменил и дырку в нем проволокой провертел. А ты, тра-ля-ля, наследство захапала, мне «спасибо» не сказала. Егора по-хорошему убрать тоже следовало, и я ему объяснил: «Представляю интересы Леси, опекуном ее являюсь, и если ты разинешь пасть на ее законные деньги, мигом в прессу солью историю с Полиной Мотыльковой. Тебя тогда из института выгонят и ни в один другой вуз никогда не возьмут». Леська, тра-ля-ля, кто тебя единственной наследницей сделал? Я бы и бабку твою убил, но не успел, Елена сама на тот свет убралась, еще до Вовки. Очень мне не нравилось, что ты к ней да к брату-наркоману ходишь, жратву им таскаешь, и я решил непутевую бабу к работе пристроить. Нашел ей место в одном доме — полы мыть. Она туда поехала, шваброй по плитке повозила, водку из буфета сперла. Дома ее выкушала, и тю-тю. Мне потом хозяйка позвонила, сказала, что моя протеже оказалась с липкими лапами. К ним, мол, очень дорогое спиртное приклеилось, которое ее мужу на день рождения преподнесли. Я дамочке объяснил, что она благодарить должна вороватую прислугу. Сказал, что фальшак в подарок ее мужу подсунули. Или, того хуже, отравить его хотели. Потому что Елена водкой угостилась и на постоянное жительство на тот свет уехала. И после всего, что я для тебя, тра-ля-ля, сделал, ты, тра-ля-ля...

Леся стиснула кулачки и прижала их к груди.

— Я так перепугалась тогда! Он такой страшный стал... ужасный... Бежать от него хотела, но куда?

Девушка замолчала.

— И вы согласились выйти за опекуна замуж? — спросила я.

Олеся кивнула.

— В день, когда я пришла к вам, вы казались мне счастливой, — продолжала я.

Олеся съежилась.

— Я очень старалась выглядеть радостной невестой. Илья велел никому про бракосочетание не рассказывать, поэтому и наврал вам, что я буду подружкой на чужой свадьбе. У нас уже билеты на самолет были куплены. На Кипр. Он туда все деньги перевел, дом там купил, сказал: «Фирмой управляющий рулить станет, проверять его можно по Интернету. А мы будем счастливо на острове в Средиземном море жить, ты мне детей родишь».

— Почему же вы остались? — удивилась я. — Кстати, когда я сидела у вас, Каравайкин рассказывал о поездке на Валаам. Теперь я понимаю, что адвокат солгал о путешествии. Равно как и о своей воцерковленности.

— Да он вообще ни во что не верит! — всхлипнула Леся. — Перед вашим визитом сказал: «Делай, что я тебе велел, и спокойно улетим вечером туда, где нас прекрасная жизнь ждет». Илья приказал перед вами этакую, как он сказал, «девочку-девочку» изобразить. Вот я и постаралась изо всех сил. Правда, спросила: «Зачем нам с детективом беседовать? Мы же вечером в самолет сядем. Можно избежать разговора и не нервничать». А он...

Леся снова принялась ломать пальцы.

— Мне в последнее время стало казаться, что Илья с ума сошел. Не в плане работы, в офисе он был обычным, разумным. А вот когда мы оказывались наедине, Каравайкин менялся. Телефон зазвонит, он кричит: «Не тронь, сам отвечу. Если прослушивают разговор, сразу соображу, что я на крючке». В ресторан пойдем, он весь издергается, бубнит: «За мной следят. Вон тот официант!» У него прямо мания преследования открылась. Понимаете? Илья убил моих родителей, Мартину. И жутко боялся, что его вычислят, превратился в ужасного человека, злого, жадного, хитрого. Того Илюши, которого я полюбила, больше не было. У меня даже возникло желание пойти в полицию и рассказать правду обо всем. Но я не могла так поступить. Подумала: я же его когда-то очень любила, а теперь посажу в тюрьму? Нет, нет и нет! Но и переезд с Каравайкиным в другую страну казался мне катастрофой. Илья же сильнее меня морально и физически, поэтому заставил замуж за него выйти. А что мне было делать? Я побоялась отказаться — вдруг он и меня убьет?

Леся всхлипнула.

— Когда вы уехали в тот день, я утащила у него свой загранпаспорт и разрезала его на мелкие кусочки. Когда нас расписали, мы поехали в аэропорт. Документы вместе с билетами лежали у Ильи в сумке, он их вынул — а моего загранпаспорта нет. Конечно, нас не выпустили. Илья так орал! Потом сказал: «Ладно, что уж теперь делать. Понятия не имею, куда документ подевался, но ты не расстраивайся. У меня есть знакомый, он живо новую ксиву сделает. Меньше чем за две недели управится». Но я в самом деле не хочу с Ильей жить. Я его ужасно боюсь! И поэтому...

Леся опустила голову.

— Поэтому вы написали и привезли нам анонимное письмо, — договорила я.

— Вы мне свою карточку дали, — еле слышно сказала Олеся. — Илья ее сразу после вашего ухода выбросил, но имя-фамилию Татьяна Сергеева я запомнила. И адрес офиса простой, отложился в памяти после одного-единственного взгляда на визитку. Пожалуйста, задержите Илью. И спрячьте меня. Пожалуйста!

Леся упала на диван и заплакала.

— Я виновата, виновата... — повторяла она. — Из-за меня Илья и родителей, и Мартину убил, и сделал так, чтобы подозрение на Егора пало...

— А чем Каравайкину помешала ваша тетя? — удивилась я.

Девушка выпрямилась.

— После того как я наследство от родителей получила, ко мне вдруг Марта приехала, стала плакать, рассказывать, что им с дочерью жить не на что. Мол, родила она Анфису по большой любви, а отец не хочет алименты на ребенка платить, квартира у них съемная, на работе платят копейки, так что ей с дочкой порой на хлеб не хватает, все, что Мартина получает, хозяйке однушки отдавать приходится...

— Вы, похоже, в гостях у нее не бывали, — вздохнула я.

— Тетя меня не приглашала, — кивнула Леся. — Конечно, я дала ей денег.

— И родственница стала регулярно приходить с протянутой рукой? — спросила я.

Олеся снова кивнула.

— Каравайкину, видимо, надоело, что Мартина вымогает у вас немалые суммы? — не успокаивалась я.

Леся отбросила в сторону диванную подушку, которую в последние минуты держала в руках.

— И это тоже. Илья постоянно говорил: «Гони вон прилипалу, все у нее в порядке». Но у Марты дочка, алиментов нет, квартира съемная...

— Апартаменты ее собственные, все расходы на девочку отец оплачивал, — не выдержала я.

Леся всплеснула руками.

— С ума сойти! Значит, она врала про бедность? В конце концов, когда тетя ну очень большую сумму попросила, Каравайкин ей сам позвонил: «Мартина, хватит сюда шляться. Леся больше ни гроша тебе не даст, я ей запретил». Она возмутилась: «По какому праву вы Олесей командуете?» Илья ответил: «По праву опекуна».

Леся успокоилась, заговорила тише.

— На следующий день Илья уехал в Тверь. А ко мне вечером заявилась Марта. Я ее на пороге увидела и растерялась — не предполагала, что она после разговора с Каравайкиным придет. Мартина начала плакать, ну я ее и впустила. Решила поговорить с тетей, не ругаться с ней, просто объяснить, что несколько миллионов дать не могу. Илья бы меня не одобрил, но его же рядом не было, должен был вернуться завтра. Поэтому я сказала Марте: «Опекун на сутки уехал, давай без истерики все обсудим». Она вбежала в комнату и... Но я лучше все подробно расскажу...

Столова принялась племянницу умолять помочь ей, добавила, что вот-вот получит от Егора много денег — ее брат обманывает американский фонд, прикидывается диабетиком. И вдруг... в комнату входит Каравайкин, держа в руках... очередную секс-игрушку — он их обожает, частенько ими пользуется...

Появление опекуна было настолько неожиданным, что Леся буквально онемела и застыла на какое-то время. А адвокат, не заметив Мартину — та в самом углу дивана сидела, от двери это место не видно, — игрушку включил и засмеялся:

— Лесик, тебе это понравится!

Марта отреагировала немедленно:

— Ага! И в органах опеки тоже все в восторге забьются!

Каравайкин растерялся, Олеся опешила от неожиданности — ситуация, глупее не придумаешь. А Мартина, полностью сохраняя самообладание, быстро снимки телефоном нащелкала, а затем трубку Илье протянула со словами:

— Наверное, хочешь ее разбить? Давай. Только фотки, здесь и сейчас сделанные, уже в моей почте. Ну что, будем договариваться насчет денег, или мне сразу в соцзащиту рвануть с рассказом про то, как опекун с несовершеннолетней подопечной веселится?

Каравайкин наконец в себя пришел. В его вопросе прозвучало лишь одно слово:

— Сколько?

Мартина ответила:

— Десять тысяч долларов каждый месяц.

Олеся крикнула:

— Тетя, как не стыдно? Столько раз я тебе помогала, а ты, оказывается, мерзкая шантажистка! Пять минут назад ты сказала, что из Егора деньги тянуть собралась. С родного брата. Пусть он мошенник, диабетиком из-за гранта прикидывается, но ты-то еще хуже! Теперь вот мне неприятности устроить решила. Не твое дело, с кем я живу!

Илья остановил Лесю, сказал Марте:

— Хорошо, договорились. Деньги тебе утром привезу. А сейчас уходи.

Мартина кивнула и гаденько так улыбнулась.

— Не стану вам мешать, развлекайтесь. Но смотрите, если завтра до полудня грины не получу, фотки на всеобщем обозрении окажутся. Тогда конец твоей карьере и свободе, адвокат!

Мартина удалилась, а Каравайкин своей подопечной пощечину отвесил, сопроводив ее вопросом:

— Зачем ты эту тварь в дом впустила? Говорил же тебе...

Леся поежилась, вспомнив неприятный момент, и пояснила:

— Илья вообще любит руки распускать. Правда, потом прощения просит, подарки делает. В тот день так же было. Потом мы сели чай пить, и он спрашивает: «А что там такое про Егора и диабет?» Я ему рассказала, что из беседы с тетей узнала: ее брат, преподаватель вуза, наврал в американском фонде, будто болен сахарным диабетом, и вот-вот получит грант, который только диабетикам достается. А Мартина про обман разнюхала и хочет у Егора денег за молчание потребовать. Но ей срочно большая сумма на лечение Анфисы понадобилась — у девочки онкология, ее надо в Израиль везти. Мартина у меня в долг просила, обещала отдать, когда Егор ей заплатит. Понимаю, что моя тетя весьма неприятная личность, но чем ребенок-то виноват? Так что я сказала, надо десять миллионов рублей на ее спасение дать. Илья расхохотался, потом меня по голове погладил: «Ах ты, наивная зайка... Про диабет я проверю. Не переживай, все будет хорошо, никакой онкологии у Анфисы нет». На том эта тема была закрыта, а вскоре я узнала, что Мартина с собой покончила.

Леся обхватила себя руками, съежилась в комочек.

— Пожалуйста, спрячьте меня от Каравайкина! Не отдавайте ему! Он меня убьет! Наверное, и свадьбу со мной затеял ради денег. Теперь, когда мы с ним стали мужем и женой, после моей смерти мое имущество отойдет ему. Точно-точно! Ведь если я, скажем, через год жизни за рубежом попаду под машину или утону в бассейне, кто унаследует фирму моего отца и все деньги? Муж. Да, все именно так, я ошибалась в отношении Ильи. Он никогда меня не любил и давно придумал, как все папино имущество получить, поэтому и соблазнил дочку друга.

Я опять обняла трясущуюся девушку.

— К вам сейчас приедет наша охрана. А Каравайкиным мы займемся вплотную. Успокойтесь. Соберите дома необходимые вещи, временно поживете в квартире, адрес которой никому, кроме пары наших людей, неизвестен.

Я поговорила с Иваном, дождалась приезда секьюрити и отправилась в офис.

Глава 44

Разговор с Ильей неожиданно получился коротким. Каравайкин выслушал рассказ Леси, прозвучавший из диктофона, и зло сказал:

— Все ложь!

— Еще у нас есть показания Юферевой, — сказала я. — Она подтверждает, что вы просили ее...

— Вранье! — перебил Каравайкин. — Где моя жена?

— Олеся не желает с вами общаться, — ответил Иван.

— Она моя супруга, — напомнил адвокат.

Телефон, который лежал на столе, издал характерный звук. Иван Никифорович взял трубку.

— Это же мой мобильный! — возмутился Илья.

— Мы его пока у вас забираем, — пояснил мой муж. — Но я могу прочитать вам эсэмэску от Леси. «Амарата Карата. Зеленая пурга. Найди в Интернете и все поймешь». Можете объяснить, что означает сие послание?

— «Амаретто»? Это ликер, — растерялся Каравайкин.

— Амарата Карата, — поправил Иван.

— Понятия не имею, что она имела в виду! — воскликнул Илья.

Иван набрал Лесю и поднес трубку к уху.

— Телефон Олеси вне зоны доступа. Но ничего, дозвонимся до нее непременно и получим ответ.

— Она мне в день свадьбы сказала: «Амарата Карата. Зеленая пурга. Когда получишь от меня эсэмэску с такими словами, знай: это сообщение о том, как я к тебе отношусь», — пробормотал адвокат. — Я Лесю спросил, что это означает, она ответила: «Потом узнаешь».

В комнату вошли два крепких парня.

— Пройдите с нашими сотрудниками, — попросил Илью Иван. — Советую вам вызвать своего адвоката.

Каравайкин поморщился.

— Зачем он мне? Я сам адвокат, причем один из лучших в этой стране.

— Но не по уголовным делам, — напомнила я. — Так что позаботьтесь о своей защите. Она вам понадобится.

— Что такое Амарата Карата? — удивился Иван, когда Каравайкина увели. — И еще зеленая пурга?

— Второе похоже на наркотик, — предположила Аня. — Может, они что-то курили или нюхали вместе? Как думаешь, Эдита?

— Угу, — пробормотала Булочкина, бегая пальцами по клавиатуре, — жевали, кололись...

У меня зазвонил телефон. Глянув на дисплей, я увидела, что вызов от Рины, и вышла в коридор.

— Танюша! — закричала свекровь. — Мы договорились с Васей!

— С кем? — удивилась я.

— С домовым! — ликующим голосом заявила свекровь. — Глянь в ватсапп, я отправила тебе его фото. Фолкин — гений! Только он начал домовитую песнь петь, Василий и вылез. Я ему налила молока, теперь он уходить не хочет. Кабачки в восторге! Альберт Кузьмич в экстазе! А Надежда, когда Васеньку увидела, уронила сервиз.

— Тарелки бьются к счастью, — ответила я, вспомнив, что Ирина Леонидовна вызвала к нам домой некоего Фолкина, вроде как колдуна, который может приструнить нечисть, пожирающую еду на кухне.

— Нет, она весь сервиз грохнула, — весело закричала Рина. — Несла на подносе к серванту тарелки, супницу, блюда, а тут как раз Вася из-под шкафа высунулся. И — опля! Бабах! Осколки ковром. Ничего, плевать на посуду. А Вася милый. Да ты же с ним знакома.

— Правда? — осторожно спросила я. — Что-то не припоминаю встречи с домовым.

— Фото посмотрела?

— Еще нет, — ответила я. — Сейчас-сейчас, открываю ватсапп. Ой, мама!!!

Из горла вырвался крик, а телефон чудом не выпал из моих рук. Вот только не надо осуждать меня за такую реакцию. А вы бы как поступили, увидев на экране гигантскую круглую мышь с торчащими вверх здоровенными квадратными ушами?

Через пару секунд, когда первый шок прошел, я по достоинству оценила композицию, представшую на экране. Кадр запечатлел столовую. На полу около буфета лежали руины сервиза. Справа от них замер Роки — большие глаза французского бульдога стали огромными, пасть приоткрылась. Его брат Мози присел, и было хорошо видно, что под задними лапами этого «кабачка» поблескивает лужица. Кот Альберт Кузьмич стоял на кресле, выгнувшись дугой и вздыбив всю шерсть. Рина прислонилась к стене, и вид у нее был такой, словно она узрела привидение отца Гамлета. Я проследила, куда глядит Ирина Леонидовна, и опять испытала шок. Таких грызунов не существует! Покажи мне кто-нибудь этот снимок, я бы рассмеялась: «Забавная фотожаба, но мало кто поверит, что такое животное обитает на белом свете». Но вот же оно, инопланетное чудище! Зверушка из фантастических фильмов, плод фантазии безумного сценариста и излишне креативного режиссера! А что самое интересное — я вынуждена признать, что на самом деле знакома с Васей. Ведь именно с ним я сидела в мойке, которую мастер Жора соорудил на лестнице. Правда, в тот момент жуть ушастая вела себя тихо, поскольку была сильно испугана и искала у меня защиты, тихо плакала, не кусалась, просто дрожала. Похоже, животинка только с виду страшная, нрав у нее добрый.

— Прелестный домовенок! — продолжала восхищаться Рина. — Добрый, ласковый, нежный. Правда, кабачки писаются, когда он заговаривает...

Я подпрыгнула.

— Лохматая зверушка еще беседы ведет?

— Ну да! — подтвердила Ирина Леонидовна. — Такие прикольные звуки издает! Васенька, оказывается, в нашей квартире прятался, а теперь больше не хочет. Пока он выбрал в качестве убежища дом Альберта Кузьмича.

— Полагаю, кот в полном восторге, — хмыкнула я.

— Конечно! — воскликнула свекровь.

Я глянула на останки сервиза, лужу под лапами бульдожки, на Альберта Кузьмича, похожего на рыбу-шар, и хихикнула. Да уж, домовой произвел неизгладимое впечатление на всех домашних.

Из кабинета высунулась Эдита.

— Тань, я знаю, что такое зеленая пурга.

Я быстро распрощалась с Риной и вернулась в комнату.

Эпилог

Прошли дни, наступила очередная пятница. Мы всей семьей сели ужинать.

— Значит, зеленая пурга не наркотик? — Рина продолжила разговор, который мы прервали, когда свекровь отошла за супницей.

Иван взял поварешку.

— Впору сесть писать трактат о влиянии литературы на умы подростков. «Зеленая пурга» — детективный роман малоизвестного автора Джека Ронни. На русском языке никогда не выходил. В центре сюжета семья Карата. Фамилия такая. Отец, мать, двое детей: сын и дочь. Девочку зовут Амарата.

— Сюжет круто закручен, — влезла я в беседу. — Старшее поколение богато, но невероятно скупо. Единственную дочь держат в черном теле, та по многу лет носит одно и то же платье, над ней поэтому смеются в гимназии. Вам это ничего не напоминает?

Рина отложила вилку.

— Господь не дал мне особых талантов, зато подарил цепкую память. Ситуация, как у Леси Столовой. Перед глазами возникают снимки Олеси на корпоративных праздниках фирмы ее отца — на девочке одно и то же платье, которое сначала ей велико, потом впору, затем мало. Но Леся вроде не очень переживала из-за отсутствия нарядов, говорила, что не интересуется модой.

Иван потянулся за хлебом.

— Когда мы узнали, о чем эта книга, то провели долгий разговор с Ильей. Караваев пояснил, что девочка стеснялась своего вида, страдала из-за насмешек одноклассников, которые прозвали ее бомжихой. Леся очень хотела пойти на бал, который устраивал самый популярный гламурный журнал и куда ее звали, но мать отказалась купить дочери подходящий наряд, сказала: «У тебя есть платье на выход, ты его на наши праздники надеваешь. Зачем еще одно?» Олеся из тех детей, о которых сложена поговорка про омут и чертей. И по моему опыту, чем тише и глубже омут, тем жирнее в нем черти. Другая девочка могла бы устроить истерику, потребовала бы обновку, Леся же молча ушла. Она делала вид, что ей все равно, но в душе у нее потихоньку бурлил вулкан.

Я налила себе вторую порцию супа.

— Вернемся к книге. Амарата Карата тоже молчит, а вот ее брат Энрике не выдерживает насмешек приятелей. Подросток не может больше питаться просроченными продуктами, которые отец покупает, и начинает употреблять наркотики.

— Геннадий Столов! — воскликнула свекровь. — Прямо, как про эту семью написано!

— Верно, — согласился Иван. — Но все же различия есть. Геннадий убегает из дома, поселяется у бабки-пьяницы, а Энрике оказывается среди бомжей и умирает от СПИДа. Теперь о героине романа. Амарата решает убить родителей, чтобы получить их бизнес, жить припеваючи и купить себе наконец новые платья. Девочке пятнадцать лет, она понимает, что до совершеннолетия (а по законам страны, в которой живут Карата, оно наступает в двадцать один год) ей не разрешат самой распоряжаться ни деньгами, ни имуществом, назначат опекуна. Возможно, он окажется гаже родителей. И Амарата решает сама подготовить для себя того, кто возьмет ответственность за нее, когда она осиротеет. Выбор ее падает на ближайшего друга отца, врача Клауса. Девочка соблазняет его, тот влюбляется в юную красавицу, готов ради нимфетки на все. Клаус знает, как отравить человека, чтобы смерть казалась не насильственной. В результате родители Амараты умирают от гриппа. Как понимаете, лечил их Клаус. Девочка становится наследницей и собирается улететь с любовником в другую страну, где мужчина может взять в жены шестнадцатилетнюю. Но!

— Дай угадаю, — перебила сына Ирина Леонидовна. — В полицию приходит анонимное письмо с рассказом о том, что сделал Клаус, и врача запихивают в каталажку. Прямо как в вашем деле.

— С удовольствием возьму тебя в свою бригаду, — похвалила я свекровь. — В точку! Ну а теперь слушай, как обстояло дело у Столовых. Учительница английского языка в гимназии, которую посещала Леся, раздала детям книги для внеклассного чтения, которые принесла из дома. Лесе досталась «Зеленая пурга». Не станем обсуждать, стоило ли педагогу вручать ребенку роман, в котором героиня-школьница убивает своих родителей и, не будучи пойманной, живет в свое удовольствие, заграбастав кучу денег. Издание упало в руки Олеси, словно зерно в хорошо удобренную почву — в пятницу состоялся бал, на который младшая Столова не попала из-за отсутствия платья, а сразу после выходных, в понедельник, училка дала Лесе детектив.

— И откуда вы это знаете? — удивилась Рина. — С Лесей не разговаривали, а, кроме нее, никому ее мысли неизвестны.

Я отложила ложку.

— Поняв, что «Зеленая пурга» — это книга, мы нашли ее в Интернете, просмотрели, решили проверить, читала ли Олеся роман. Для начала обыскали ее комнату. Там обнаружили томик, на первой странице которого стоял штамп «Из собрания Лидии Эдалис». Узнать, что так звали учительницу английского языка в гимназии, где училась наша «героиня», было делом пяти минут. Олеся только-только получила аттестат, она пошла в школу в восемь лет. Почему так поздно? Не знаем, родители умерли, спросить не у кого. Рина права, мы не можем доказать, что Леся осознанно действовала как Амарата, это всего лишь наша догадка. Как и то, что я скажу дальше. Леся, наверное, несколько раз перечитала книгу, уж очень в ней замусолены страницы, и поняла: роман написан про нее. И родители скупердяи, и в школе из-за внешнего вида и отсутствия карманных денег над ней насмехаются, и брат-наркоман — все у школьницы Столовой, как у Амараты. Девочка с фамилией Карата обрела счастье? Значит, и у Леси получится. Дело за малым — надо избавиться от жадных отца и матери.

— Мы с Лесей на эту тему не беседовали, — остановил меня муж, — поэтому, что она на самом деле думала, не знаем. Но произошедшее в семье Столовых позволяет предположить — юная преступница взяла за образец детектив.

— Когда родители собрались консервировать дачу на зиму, — подхватила я, — добрая доченька налила им в термос с чаем лошадиную дозу снотворного. Это мы знаем точно. Откуда? Объясню позднее. Взрослые покатили на машине, Олеся на электричке за ними. В поселке уже почти не было жителей, девочка спряталась в сарае соседей. Подождав, когда в фазенде Столовых погаснет свет, она осторожно вошла на кухню, расковыряла шланг от газовой плиты и поспешила на шоссе, где поймала попутку. Никто не заметил отсутствия Олеси. Никто, кроме Ильи, которому спешно понадобился Владимир. Адвокат ему звонил весь вечер на мобильный, а потом в районе двадцати трех часов приехал на городскую квартиру друзей и понял: дома никого нет.

Иван положил мне на тарелку салат и продолжил вместо меня:

— Полиция решила поговорить с Лесей, и Каравайкин, естественно, присутствовал при беседе. Девочка рыдала, рассказывала, что сидела дома, никуда не выходила, делала уроки. Она так достоверно изобразила горе, что ни у кого не возникло сомнений в ее искренности. Да и ее имидж скромной отличницы сработал убийце на руку — полицейские поверили словам Леси. Они и не думали, что Столовых кто-то убил, спрашивали про скупость старших. Дочка ответила честно: папа и мама были ну очень бережливы. Когда парни в форме ушли, Каравайкин сказал Олесе: «А теперь говори мне правду. Тебя ведь не было дома. Я приезжал к вам в одиннадцать и видел темные окна. И на звонок в дверь мне никто не открыл». Девочка разрыдалась и начала каяться. Она, мол, давно любит Илью, просто обожает. И мечтает быть с ним всегда. Но родители сказали Лесе, что ей в восемнадцать лет предстоит выйти замуж за Петра Сергеевича Котова, владельца банка, он очень богат. То, что Котов Олесе противен и ему шестьдесят пять лет, ерунда, главное — у него море денег. И только от полнейшего отчаяния, от ужасной безнадежности Олеся решила избавиться от тех, кто уготовил ей неравный брак со стариком.

— Илья поверил врунье? — с сомнением осведомилась Рина.

Усмехнувшись, Иван отодвинул пустую тарелку на край стола.

— Вспоминаются строки Пушкина: «Ах, обмануть меня не трудно. Я сам обманываться рад». Адвокат был с нами предельно честен. Каравайкин признался, что дочурка друзей ему очень нравилась, но он не делал никаких попыток к сближению с ней из-за юного возраста девочки. А тут Леся ему в любви клянется, да еще утверждает, что совершила преступление, чтобы жить с ним. Пока Илья пытался сообразить, что ему делать, негодяйка каялась дальше. Она понимала, что на наследство могут еще претендовать бабушка Елена и родной брат Гена. Тогда девочка начала носить жившим отдельно и очень бедно изгоям еду. Но, как понимаете, дело было вовсе не в сострадании. Брату-наркоману Леся приносила героин, надеясь, что тот рано или поздно умрет от передозировки. Елена Леонидовна, несмотря на все подаренные ей бутылки водки, никак не могла допиться до отправки на тот свет. У бабули-алкоголички оказалось железобетонное здоровье. Олеся зарабатывала на одноклассниках — писала для них доклады, решала контрольные, за что брала неплохие деньги. На дурь для Гены и дешевую выпивку для Столовой-старшей ей хватало.

Иван налил себе компот.

— Про убийство Владимира и Ксении и про то, зачем на самом деле Олеся бегала к бабке и брату, сообщил Илья. Он вел с нами честный разговор. К тому же рассказал, что, будучи в полном неведении о проделках Леси, решил устроить алкоголичку Елену на службу, нашел ей место поломойки. И в первый же рабочий день та украла у хозяев очень дорогую водку, отравилась ею и умерла. Вопрос, почему в штофе оказался метиловый спирт, остался без ответа. Леся клялась, что спиртное не меняла. И я в это верю — она во всем Илье призналась, смысла врать у нее не было. Итак, бабушка отправилась на кладбище, из потенциальных наследников состояния Владимира Столова, Лесиных конкурентов, остались лишь брат, тетя и дядя, Геннадий, Мартина и Егор. Гена, как мы знаем, очень удачно скончался от передозировки буквально через несколько дней после гибели родителей.

Илья и Олеся стали жить вместе, но из-за ее возраста свои отношения тщательно от всех скрывали. Девочка наконец-то слетала в Париж, где давно мечтала побывать. Каравайкин, чтобы не вызвать кривотолков, остался в Москве. В остальном Леся очень аккуратно тратила деньги, не желая привлекать к себе внимание. Егор на состояние Владимира не претендовал — Илья с ним встретился и напомнил про дело Мотыльковой. Этого хватило, чтобы Егор испугался. А вот Мартина оказалась иной.

Иван взял стакан с компотом, и пока он пил, я рассказ продолжила:

— Все, что Леся напела мне про Мартину, правда. Та приходила, выпрашивала у нее деньги, а потом произошла та глупейшая история с секс-игрушкой...

Радость Марты была беспредельной, она разинула рот аж на ежемесячную выплату в десять тысяч долларов. Олеся сказала любовнику:

— Ей нельзя давать ни копейки. Один раз поведемся, и сумма, и так не маленькая, начнет возрастать. Таким людям доверять нельзя. Мартина, несмотря на мзду, может все разболтать. Представляешь последствия? Я несовершеннолетняя, ты мой опекун. Вдруг кто-то подумает: наверняка адвокат с девочкой спит, неспроста же у нее разом отец с матерью, а затем брат и тетка умерли, похоже, Каравайкин к наследству подбирается. Думаю, надо избавиться от моей разлюбезной тетушки.

— Нет, — возразил Илья, — сама только что говорила о том, что почти все твои родственники умерли. Это и так довольно подозрительно, а если сейчас еще и Марта до кучи к праотцам отъедет... Нет-нет, это слишком большой риск.

— Бабка была алкоголичкой, что все знали, она водкой отравилась. По этому поводу ни у кого никаких сомнений нет. А Гена наркоман, что тоже было известно, передоз в его случае не уникальное явление. Родители же мои жадины-жлобы, которые шланг для газовой плиты нормальный купить пожалели, — возразила Леся. — Короче, никто ни о чем не подозревает.

— Вот и не надо лишний повод давать, — стоял на своем Илья. — Ничего, сейчас отдам Мартине доллары, а потом... Короче, у меня есть одна задумка.

Каравайкин поехал к Егору, рассказал ему, что знает про мошенничество с грантом, и спросил:

— Похоже, ты решил напроситься в США на службу?

— Да. Откуда вы знаете? — удивился Столов. — Ни одному человеку я не говорил ни слова.

Конечно, Илья не умел читать чужие мысли и не имел представления о планах Егора, просто сделал предположение и попал прямо в цель. Но чтобы поселить в сердце Столова страх, Каравайкин засмеялся:

— У меня есть знакомые, которым известно все, даже то, о чем люди думают. В общем, слушай внимательно. Если всплывет правда о гибели Мотыльковой и о том, что у тебя никакого диабета и в помине нет, плакала твоя мечта о работе в Штатах. Мартина на редкость подлый человек, она непременно твою тайну разболтает.

Егор сильно занервничал.

— Что же делать?

— Один раз я тебя из беды вытащил, из дела Мотыльковой выдернул, так и быть, и во второй помогу, — вздохнул Илья. — Но не бесплатно. Вот тебе два билета на концерт и пузырек с жидкостью, которая не имеет ни вкуса, ни запаха. Пригласи Мартину повеселиться, скажи ей: «Потом в кафе сходим, там очень вкусные десерты, мой любимый крем-брюле». Она точно пойдет, не упустит возможности сделать фото «диабетика», который сладкое ест. И вот еще, держи бутылку дорогого красного вина. Предложишь Марте перед выходом из дома угоститься и выльешь ей незаметно в бокал содержимое флакончика. Марта сразу уснет, а ты уходи, взяв ее ключи, их потом передашь мне. Все. Больше проблем с мерзавкой не будет...

— Понятно! — прямо-таки подпрыгнув на сиденье, воскликнула Рина, перебивая меня. — Егор отдал связку адвокату, тот вошел в апартаменты, а Мартина, нарядившаяся для похода на концерт, была уже мертва, отравлена. Илья просто положил заранее приготовленную записку на стол. А кто ее нарисовал, Егор?

— Нет, конечно, — возразила я. — Егору нельзя было знать, что его сделают основным подозреваемым. В Москве есть несколько клубов любителей каллиграфии. Каравайкин попросил одного из членов написать послание, сказал, что хочет красиво расстаться с девушкой, отправить ей письмо, идеально оформленное. Писец и не подозревал, что повторяет предсмертную записку Мотыльковой. Слова-то в ней романтические. «Как прекрасна жизнь среди тех, кто тебя всегда ждет. Как радостно встречать с ними рассвет и закат. Мой мир полон любви. Ухожу в страну вечного счастья». И все. Проблема устранена. Мартина мертва. Илья на всякий случай обшарил ее квартиру — вдруг у Столовой есть какие-то записи о них с Лесей, но вместо них нашел папку с компроматом на Егора и унес ее. Он был спокоен: смерть Мартины не должна взбудоражить полицию, а если и возникнут подозрения, можно перевести стрелки на Егора. Тот будет молчать, напуганный известием, что его обман с диабетом может раскрыться. Владимир с Ксенией мертвы, Елена Леонидовна и Гена тоже на том свете. Все чудесно сложилось. Одна беда — неожиданно Лесе звонит Татьяна Сергеева, начальница особой бригады, и просит о встрече. Тогда Каравайкин спешит к Юферевой, которая не так давно получила от него квартиру и машину...

— Стоп! — перебив меня, скомандовала Рина. — Нестыковочка. Когда Валентина стала хозяйкой жилья?

— Точно не помню, — ответила я, — где-то месяца за полтора до смерти Мартины.

— Вот! — подскочила Ирина Леонидовна. — Как это могло получиться? Понимаю, куда разговор ведете, сейчас скажете, что Илья предложил Вале жилье и машину, чтобы та обманула Таню, спела ей кантату, написанную Каравайкиным. Такого быть не может. Полтора месяца назад еще никто...

— А ты молодец, сразу это заметила. Ты права, — вздохнула я, — мы совершили ошибку, не обратили внимания на расхождение в датах. Непростительная оплошность для профессионалов! Однако потом мы спохватились. И узнали правду от Каравайкина. На самом деле Юферева — близкая знакомая Леси, маниакально мечтавшая о хорошем жилье и деньгах. Желаний своих Валя не скрывала и не скрывает. Леся про маникюршу все прекрасно знала. Итак, слушай дальше...

Несколько месяцев назад Каравайкину, давно переставшему работать адвокатом по разводам, позвонил один из его бывших клиентов и взмолился:

— Илюша, помоги еще раз! Опять я в неприятность влип. Снова с супругой расхожусь, но теперь есть сын, которого я ни за что не хочу отдавать мерзкой бабе. Придумай что-нибудь! Ну, скажем, найди человека, который подтвердит, что на моей жене клейма ставить негде, она проститутка по вызову. Я богат, ты знаешь. И умею быть благодарным, любые деньги тебе и свидетелю заплачу.

— Ладно, подумаю, — пообещал Илья.

Чуть позже Каравайкин, передав Лесе этот разговор, вздохнул:

— Раньше я знал, где лжесвидетеля найти, но теперь-то отошел от этого бизнеса.

— Если твой клиент даст Вале Юферевой денег на квартиру, она все, что ему нужно, подтвердит, — подсказала Олеся.

И точно, Юферева не подвела. За что получила малолитражку и апартаменты.

Илья вспомнил о ней и решил воспользоваться ее помощью еще раз. Каравайкин примчался к Вале, дал денег и объяснил, что надо говорить Сергеевой. А дальше... дальше начинает свою игру, о которой Илья ничего не знает, Олеся. Мы опять поговорили с Юферевой, и та наконец-то выложила правду. Ей-богу, эта женщина просто сундук с враньем, ложь на ложь слоями громоздила.

Возлюбленная Каравайкина встречается с Валентиной и излагает свой план, от которого у Юферевой просто Новый год, Пасха и день рождения в одном флаконе соединятся. Сначала ей апартаменты и машина за вранье достались, потом Илья денег заплатил, а теперь еще и Леся с солидной суммой появилась. И начинается спектакль по сценарию Столовой-младшей... О деталях могу лишь догадываться, но, скорей всего, ход моих мыслей верен, — сказала я. — Перед моим визитом девчонка специально надушила Каравайкина навязчивыми духами: ваниль, корица плюс цитрусовые. В ее квартире сильно пахнет, я чихаю. А Илья говорит: «Олеся меня духами опшикала». Во время разговора Олеся ранит руку об отломанный край стеклянного столика, адвокат восклицает: «Вот те на! Еще вчера он цел и невредим был». Опять же я не знаю, но подозреваю, что Леся нарочно испортила столешницу, чтобы получить рану. Девушка, как по нотам, роль свою играет. А вот что нам теперь известно точно, так это задание, которое Олеся дала Вале. Та должна была рассказать мне обо всем, что ей велел сделать Каравайкин. И солгать, что жилье с машиной ей именно от него достались. Причем в процессе беседы она должна была позвонить и вроде бы заказать пиццу, а на самом деле набрать номер Олеси, и та, переодетая в форму доставщика, столкнется со мной в подъезде.

— Где она спецодежду нашла? — заинтересовалась Рина.

— Напрокат взяла у сотрудника пиццерии, — ответила я. — За небольшую мзду он и вынес со склада комбинезон, понадобившийся симпатичной девушке для дружеского розыгрыша. Хитрая Леся специально облилась духами, которыми опрыскала Илью, в надежде, что я вспомню запах. Что дальше? Я ухожу, действительно столкнувшись с «курьером», а Валентина садится в машину и разбивает в тихом месте дороги капот о дерево.

— Юферева нам рассказала, как проделала этот трюк. Ничего сложного, — усмехнулся Иван. — Неподалеку от ее нового таунхауса шоссе идет резко под уклон и круто поворачивает. На месте, где следовало повернуть, на обочине стоит мощный дуб. Юферева подъехала, вылезла, толкнула малолитражку, та скатилась и угодила прямо в ствол. Машинка не самого хорошего качества, капот и весь перед смяло в комок, словно бумагу. Валя залезла в автомобиль, выпила принесенное ей Лесей лекарство, собралась звонить в «Скорую» и увидела, что из-под капота идет дым. Потом появилось пламя, и Юферева перепугалась так, что потеряла способность двигаться. Она реально могла погибнуть, но тут добрый боженька послал ей сотрудника МЧС, который вытащил Валентину. Поняв, что ее спасают, Валя по-настоящему лишилась чувств от счастья, затем сработало снотворное.

Сделав паузу, я отодвинула от себя пустую тарелку, и тут заговорил мой муж:

— После того как Валентину из реанимации перевели в общую палату, она продолжала исполнять роль, которую написала Леся. Юферева позвонила Тане и, изображая страх, сказала, что ее хотели убить. Мол, она уверена: пиццу ей принес переодетый Каравайкин. И звонил ей с сообщением о потопе мужчина, который назвался комендантом. Стоит ли говорить, что последнее было очередной ложью Вали? Но вранье сработало. Да, еще Татьяна вспомнила про духи, запах которых витал в воздухе во время ее беседы с Ильей в квартире Леси.

— Хочется поаплодировать Олесе. Она сумела меня на время обхитрить. В ней пропадает великая актриса и гениальный режиссер, — мрачно заметила я. — Потом она принесла нам анонимное письмо и положила его на стойку ресепшен рукой без перчатки, прекрасно понимая, что в то место должна быть нацелена камера охраны. Расчет был такой: Татьяна непременно захочет найти курьера, изучит запись и... что увидит? Женские пальчики с маникюром и длинную царапину. По ее мысли, Сергеева поймет, что конверт приволокла Леся, и позвонит ей.

— А если бы ты не догадалась? — спросила Рина.

Вместо меня ответил Иван:

— Полагаю, очаровательная добрая девочка Столова нашла бы другой способ сообщить нам, кто автор анонимки. Она очень хотела избавиться от любовника. Илья уже стал ей не нужен.

— Зачем тогда она вышла за него замуж? — спросила Ирина Леонидовна.

— Преступнице требовался помощник, — пояснил Иван. — Одна она бы не справилась, вот Леся и соблазнила Каравайкина, а тот поверил в любовь юной лицедейки, размечтался о детях. Руководством для Олеси стала книга «Зеленая пурга», и девица, как и главная героиня романа Амарата Карата, под конец возненавидела того, кто ради нее был готов на все. Ну зачем ей, теперь очень богатой, молодой, красивой, Каравайкин с его мечтой завести армию наследников? Олесе всего восемнадцать, она хочет учиться в колледже, веселиться, найти того, кто ей понравится. Илья лишний на ее будущем празднике жизни. Почему она пошла в загс? Это надо спрашивать у нее. Но мне кажется, что регистрация брака понадобилась ей, чтобы любовник до самого конца этой истории верил в глубокое чувство своей подопечной. Укажи Леся ему на дверь, Каравайкин мог кинуться в полицию и рассказать о том, что сотворила Олеся. Брошенный жених способен на резкие поступки. А став мужем, Илья успокоился, собирался вечером вместе с молодой женой навсегда покинуть Россию. Но Леся «потеряла» загранпаспорт, пришлось задержаться. Столова просто решила подстраховаться, потому и вышла замуж.

— Мне она сказала, что уничтожила загранпаспорт, но опять же наврала, — фыркнула я. — У меня хватило наивности поверить, что бедной девочке грозит опасность со стороны Каравайкина, я сопроводила ее домой, приставила к ней секьюрити и попросила собрать вещи, мол, потом мы перевезем ее в тихое место. Через два часа я позвонила Лесе — телефон не отвечал. Охранник тоже не отзывался. Я бросилась на квартиру Столовой и нашла парня храпящим на диване, Леси там не было и в помине. Секьюрити не сразу удалось разбудить. Наконец тот пришел в себя и сообщил, что Олеся любезно предложила ему кофейку, после вкушения коего молодого человека свалил сон. Хорошо хоть не смертельный.

— Леся улетела частным рейсом в Доху, — уточнил Иван. — Мы, конечно, погнали в аэропорт, но не успели. Далее ее следы затерялись. А на телефон

Ильи, который был у Диты, пришла эсэмэска «Амарата Карата. Зеленая пурга». Когда я спросил его, что означают эти слова, уставший от допроса Каравайкин закричал: «То, что она меня любит! Леся мне в день свадьбы сказала: «Милый, когда получишь от меня сообщение «Амарата Карата. Зеленая пурга», знай, это свидетельство того, как я к тебе отношусь».

— У девицы извращенное чувство юмора, — поморщилась я, — она просто поиздевалась над Каравайкиным. Он-то понятия не имел о книге. Мы рассказали адвокату про детектив, но он нам не поверил. Пришлось дать ему электронный вариант романа, а заодно посадить рядом переводчика. Леся ведь прекрасно владеет английским, а у адвоката знания намного слабее.

— И что теперь с ним будет? — полюбопытствовала Рина.

— Ничего хорошего, — вздохнул Иван. — Каравайкин лежит с тяжелым инсультом в реанимации, прогноз плохой. Надеюсь, Юферевой достанется на суде за лжесвидетельство, за которое она получила квартиру и машину. За обман нас ей ничего не грозит, это ведь просто беседы были. Документы о том, что Егор Столов прикидывается диабетиком, отправлены в фонд американского миллиардера, какое решение там примут, неизвестно. Ученый ведь уже получил грант, а назад все не отрабатывают. Егор шокирован известием, что Марта его сестра. Он об этом узнал от нас и теперь клянется, будто понятия не имел о том, что Каравайкин задумал убить Мартину, поэтому и просил его подлить ей в вино лекарство. В смерти же Галины Леонидовны, сестры Елены, нет никакого криминала, у нее оторвался тромб.

— Хорошо хоть ее не Леся убила, — сказала Рина. — Ну и где сейчас эта мерзавка?

— В стране, у которой нет договора с Россией о выдаче преступников, — пояснил Иван. — Там, где Илья приобрел дом, куда перевел все деньги. Нам ее не достать.

— Каравайкин никак не хотел нам верить, — добавила я, — но после прочтения книги «Зеленая пурга» у него открылись глаза, и он рассказал нам правду.

— И ведь все произошло из-за жадности, — подвела итог Рина. — На мой взгляд, именно жадность, скупость, скаредность — это самое ужасное...

Договорить свекровь не успела — раздался грохот, затем звук удара, звон.

— Когда же наконец рабочие закончат разбирать мебель? — вздохнул Иван. — Черт обещал, что за пару дней они справятся, но время идет, а процесс все никак не завершится. Этак мы до Нового года не начнем ремонт в своей квартире.

— Смерть очень аккуратна, — усмехнулась я. — Шкафы, столы и стулья они уже забрали, натяжные потолки срезали, сантехнику демонтировали, сейчас паркет осторожно отковыривают. О! Я знаю, откуда шум!

Я повернулась к мужу:

— Смерть же хотела получить заодно и торшер в виде медведя, но ты его не отдал. Она заказала копию, а та получилась неудачной. Думаю, сейчас госпожа Смерть утаскивает твоего жуткого Топтыгина в треуголке. Зверюга же тяжеленный, а у госпожи Тод руки слабые. Видимо, она уронила торшер.

— Ты это сказала, решив, что я побегу вниз? — рассмеялся супруг. — А вот и не побегу! Потому что вчера перенес Федю сюда, к маме, мой торшер стоит в центре управления бригадами.

Рина вскочила.

— А ведь шум не снизу донесся. Уже десять вечера, а бригада в семь часов домой уходит. Ой, значит, это у нас что-то упало!

Ирина Леонидовна побежала посмотреть, что случилось, и через секунду закричала:

— Ну ты и безобразник!

Мы с Иваном переглянулись, потом кинулись на ее голос. Перед глазами развернулась дивная картина: на полу валялась кастрюля, в которой, похоже, совсем недавно было мясо в подливке. Но сейчас от содержимого почти ничего не осталось, потому что Мози, Роки и Альберт Кузьмич с невероятной скоростью уминали куски и вылизывали плитку.

— Он сбросил им горшок с телятиной в кисло-сладком соусе! — возмутилась Рина, показывая пальцем на нижний ряд шкафчиков. — Как только сил хватило!

Я посмотрела на рабочую поверхность стола и около плиты увидела домового, замершего там с самым невинным видом. Меня охватило изумление:

— Вася умеет так высоко запрыгивать?

— Видела бы ты, как он по занавескам лазает, — захихикала Ирина Леонидовна. — Вот безобразник! Ты зачем кастрюлю скинул? Эй, парни, немедленно прекращайте лопать наш ужин, вам это нельзя, сплошь вредные продукты!

— Это была наша еда? — уточнил Иван.

— Да, — горестно вздохнула Рина. — Была! Вот точный глагол.

— И для собак она под запретом из-за вредности? — строго спросил мой муж.

Теперь захохотала я. Иван не выдержал и тоже рассмеялся. Рина смутилась и принялась неловко оправдываться:

— Ну да, это прозвучало глупо. Но понимаете, там сметана, а она жирная, и собачья печень...

Я обняла свекровь.

— Мы все поняли. Конечно-конечно, нас не жалко, а вот бульдожек...

Рина тоже рассмеялась.

— Теперь долго будете надо мной потешаться. А домовой-то какой сильный! Лапки тоненькие, но чугунок свалил.

— Я нашел специалиста по экзотическим животным, пригласил его приехать, — перебил ее сын. — Ученый точно скажет, кто сия зверушка, каков ее пол.

Ирина Леонидовна посмотрела на пол и возмутилась:

— Альберт Кузьмич, вот уж от кого я такого поведения никак не ожидала! Не сели за стол, не повязали слюнявчик... Мози и Роки меня не удивляют, бульдожки дурно воспитанный плебс. А вы, наш князь, вместе с ними... Ваше высочество, вы жрете с пола? Вылизываете плитку? Фу! Директор института благородных котов заработает инфаркт, если узнает, как себя ведет его лучший ученик. Василий, мальчик мой! Как ты смог спихнуть такую тяжесть? У тебя же ножки, как спички!

— Глядя на сей пир, могу предположить, что у нас живет домовиха, — неожиданно сказал Иван.

— Девочка? — уточнила Рина. — Почему ты так решил?

— Из-за мяса, которое уже съели члены стаи, — пояснил Иван. — Домовиха поняла, что она попала в мужской коллектив, и решила сделать все, чтобы не случилась главная беда брака.

— Главная беда брака? — заинтересовалась я. — А что это такое?

Иван улыбнулся.

— Если мужа не кормить, то он сильно похудеет, безымянный палец его правой руки станет очень тонким, и с него соскользнет обручальное кольцо.

Литературно-художественное издание
ИРОНИЧЕСКИЙ ДЕТЕКТИВ

Донцова Дарья Аркадьевна

ЛЬВИНАЯ ДОЛЯ СЕРОЙ МЫШКИ

Ответственный редактор *О. Рубис*
Младший редактор *П. Рукавишникова*
Художественный редактор *В. Щербаков*
Технический редактор *О. Серкина*
Компьютерная верстка *Г. Клочкова*
Корректор *В. Соловьева*

ООО «Издательство «Э»
123308, Москва, ул. Зорге, д. 1. Тел. 8 (495) 411-68-86.
Өндіруші: «Э» АҚБ Баспасы, 123308, Мәскеу, Ресей, Зорге көшесі, 1 үй.
Тел. 8 (495) 411-68-86.
Тауар белгісі: «Э»
Қазақстан Республикасында дистрибьютор және өнім бойынша арыз-талаптарды қабылдаушының
өкілі «РДЦ-Алматы» ЖШС, Алматы қ., Домбровский көш., 3«а», литер Б, офис 1.
Тел.: 8 (727) 251-59-89/90/91/92, факс: 8 (727) 251 58 12 вн. 107.
Өнімнің жарамдылық мерзімі шектелмеген.
Сертификация туралы ақпарат сайтта Өндіруші «Э»

Сведения о подтверждении соответствия издания согласно законодательству РФ
о техническом регулировании можно получить на сайте Издательства «Э»

Өндірген мемлекет: Ресей
Сертификация қарастырылмаған

Подписано в печать 29.05.2017. Формат 80x100 1/32.
Гарнитура «Ньютон». Печать офсетная. Усл. печ. л. 14,81.
Тираж 15 000 экз. Заказ 2899.

Отпечатано в ООО «Тульская типография».
300026, г. Тула, пр. Ленина, 109.

ISBN 978-5-699-96381-2

16+

Дарья ДОНЦОВА

Я ОЧЕНЬ ХОЧУ ЖИТЬ
Мой личный опыт

Эта книга о силе. Силе, которая на самом деле есть в каждом человеке, столкнувшемся в своей жизни с онкологическими заболеваниями. Эта книга о человеке, который победил, выстоял, выжил! И – о человеке, которого любит и знает вся страна и который своим примером каждый день доказывает, что рак молочной железы в современном мире – просто одна из болезней, а далеко не приговор.

Дарья Донцова

*С момента выхода моей автобиографии прошло три года.
И я решила поделиться с читателем тем, что случилось со мной за это время...*

В год, когда мне исполнится сто лет, я выпущу еще одну книгу, где расскажу абсолютно все, а пока... Жизнь продолжается, в ней случается всякое, хорошее и плохое, неизменным остается лишь мой девиз: "Что бы ни произошло, никогда не сдавайся!"

0000-036